# UTOPIE.net

## La réalité Internet après le rêve

**Données de catalogage avant publication (Canada)**

Lapointe, Pascal, 1964-

Utopie.net : la réalité Internet après le rêve
Comprend des réf. bibliogr.
ISBN 2-89544-033-6

1. Internet – Aspect social. 2. Médias – Aspect social.
3. Changement social. 4. Marketing sur Internet. 5. Internet – Histoire. I. Titre.

HM851.1.36 2002 303.48'33 C2002-941777-5

Pascal Lapointe

# UTOPI.net

## La réalité Internet après le rêve

ÉDITIONS MULTIMONDES

Révision linguistique: Solange Deschênes
Impression: AGMV Imprimeur inc.


ISBN 2-89544-033-6
Dépôt légal – Bibliothèque nationale du Québec, 2002
Dépôt légal – Bibliothèque nationale du Canada, 2002

ÉDITIONS MULTIMONDES
930, rue Pouliot
Sainte-Foy (Québec) G1V 3N9
CANADA
Téléphone: (418) 651-3885
Téléphone sans frais depuis l'Amérique du Nord: 1 800 840-3029
Télécopie: (418) 651-6822
Télécopie sans frais depuis l'Amérique du Nord: 1 888 303-5931
multimondes@multim.com
http://www.multim.com

DISTRIBUTION EN LIBRAIRIE AU CANADA
Diffusion Dimedia
539, boulevard Lebeau
Saint-Laurent (Québec) H4N 1S2
CANADA
Téléphone: (514) 336-3941
Télécopie: (514) 331-3916
general@dimedia.qc.ca

DISTRIBUTION EN BELGIQUE
Librairie Océan
Avenue de Tervuren 139
B-1150 Bruxelles
BELGIQUE
Téléphone: +32 2 732.35.32
Télécopie: +32 2 732.42.74
g.i.a@wol.be

DISTRIBUTION EN FRANCE
Librairie du Québec
30, rue Gay-Lussac
75005 Paris
FRANCE
Téléphone: 01 43 54 49 02
Télécopie: 01 43 54 39 15
liquebec@noos.fr

DISTRIBUTION EN SUISSE
SERVIDIS SA
Rue de l'Etraz, 2
CH-1027 LONAY
SUISSE
Téléphone: (021) 803 26 26
Télécopie: (021) 803 26 29
pgavillet@servidis.ch
http://www.servidis.ch

*Les Éditions MultiMondes reconnaissent l'aide financière du gouvernement du Canada par l'entremise du Programme d'aide au développement de l'industrie de l'édition (PADIÉ) pour leurs activités d'édition. Elles remercient la Société de développement des entreprises culturelles du Québec (SODEC) pour son aide à l'édition et à la promotion.*

*Gouvernement du Québec – Programme de crédit d'impôt pour l'édition de livres – gestion SODEC.*

# Préface

Entre futurophiles et futurophobes, Pascal Lapointe, en nous proposant *Utopie.net. La réalité Internet après le rêve*, prend place parmi les analystes de l'âge du numérique qui pratiquent la fascination critique. Il ne rejette pas *a priori* la révolution technologique, en fonction de réflexes humanistes et traditionalistes, comme beaucoup d'intellectuels européens, car il est nord-américain et démontre une connaissance très pointue de l'histoire de ces nouvelles technologies, de leur pratique, des grands espoirs utopiques et des désillusions qu'elles ont déjà suscités. Il en a été un chroniqueur régulier, attentif, lucide, tantôt impressionné, tantôt ironique à l'Agence Science Presse et dans les journaux. Il en mesure toute l'importance et affiche la passion qu'il éprouve pour elles, comme outil de connaissance et d'action.

S'agit-il d'une passion déçue? Ce ne sont pas les technologies numériques elles-mêmes qui le déçoivent, mais les abus de pensée magique de nos contemporains qui en ont fait un bouillon de culture de toutes les utopies flamboyantes et de tous les mythes dont notre vieille psyché humaine est capable.

Je me sens donc très proche de Pascal Lapointe, aussi fasciné que lui et tout aussi critique face à la révolution du numérique et à la montée en puissance des mythes qui s'ensuivit, qui nous tiennent lieu trop couramment aujourd'hui de pensée sociale, économique et politique, voire scientifique et même de spiritualisme pour les plus lyriques d'entre nous.

Pascal Lapointe a choisi de cultiver assidûment le doute et même le scepticisme comme une méthode de pensée. Et il aime l'humour un peu noir et grinçant; il le pratique avec brio et en philosophe-journaliste très exigeant. Jamais gratuitement. Il sait déceler les faiblesses des raisonnements illusionnistes au cœur même des propos les plus séduisants et prometteurs des gourous et des vendeurs de rêve de notre époque. Il traque les sirènes et les fantômes d'Internet, les trous noirs, les taches aveugles et scanne avec précision ces quelques années de grande épopée que constitue la naissance de l'âge du numérique.

Il en résulte une analyse très éclairante, très juste sur la construction des mythes de notre temps : nouveauté, autoroute de l'information, surinformation, interactivité, communication et communauté planétaires, WebTV, convergence, Big Brother, mondialisation, croissance économique exponentielle, etc. Et rétroactivement de mythes plus anciens comme celui de la révolution de l'imprimerie. Il prend un malin plaisir à enfoncer des épingles dans les bulles spéculatives de l'esprit et de l'économie. Il remet les faits et les idées à plat. Il dénonce les chiffres fabuleux des prévisions que nous faisaient miroiter – et avec quelle autorité ! – les devins et les grands experts supposés des groupes-conseils qui alimentaient à dessein le flux imaginaire de l'économie : un milliard d'internautes en l'an 2000, la multiplication imminente des milliards de dollars du commerce électronique comme des petits pains... Le mythanalyste que je suis y trouve son compte. Pascal Lapointe aime sans doute trop ces nouvelles technologies numériques pour ne pas ressentir l'urgence de dénoncer ces excès irrationnels auxquels elles ont prêté le flanc, au point d'en cacher les vertus réelles et de les enfouir sous les désillusions tout aussi excessives des marchés d'aujourd'hui.

Bien qu'elle soit reconnue pour son sens traditionnel du pragmatisme et du réalisme, l'Amérique du Nord est devenue aujourd'hui terre de magie et d'utopies, comme avait pu l'être l'Europe industrielle du XIX^e^ siècle. Elle a attribué des pouvoirs surhumains aux technologies. Les livres, les magazines et les pratiques consacrés au numérique s'y sont multipliés comme une culture de plantes envoûtantes, arborescentes et sans limites. La pensée fabuleuse y a fleuri comme des champs de marijuana anesthésiant toute pensée critique à l'horizon. Et conséquemment, quand l'effet euphorique cesse, le réveil est douloureux ; le retour du principe de réalité en surprend plusieurs. *Utopie.net. La réalité Internet après le rêve* est donc un livre important, de ceux dont nous avons grand besoin face aux abus de pensée magique si répandus aujourd'hui.

Voilà un pavé dans la mare des lyriques et des romantiques du numérique, qu'il faut lire pour cultiver notre lucidité et aussi – c'est mon côté fleur bleue à moi – pour mieux apprécier en contrepoint la puissance de l'imaginaire infantile et merveilleux dont les hommes sont capables. Les prestidigitateurs attirent toujours plus les foules et les enfants que Diogène et son modeste tonneau, les conteurs font plus recette que les comptables... encore que la démesure des grandes compagnies de technologies numériques, quand l'hiver est venu, a contraint plus d'un comptable à se réfugier dans les volutes de fumée rose des comptes fantastiques. L'imaginaire est souvent plus fort que le réel et nous nous laissons tous séduire volontiers quand la réalité est prosaïque, même si nous savons que le réel se vengera inéluctablement un jour et parfois tragiquement de nos faiblesses (le plus tard possible!). La technologie – c'est l'un de ses paradoxes fondamentaux – excite étrangement l'imaginaire et a contaminé même notre économie, devenue elle aussi – l'espace d'un matin – une économie imaginaire.

Pascal Lapointe a malicieusement choisi de faire sonner le réveille-matin.

Et seul l'avenir nous permettra de savoir si l'invention du numérique aura été aussi capitale que nous le croyons. Nous le saurons seulement dans quelques siècles, à condition que l'espèce humaine ait survécu – même en migrant, dit-on, dans les réseaux numériques ou dans d'autres systèmes solaires –, et si ces hommes n'ont pas sombré dans l'obscurantisme ou perdu la mémoire numérique à laquelle nous confions aujourd'hui ingénument notre culture. Seul l'avenir dira si l'extension du numérique à tous nos champs d'activités humaines est aussi importante que la maîtrise du feu le fut dans l'évolution de l'humanité. Peut-être me suis-je fait à mon tour de grandes illusions, comme le pense sans doute Pascal Lapointe, en affirmant aujourd'hui que bon an mal an, malgré toutes nos utopies et toutes les critiques qu'elles appellent, malgré les désillusions qui s'ensuivirent en peu d'années, nous sommes bel et bien entrés dans ce qu'on peut appeler, et pour longtemps, *l'âge du numérique*.

Car le numérique est beaucoup plus qu'une technologie telle que la radio ou la télévision : il est devenu le langage même de notre technoscience et de notre cosmogonie. Il n'a pas fini de nous surprendre, de nous séduire, de faire notre malheur autant que notre bonheur et de susciter de nouvelles utopies merveilleuses appelant à leur tour, encore et toujours en contrepoint, les rigueurs de l'esprit critique et démystificateur. Ainsi va la vie, vraisemblablement depuis très longtemps, et sans doute pour aussi longtemps que les hommes vont exister, espérer, imaginer, créer, errer et se questionner aussi. Du moins, espérons-le.

Hervé Fischer

Titulaire de la chaire Daniel-Langlois
en technologies numériques et beaux-arts,
Université Concordia

---

Hervé Fischer est l'auteur de *Mythanalyse du futur* (2000), *Le Choc du numérique* (VLB, 2001) et *Le Romantisme du numérique* (Fides, 2002).

# Table des matières

# Introduction

Les internautes «ont souvent la ferveur religieuse des nouveaux convertis», ironisait le *Time*, en mars 1995. Il n'avait encore rien vu. Le pire était à venir.

Déjà, en 1995, on ne comptait plus les articles dénués de tout sens critique et les déclarations ronflantes décrivant avec un enthousiasme sans bornes la société idéale que nous préparait soi-disant l'inforoute.

Un peu comme ce journaliste montréalais qui, dans son article, parlait de «retentissement considérable», d'un «progrès destiné à révolutionner le monde économique», et de «la plus merveilleuse de toutes les inventions de ce siècle».

À ceci près que, lui, il ne parlait pas d'Internet, mais de la... radio, en 1922.

«*La Presse* annonce aujourd'hui à ses milliers de lecteurs, une nouvelle considérable: c'est qu'elle fait installer sur le toit de son immeuble, rue Saint-Jacques, un poste de téléphonie sans fil à longue distance ("Broadcasting station").»

C'était plus précisément le mercredi 3 mai 1922, et la nouvelle faisait toute la largeur de la première page. En quelques paragraphes, le quotidien annonçait avec fierté l'acquisition de ce poste de «radiotéléphonie» – le premier poste français d'Amérique, futur CKAC – dont il venait d'obtenir du gouvernement fédéral le permis d'exploitation.

Et le reste de l'article était à l'avenant: «Nul doute qu'ainsi nos compatriotes pourront, avant peu, briller au premier rang parmi les hommes de progrès.» Notons au passage le mot «progrès»: mot magique, qu'on reverra souvent.

Cet enthousiasme n'était pas seulement de l'autopromotion pour *La Presse* et sa nouvelle acquisition. Il y avait un enthousiasme débordant à l'égard de ce nouveau média. Un véritable engouement. Une ferveur, frisant la ferveur religieuse. Et, s'il en était ainsi en 1922, c'était parce que depuis quelques années des journalistes et des universitaires n'avaient eu de cesse d'encenser la radio, de la placer sur un piédestal, de la décrire comme un extraordinaire agent de changement social, un extraordinaire outil d'éducation populaire, un extraordinaire outil pour promouvoir la démocratie...

Pareil enthousiasme, répété, répercuté et rebrassé, ne pouvait que gagner le grand public: de fait, en 1922, ce n'étaient pas des professionnels de la radio – ça n'existait pas encore – ni même des gens d'affaires qui contrôlaient ce média. C'étaient d'abord et avant tout de simples amateurs qui provoquèrent l'explosion du phénomène, en bricolant chez eux des appareils faits de bric et de broc – ou en achetant ceux qu'on commençait à trouver dans le commerce... Commerces que ces reportages, à leur tour, contribuaient à promouvoir, telles de continuelles publicités gratuites... Ainsi, ce même 22 mai 1922, *La Presse* profitait de l'événement pour lancer, à l'instar de ses confrères américains, une chronique sur «Le Radio» (au masculin, et avec une majuscule). On y présenterait, au fil des semaines, des articles qui paraissent aujourd'hui étonnamment techniques, mais qui répondaient, présumait-on, à une demande pressante des lecteurs: qu'est-ce qu'un Radio, un relais, une bobine de Rhumkorff (!), une longueur d'ondes, à quoi ressemble de l'intérieur un appareil récepteur... et comment en fabriquer un soi-même.

Étonnamment techniques? Peut-être que les gens de l'an 2070 considéreront eux aussi étonnamment techniques nos chroniques soi-disant grand public des années 1990: qu'est-ce que le HTML, comment fabriquer sa page Web, le BtoB et le BtoC, le Webcasting et le push, les plug-in et Java...

Au début des années 1920, c'étaient à ces amateurs enthousiastes qu'appartenait le nouveau média. La presse écrite, gagnée par la vague, commit alors l'erreur d'ouvrir ses pages à des auteurs qui, s'improvisant devins, décrivirent aussitôt avec passion «leur» futur, un futur où, disaient-ils, le simple citoyen aurait, pour la première fois de l'histoire, le contrôle sur la diffusion de l'information.

Mais aucun de ces devins, aucun de ces gourous, n'avait prévu la commercialisation de la radio, qui allait enterrer ces généreuses ambitions au cimetière des utopies.

* * *

Internet contribuera à élever le niveau culturel des générations à venir, à révolutionner la politique, à revaloriser la démocratie, à créer une planète plus juste, non commerciale, à rapprocher les peuples... Des lobbyistes de l'Electronic Frontier Foundation jusqu'aux humbles militants du Net, en passant par tous les magazines «branchés», *Wired* en tête, les devins ont été tout aussi actifs pendant les années 1990. Actifs, et volubiles. Volubiles, et prêcheurs.

Peu d'entre eux, toutefois, ont prévu la commercialisation d'Internet.

Absence de sens critique? Voilà bien l'euphémisme du siècle. Les prosélytes d'Internet n'ont pas seulement manqué de sens critique, ils ont été complètement aveuglés. Et leur aveuglement a eu des conséquences, tantôt graves, tantôt insolites: en janvier 1995, un sondage Time/CNN révélait que 57% des Américains ne savaient pas ce qu'est le cyberespace... mais 85% étaient persuadés qu'il avait amélioré leur vie!

D'où pouvait bien leur venir pareille conviction, si ce n'est des reportages et des chroniques dithyrambiques qui fleurissaient dans chaque quotidien, magazine et émission de radio ou de télé?

* * *

Qu'on ne s'y trompe pas: Internet a changé, change et changera bel et bien nos vies.

Mais il est inutile d'être un grand prophète pour en arriver à cette conclusion: l'arrivée de *toute* nouvelle technologie, *quelle qu'elle soit*, transforme la société. La télé a transformé notre société – et la transforme encore. Et, avant elle, le cinéma, la radio, la presse écrite de masse, le téléphone, le télégraphe...

Sauf que de tels changements se font à l'échelle historique. Autrement dit, ils sont mesurables au fil des décennies, et non pas des semaines ou des mois. On a beau dire qu'«une année d'Internet équivaut à sept années de vie», c'est une belle phrase qui, sortie de son contexte, ne veut plus rien dire. Elle nous rappelle que, à l'intérieur de l'univers Internet, des changements se produisent à la vitesse de l'éclair: logiciels, nouveaux sites, croissance démographique, etc. Mais cette belle phrase ne signifie rien quant à *l'impact de ces changements à l'extérieur de l'univers Internet.*

En fait, à travers l'histoire, les changements apportés par une technologie se sont rarement produits de la façon dont ses promoteurs l'avaient prédit. Les deux derniers siècles – soit depuis les débuts de la révolution industrielle – ont été remplis d'apprentis futurologues débordant d'optimisme quant au «progrès». Ces futurologues ont généralement si bien vanté leur bébé que les politiciens et les gens d'affaires n'ont pas tardé à embarquer dans le train. Au point où, après quelques années d'amateurisme sympathique, ce sont ces gens d'affaires qui ont pris la relève: ils ont financé le développement de masse du bébé, tandis que les politiciens l'encadraient ou le normalisaient par des lois.

Ces futurologues, à toutes les époques, ont souvent contribué à apaiser les craintes – puisque bien des gens craignent systématiquement tout ce qui est nouveau. Certains ont donc fait un travail remarquablement utile de vulgarisateurs.

Mais au-delà de cette fonction utile, ces futurologues ont, à une exception près – la télé –, choisi de prédire des avenirs radieux, éclatants, rose bonbon... et toutes leurs prédictions ont frappé à côté de la cible.

Les débuts de la science-fiction en ont été marqués. Lorsque le pionnier, Jules Verne, se lance dans l'écriture, c'est la fin du XIXe siècle: au cours des décennies précédentes, la planète a rétréci, avec l'explosion des chemins de fer et du télégraphe. C'est une époque de foi en la science, de confiance absolue dans les merveilles de la technologie et dans ce mot magique qu'est le progrès.

Avec 15 ans d'avance, Verne imagine donc un moyen de locomotion révolutionnaire: le sous-marin. Et son *Nautilus*, en dépit du désir de vengeance qui anime le capitaine Nemo, est d'abord et avant tout un instrument scientifique, qui ouvre à l'homme un univers nouveau et fascinant.

Nulle part, par contre, Jules Verne n'imagine ce qui deviendra l'usage premier du sous-marin : la guerre.

* * *

Gardons-nous de tomber dans l'autre extrême, et de jeter le bébé avec l'eau du bain. Les réactionnaires et autres dinosaures ont été nombreux à se gargariser, depuis la débandade boursière du printemps 2000, de sempiternels « je vous l'avais bien dit ». Mais ils ne font à leur tour que démontrer leur propre aveuglement. Si les futurologues optimistes ont vu trop grand, les futurologues pessimistes se sont eux aussi fourvoyés, à travers les âges.

La télévision en est l'exemple. Au contraire de la radio, c'est un excès de pessimisme qui l'a accueillie chez nombre d'intellectuels : désert culturel, lavage de cerveau, corruption de la jeunesse, sans parler des effets cancérigènes de l'écran... Dans l'édition d'avril 1983 de *L'Action nationale*, l'écrivain Viateur Beaupré lançait : « Le téléroman a pour mission première de transformer les idées en plat de spaghetti, d'anesthésier tout sentiment critique, de ramollir les colonnes vertébrales en boudins de guimauve. Plus le peuple québécois se gavera de téléromans, plus il deviendra débile et flasque[1]. » Aux États-Unis, en 1978, un universitaire américain du nom de Jerry Mander a publié un bouquin réclamant rien de moins que l'élimination de la télé : celle-ci, concluait-il au terme d'une savante argumentation de 350 pages, ne présente strictement rien de valable et n'offre pas le plus petit espoir d'une quelconque amélioration, à court ou à long terme[2].

Or, un portrait aussi noir est irréaliste. Aucune technologie, aucun phénomène social, politique ou économique, absolument rien dans l'Histoire, ne saurait avoir *que* des impacts négatifs.

---

1. Viateur Beaupré, « Les téléromans au Québec », *L'Action nationale*, vol. 72, nº 8 (avril 1983), p. 760-763.
2. Jerry Mander, *Four Arguments for the Elimination of Television*, New York, William Morrow and Company, 1978, 371 p.

De fait, les études démontrant que le spectateur peut acquérir des connaissances, même en regardant une simple fiction télé, sont légion : *Racines* (sur l'esclavage des Noirs américains), *Holocauste* (sur le sort des Juifs pendant la Seconde Guerre mondiale), *Shogun* (sur le Japon de l'an 1600) ont transformé, à divers degrés, la vie de millions de personnes, en les poussant à acheter des livres, à s'informer, à poser des questions à leur entourage, à se lancer dans des recherches généalogiques, et même, suprême exploit, à remettre en question des préjugés raciaux[3].

Qui sait, peut-être qu'Internet est la meilleure chose qui pouvait arriver à la télévision : au cours des années à venir, les défenseurs de la Culture avec un grand C pourraient soudain trouver à la télé des vertus nouvelles, puisqu'ils auraient avec le Net une nouvelle tête de Turc...

Revenons un instant à la radio. « Le potentiel de son influence culturelle a été très tôt perçu », raconte Pierre Pagé dans un de ses nombreux écrits sur l'histoire de ce média : en Allemagne, l'Université de Berlin organise un congrès sur la radio et l'école dès 1924 ; à Londres, on lance des cours radiophoniques en histoire et géographie ; au Québec, Édouard Montpetit, secrétaire général de l'Université de Montréal, dirige à la radio privée CKAC, à partir de 1929, *L'Heure provinciale*, une série éducative qui offre des « causeries universitaires ». Pour qui n'a toujours connu de CKAC que les lignes

3. Je dois signaler que, dans une vie antérieure, j'ai consacré un mémoire de maîtrise aux fictions télévisées à caractère historique et à leur impact possible sur l'enseignement. *L'historien et les séries télévisées historiques*, Université Laval, 1989, 178 p. Concernant les mini-séries citées dans ce paragraphe, entre autres études on peut lire, sur *Racines* : John Howard *et al.*, « The Response to *Roots* : A National Survey », *Journal of Broadcasting*, vol. 22, nº 3 (été 1978), p. 279-287 ; Kenneth K. Hur et John P. Robinson, « The Social Impact of *Roots* », *Journalism Quarterly*, vol. 55, printemps 1978, p. 19-24, 83. Sur *Holocauste* : un numéro spécial de l'*International Journal of Political Education*, vol. 4, nº 1/2 (mai 1981), Amsterdam, Elsevier Scientific Publishing Company, 180 p., qui rassemble plusieurs études menées indépendamment les unes des autres, dans huit pays, sur l'impact qu'a eu, ou non, cette production télévisée. Sur *Shogun* : Milton J. Shatzer *et al.*, « Adolescents Viewing *Shogun* : Cognitive and Attitudinal Effects », *Journal of Broadcasting and Electronic Media*, vol. 29, nº 3 (été 1985), p. 341-346 ; et Dan Slater, « Historians Assess *Shogun* », *Journalism Quarterly*, vol. 59, nº 4 (hiver 1982), p. 648-651.

ouvertes et les émissions sportives, c'est un choc que d'apprendre qu'on y a déjà diffusé des «causeries universitaires»...

Et pourtant, la radio n'était guère prise au sérieux par les milieux intellectuels. Il aura fallu attendre que la radio devienne, justement, moins intellectuelle et plus commerciale, pour qu'on lui reconnaisse des vertus: la diversification de l'auditoire – on avait rapidement dépassé le stade des sympathiques amateurs – exigeait des équipements plus coûteux et des émissions dotées d'un cachet plus professionnel. Des propriétaires plus riches prirent le relais. Et tout doucement, aux États-Unis, quelques-uns commencèrent à vendre du temps d'antenne pour des messages publicitaires...

Diversification de l'auditoire, propriétaires plus riches, publicité, et, au-delà, course aux auditoires... C'est tout à fait le chemin qu'a suivi Internet pendant la deuxième moitié des années 1990, mais que pratiquement aucun de ses militants de la première heure n'avait su – ou voulu – prédire. En fait, pour eux, simplement suggérer qu'Internet puisse devenir un média commercial, c'était une hérésie: Internet, c'était le média du peuple, c'était l'opposant aux vieux médias, c'était le lieu des échanges d'idées libres, qui échapperait à tout jamais aux grands de ce monde.

En un sens, il l'est toujours: sur aucun autre média il n'est aussi facile de diffuser des idées et des messages. Mais c'est un atout bien mince, à côté de la révolution politico-économico-socio-culturelle que *Wired* et les autres nous annonçaient. En fait, de ce point de vue, Internet n'est pas une révolution. C'est plutôt une *évolution*, commencée il y a un quart de siècle avec la micro-informatique, voire il y a cinq siècles avec l'imprimerie.

C'est de cette évolution dont parlera ce livre. Avec à présent une décennie d'histoire derrière lui, l'Internet «populaire» nous offre, pour la première fois, suffisamment de recul pour tirer quelques leçons. Leçons sur les erreurs magistrales d'évaluation, les bourdes et les dérapages que nous avons vécus, et que nous avons intérêt à ne pas continuer à commettre, si nous voulons faire face réalistement aux défis que pose vraiment cette évolution.

Nous tous qui nous sommes enflammés avons perdu le sens de la réalité. Mais plus encore, ceux qui se sont proclamés les «branchés» de cette nouvelle société ont été singulièrement... débranchés. Déconnectés de la réalité, de la société qui les entourait, de la planète, de l'histoire, de la révolution qu'ils proclamaient. Ce sera le thème de la première partie, tandis que, dans la deuxième, nous aborderons trois problèmes graves, urgents, déterminants pour notre avenir, mais que le fait d'être à ce point déconnectés, depuis 10 ans, nous a fait complètement manquer.

Les WorldCom, les America On Line et les autres: leur effondrement est plus spectaculaire que tous les autres incidents relatés ici. Mais ils s'inscrivent dans la même logique: ils ont été encensés, cités en modèles, pendant des années. Seule une minorité de gens les a remis en question, et encore, cette minorité était-elle systématiquement jugée trop marginale par les médias pour se mériter un droit de parole égal. À présent, ces modèles gisent dans la boue. N'est-ce pas là la preuve, s'il en fallait, que nous avons été complètement déconnectés? Que nous avons complètement raté le coche dans nos «analyses» de l'utopie Internet?

Ce livre parlera beaucoup des médias. Parce que je suis journaliste, mais surtout parce que les médias se retrouvent au cœur même de cette évolution que représente Internet. Si celui-ci s'est développé depuis 10 ans de la façon dont il s'est développé, c'est parce qu'on voyait en lui un outil pour forger une société mieux informée, un citoyen plus éduqué, voire – hérésie, pour les premiers internautes – un consommateur plus averti. Or, qui d'autre que les médias peut remplir ce rôle, qu'il s'agisse du *New York Times* ou de l'amateur qui crée un cyber-média dans son sous-sol?

L'univers médiatique nouveau qui est en train de naître sous nos yeux ne sera pas fondamentalement différent du précédent. Il en sera une extension: les médias d'information dominants d'Internet, au cours des deux ou trois prochaines décennies, s'appelleront, qu'on le veuille ou non, CNN, BBC, Radio-Canada ou TF1.

Mais ce nouveau monde contient en même temps suffisamment de potentiel pour qu'il mérite qu'on se batte pour lui. Peu importent les dérapages commis, Internet met à la portée de tous l'information des meilleures sources de la planète. Internet est un média, et un outil, qui aura, sans le moindre doute, des impacts positifs sur la société. Avec près d'une décennie d'expériences derrière nous, d'essais naïfs et d'erreurs monumentales, il est temps de cesser de s'extasier les yeux fermés ou, à l'inverse, de dénigrer en lui tournant le dos. Il est temps de regarder, comparer, expérimenter et, surtout, réfléchir... à nos futurs essais et erreurs.

# Première partie
# Les branchés débranchés

*Rien de plus trompeur qu'un fait évident.*

Sherlock Holmes, dans *Le Mystère du Val Boscombe*

# Les rêveurs éveillés

*Si 50 millions de gens disent une sottise,*
*c'est toujours une sottise.*

Bertrand Russell, mathématicien et sociologue (1872-1970)

C'était écrit, dès le premier écran, dès le premier jour, ou presque. Zone d'autonomie temporaire, *La Rafale* pourrait disparaître comme elle est apparue: soudainement. Une question de liberté. En ce mois d'octobre 1996, la possibilité se fait réalité et le site s'arrête, *La Rafale* s'enraye, ça chute et ça meurt.

C'était écrit, donc. À peine née, *La Rafale* se savait condamnée. Condamnée à errer dans un réseau quasi autiste (Internet, qui semble vivre par et quasi que pour lui-même), condamnée à résister face à bien plus coriace qu'elle, mais encore condamnée à suivre (avec délectation mais danger) les nouvelles technologies, délicieuses mais contraignantes (Java, plug-in, Netscape, etc.). Condamnée à clamser, quoi. Et vite. Et bien.

C'était le 22 octobre 1996. Un an jour pour jour après sa naissance dans l'indifférence la plus totale – «pendant votre sommeil», ironisait son créateur –, le cyber-média français *La Rafale* fermait ses portes – «pendant votre sommeil», renchérissait son créateur.

## Les limites du petit Web bricolé maison

Ce ne serait pas le dernier des médias nés d'Internet à mourir ainsi. Mais c'était l'un des premiers à s'être fait une réputation de voix irrévérencieuse: avec ses commentaires mordants mais jamais gratuits, *La Rafale* était l'incarnation même de ce que les internautes de la première heure voyaient comme avenir pour Internet: des médias libres, différents des médias traditionnels, indépendants de toute ligne de parti, détachés des grandes entreprises commerciales et des puissances de l'argent. Bref, des médias qui traiteraient l'information différemment, sans avoir peur de se mouiller – quelque chose que les médias «traditionnels», disait-on, ne faisaient plus depuis longtemps.

http://larafale.davduf.net/

Des médias plus près des gens. Plus près de la réalité. Plus sensibles. Moins «traditionnels», quoi.

Aussi, l'annonce de la mort de *La Rafale*, en ce début d'automne 1996, avait été, pour les internautes francophones adeptes de médias, un coup rudement ressenti: pour la première fois, leur avenir leur sautait en plein visage. Devant leurs yeux, l'utopie Internet se fissurait.

Car si *La Rafale* jetait l'éponge ou, plus exactement, si son seul et unique journaliste-rédacteur en chef-correcteur-commentateur-éditeur-concierge-bénévole, David Dufresne, mettait fin à l'aventure, ce n'était pas faute d'avoir reçu moult encouragements et félicitations. Ce n'était pas parce qu'un vilain gouvernement lui avait imposé une quelconque censure. Ce n'était pas parce qu'il avait subi des pressions de qui que ce soit. C'était parce qu'il avait, lui aussi, des factures à payer.

> Ainsi, écrivait-il dans son texte d'adieu, les limites du petit Web bricolé-maison sont d'une certaine façon atteintes. J'avais surestimé mes forces face à l'isolement et la solitude infligés à tout webmestre de fond qui, comme le coureur du même nom, s'essouffle plus vite à mesure qu'il approche de son but. Comme quoi, finalement, si lancer son WebZine est d'une incroyable simplicité, c'est une autre paire de manche que de le poursuivre[1].

Un constat froidement réaliste. Mais qui mettrait beaucoup de temps avant de faire son chemin. Pour un David Dufresne, ils seraient des dizaines à ne pas regarder – ou ne pas oser regarder – l'aventure de *La Rafale* droit dans les yeux.

Ainsi, un an plus tard, au moment d'annoncer la fermeture temporaire de son cyber-magazine, faute de revenus publicitaires, Jean-Pierre Cloutier, un autre de ces coureurs de fond quasi bénévoles, sentirait le besoin de se justifier.

> *Les Chroniques de Cybérie:* deux personnes. Rappelons seulement, à titre d'exemple, qu'au moment de mettre fin au projet de *Sidewalk* Montréal Microsoft employait une douzaine de personnes à temps plein pour ce site qui n'a jamais vu le jour, même après neuf mois de préparatifs. En fait, un *Sidewalk* comme celui de Seattle emploie une quinzaine de personnes, malgré que la production de certains contenus (voyage, cinéma) soit réalisée par d'autres entités de Microsoft. On ne peut donc prétendre qu'il y ait eu mauvaise canalisation d'énergie de notre part[2].

Une justification qui était manifestement nécessaire, puisqu'il se trouverait des internautes assez «débranchés» de la réalité pour ne pas prendre au sérieux les difficultés financières d'un coureur de fond quasi bénévole.

---

1. Le texte d'adieu est encore en ligne à: http://larafale.davduf.net/
2. Jean-Pierre Cloutier, *Les Chroniques de Cybérie*, 23 octobre 1997: http://www.cyberie.qc.ca/chronik/971023.html *Sidewalk* est le nom d'un cyber-magazine «urbain» que Microsoft poussait très fort à l'époque, qui aurait dû en théorie avoir des dizaines d'éditions régionales, dans autant de villes nord-américaines. Plusieurs éditions ont effectivement été lancées, mais le projet d'ensemble n'a jamais vraiment décollé et, après plusieurs changements de trajectoire, a été envoyé au cimetière.

Autre exemple, dans un autre registre : dans son édition de février 1997, l'édition québécoise du mensuel français *Planète Internet* consacrait un article à la « vague de capitaux » – en l'occurrence, les investissements venus de toutes parts – qui déferlait alors sur la Silicon Valley. Et y allait des habituelles prévisions optimistes : le marché publicitaire atteindra 4 milliards de dollars en 2001 (ce qui sera effectivement le cas) et, « quant au commerce électronique, il s'annonce comme la vedette 1997 d'Internet ». Les deux faits n'avaient strictement rien à voir... mais personne ne semblait s'en apercevoir ; bien plus, on a prédit du commerce électronique qu'il sera la vedette 1998 d'Internet, et 1999, et 2000, et 2001, et 2002... et on s'est chaque fois fourvoyé[3] !

## Les origines de l'écran de fumée

Aveuglement ? Certainement. Mais pourquoi pareil aveuglement ? Pourquoi a-t-il fallu qu'il enrobe d'un tel écran de fumée tout ce qui touche, de près ou de loin, à Internet ?

Pour répondre à cette question, il faut remonter à ces fameux internautes de la première heure. Inutile pour cela de reculer de plus d'un quart de siècle, jusqu'à l'origine d'Internet. Sautons par-dessus sa préhistoire, celle de la fin des années 1960 et des années 1970, quand cet enfant de l'armée américaine est passé aux mains des informaticiens qui en ont fait un outil de communication international d'un nouveau genre. Laissons sur notre gauche la naissance du courrier électronique, puis celle des premiers forums de discussion ou *newsgroups*, en 1979. Et commençons avec cette période où démarre véritablement la croissance populaire du réseau informatique, pendant la deuxième moitié des années 1980 et jusqu'en 1991-1992 ; cette croissance d'avant la croissance explosive proprement dite, avant les logiciels de navigation conviviaux (*Mosaic* est apparu en janvier 1993 ; puis, lui succéda, fabriqué par la même petite firme, *Netscape* ; puis débarqua le géant Microsoft, avec son logiciel *Explorer*).

3. « Vague de capitaux en Silicon Valley », *Planète Internet Québec*, nº 4, février 1997, p. 38-40.

Cette croissance «pré-croissance», si l'on peut dire, fut le fait d'une population majoritairement composée d'adeptes de la technologie, mais pas des techniciens: d'habiles bricoleurs, mais pas des informaticiens. Plutôt un mélange de profs d'université et d'érudits de toutes sortes, souvent marginaux, très souvent activistes de gauche, des journalistes indépendants, des Californiens «d'avant-garde» et désireux de changer le monde...

Des rêveurs? En bonne partie. Mais des rêveurs dotés d'un profond savoir en histoire, en politique ou en sciences. Profond savoir qui leur procurait de solides atouts lorsque venait le temps de parler... ou d'écrire dans des forums électroniques. Profond savoir qui, en retour, a coloré d'un couvert à l'autre les orientations éditoriales de ce qui deviendra la bible de ces internautes à partir de 1993: la revue américaine *Wired*.

Ces rêveurs, un quart de siècle plus tôt, auraient manifesté violemment contre la guerre du Viêt Nam, et auraient marché dans les rues, Noirs et Blancs confondus, pour la défense des droits civiques. Les années 1960, Woodstock et les cheveux longs, les rêves utopistes, l'amour libre, tout cela était depuis longtemps chose du passé. Les héros du jour, en ce milieu des années 1980, s'appelaient désormais Ronald Reagan et George Bush, plutôt que Martin Luther King. L'attitude dominante était la morosité, assaisonnée de discours pessimistes sur la dette publique, le chômage et le sida.

Mais soudain, alors qu'approchait la fin du XXe siècle, ces rêveurs voyaient un outil inattendu leur tomber du ciel: facile à utiliser, pas cher, adaptable, sans frontières, sans règles ni lois.

En un mot, révolutionnaire.

Howard Rheingold, qui sera l'un des premiers à se faire consacrer gourou d'Internet, a décrit cet outil comme suit: voici enfin un média qui permet au citoyen de se réapproprier le discours politique jusqu'ici monopolisé par une poignée de puissants. Voici un média différent des autres, parce qu'il n'appartient pas à l'establishment... et qu'il ne lui appartiendra jamais.

Voici un média qui permet de créer «des discussions entre citoyens, sur les grandes questions nationales et ce, à tous les niveaux de la société». Au contraire, donc, des médias «traditionnels» qui, eux, ont fait «des grandes questions et des candidats aux élections, des produits de consommation[4]».

Il faut relire attentivement ces deux paragraphes. Il faut s'en imprégner. Parce que c'est parmi ces mots que se retrouve toute la philosophie d'Internet, telle qu'elle est soutenue avec force, tout doucement au milieu des années 1980, puis avec vigueur à partir de 1991-1992, par ces ex-activistes de gauche devenus activistes du Net, par ces érudits sortis de leur tanière ou de leur marginalité, par ces militants du virtuel, par les magazines comme *Wired, Internet World* et *Planète Internet*. Et par des chroniqueurs Internet qui seront, pendant toute la décennie, embauchés par à peu près tous les médias des pays occidentaux.

Dans ces mots, se retrouve rien de moins que le rêve d'un monde nouveau. Le rêve d'une révolution, sociale et politique, qui serait aussi importante que l'avait été la Révolution française.

Autre personnage clé de cette période: John Perry Barlow, qui cofonda l'Electronic Frontier Foundation (EFF), le plus puissant groupe de lobbying Internet des années 1990. L'EFF sera, aux États-Unis, de toutes les luttes pour la défense de la liberté d'expression par voie électronique. Opposé à toute forme de réglementation et, à plus forte raison, à tout ce qui prend les apparences, réelles ou non, de censure sur le Net: les tentatives, de la part des gouvernements, furent alors nombreuses, par exemple pour tenter d'interdire «l'entrée», dans leur pays, des forums de discussion électronique à teneur pornographique, mais ces tentatives ont chaque fois échoué devant la détermination d'une poignée d'internautes à contourner les obstacles.

---

4. Howard Rheingold a publié en 1993 *La Communauté virtuelle*, qui demeure, aujourd'hui encore, la référence des activistes du Net: toute la philosophie du Net, voire l'idéologie du Net en tant qu'agent d'une révolution sociale et politique, s'y trouve décrite dans le détail. Publié aux presses du MIT, on en trouve également, depuis 1998, une version quasi intégrale en ligne: http://www.rheingold.com/vc/book/index.html. Sur l'appropriation du discours politique par le citoyen, lire en particulier le chapitre 9, «Electronic Frontiers and Online Activists».

Et l'EFF fut bien sûr aux premières loges pour promouvoir un accès universel pour la population aux réseaux informatiques[5].

Juste avant de fonder l'EFF, Barlow résumait ainsi sa vision d'Internet: «Un immense territoire, dont la culture et les lois n'ont pas encore été cartographiés... Difficile à cerner; à nous de le prendre.»

Bref, le Far-West, version années 1990. Un territoire sur lequel les autorités n'ont pas encore mis leurs pattes, et sur lequel «nous» ne leur laisserons jamais les mettre. Un territoire vierge, où tout est à conquérir, et où les pionniers jouissent de la plus totale des libertés.

La télévision, a écrit l'EFF en 1993, promettait de devenir un média éducatif, et regardez la boîte à publicités qu'elle est devenue... Il faut, avec Internet, créer quelque chose qui soit véritablement interactif, pas juste quelque chose qui ne laisse au public pour seule possibilité que de commander un film. Plutôt que de s'orienter vers une version multimédia de cette boîte à pubs de plus en plus désolante, «il nous faut une super-autoroute qui encourage la production et la distribution d'un éventail de programmation plus large et plus diversifié[6]».

C'est également à Barlow qu'on doit rien de moins qu'une Déclaration d'indépendance du cyberespace: «Gouvernements du monde industrialisé, géants fatigués faits de chair et d'acier, j'arrive du Cyberespace... Vous n'êtes pas les bienvenus parmi nous... Vos concepts juridiques... ne s'appliquent pas à nous[7].»

Comment ne pas être séduit par un tel portrait, dès lors que l'on a un tant soit peu soif de liberté?

Ceux qui n'ont sauté dans le train Internet qu'après 1997 n'ont souvent pas eu conscience de cette soif de liberté, parce qu'à cette époque, déjà, les portails populaires et populistes – et commerciaux –

---

5. Présentation de l'EFF et de ses fondateurs: Joshua Quittner, «The Merry Pranksters Go to Washington», *Wired*, juin 1994, p. 79-81. http://www.wired.com/wired/archive/2.06/eff.html.
6. Lettre de l'EFF au *New York Times*, 24 novembre 1993.
7. Texte complet (février 1996): http://www.eff.org/~barlow/Declaration-Final.html.

avaient pris le dessus sur les sites amateurs tels que *La Rafale*. Mais cette philosophie libertaire était réellement dominante au cours de toute la première moitié des années 1990. Elle fut au cœur même de la publication de *Wired* et des magazines qui lui ont servi de disciples. Elle explique jusqu'à l'utilisation des expressions *cyberespace* et *cyberculture*: un nouveau monde, un nouvel *espace*, un nouveau territoire, jamais conquis, où tout serait par conséquent à inventer, où tout serait différent de l'ancien monde (*cyber* – pour cybernétique, qui renvoie à la vieille étymologie pour définir, avant l'informatique, tout ce qui tournait autour des ordinateurs).

Un nouvel espace qui donnera naissance à une nouvelle façon de vivre, de penser, d'agir – bref, une nouvelle *culture*. Culture qui, elle-même, rejoindra ceux qui (en anglais, on emploiera l'expression *cyberpunk*) se sont toujours sentis exclus, les petits, les sans-grade, les marginalisés... Par extension, tous ceux qui gravitent autour des milieux communautaires, bénévoles, organismes à but non lucratif et, bien sûr, les médias indépendants.

«La littérature *cyberpunk*, en général, traite de gens marginalisés dans des "systèmes" culturels améliorés par la technologie. Dans les récits cyberpunk, il y a d'ordinaire un "système" qui domine les vies des gens "ordinaires", que ce soit un gouvernement oppresseur, un groupe de grandes corporations paternalistes ou une religion fondamentaliste...[8]»

Bref, un nouveau monde à bâtir. Un monde nouveau, débarrassé des ornières de l'ancien. Une nouvelle culture à inventer. Une nouvelle communauté à laquelle se joindre.

Comment ne pas être séduit par pareille perspective?

---

8. Extrait de la FAQ de alt.cyberbunk, c'est-à-dire le document de présentation (FAQ pour Frequently Asked Questions, ou, en français, Foire aux questions) du forum de discussion (*newsgroup*) appelé alt.cyberpunk. Nous reviendrons sur les forums de discussion au chapitre suivant. Il faut signaler que le terme *cyberespace* est généralement attribué à l'auteur américain de science-fiction William Gibson, qui l'a employé dans une de ses nouvelles, mais dans un sens qui n'avait à peu près rien à voir avec les multiples utilisations qui en seront faites par la suite. Gibson lui-même s'est fait un point d'honneur de se tenir très loin d'Internet, n'ayant même pas d'adresse de courrier électronique jusque très tard dans les années 1990.

Ce monde sera peut-être difficile à financer? Pas du tout, puisque c'est un nouveau monde: «Le paradigme économique de l'Âge de l'information numérique, branchée, retire les moyens de production des mains de l'élite et les met fermement entre les mains du travailleur intellectuel», écrivait par exemple un gourou autoproclamé de l'époque, Michael Strangelove[9]. Comme diraient les astrologues: il suffit d'y croire pour que ça marche.

Et si, d'aventure, quelqu'un osait faire souffler un premier vent de pessimisme, parce que les revenus tardaient à entrer? Pas de problème, on avait la solution-miracle: «Les annonceurs offriront quelques cents, voire un dollar, à ceux qui accepteront (de publier) leur annonce», a prédit sans rire, en 1995, Bill Gates, le grand patron de Microsoft, dans son ouvrage *La Route du futur*. Bon sang mais c'est bien sûr...

Au Québec, le premier ministre d'alors, Jacques Parizeau, accueillait en juillet 1995 le rapport du comité Berlinguet sur l'inforoute[10] par un joli couplet politique: «Le maintien de notre identité passe par l'inforoute... Ces réseaux vont créer un grand nombre d'emplois... Une révolution qui modifiera notre manière de vivre... et nous libérera des contraintes d'espace et de temps.» D'accord, *mais comment*[11]?

En 1985, le mot Internet était apparu pour la première fois dans la presse américaine, plus précisément dans le *New York Times*, selon la banque d'archives Lexis-Nexis. Jusqu'en 1991, ce mot reviendrait sept fois seulement. En 1993, il figurait 500 fois... par mois! En 1992, la courbe démographique des internautes commençait à tendre vers la verticale. Au début de 1993, était fondé le mensuel *Wired*. En 1994, les livres consacrés à Internet constituaient un des secteurs de l'édition connaissant la plus forte croissance: 40 millions de dollars de ventes aux États-Unis seulement, selon le *New York Times*. En février 1995, l'hebdomadaire *Newsweek* inventait l'expression: «Bit Bang[12]».

---

9. Michael Strangelove, *How to Advertise on the Internet*, Strangelove Press, 1994.
10. Rapport du comité consultatif sur l'autoroute de l'information, *Inforoute Québec. Plan d'action pour la mise en œuvre de l'autoroute de l'information*, juillet 1995.
11. «Se brancher, mais à quoi?» titre ironiquement le chroniqueur Michel Venne, dans *Le Devoir* du 31 juillet 1995.
12. *Newsweek*, 27 février 1995, p. 26.

En mars 1996, *Wired*, prenant acte de l'arrivée des géants médiatiques – *Time*, CNN, le *Washington Post*, etc. – sur le Web, comparait cette situation à la création en 1923, par l'homme d'affaires Henry Luce, du « newsmagazine » *Time*. On disait à cette époque, soulignait *Wired* avec ses gros sabots : « À l'heure où les gens sont bombardés quotidiennement par de plus en plus de manchettes et de plus en plus d'informations, ils sont, ironiquement, moins informés. » Henry Luce a eu le génie de leur apporter le *Time*, et la face du monde en fut changée – dixit *Wired*. Conclusion au bénéfice des « branchés » : Henry Luce a eu le flair nécessaire ; et vous[13] ?

Autrement dit, dans ce nouveau monde, ceux qui auront des bonnes idées, et qui auront le courage de les appliquer, prendront toute la place qui leur revient. Juste comme ça. C'est magique ! Peu importent les problèmes d'argent, au diable les capacités limitées de transmission des lignes téléphoniques, aux oubliettes les millions de citoyens qui ne veulent rien savoir des idées originales. Et relégué dans les limbes, le tiers de la population nord-américaine qui ne lit jamais un journal.

« Les cyber-groupes deviendront inévitablement et naturellement dominants dans leurs efforts pour promouvoir et organiser des changements sociaux », concluait l'écrivain Blake Harris dans le premier numéro d'un des nombreux magazines optimistes – mais éphémères – de cette époque, *Infobahn*.

*Inévitablement et naturellement.* Tellement inévitable et naturel que l'auteur ne jugeait même pas bon de nous expliquer comment il en était arrivé à cette conclusion.

Le pape des optimistes, aux États-Unis, fut Nicholas Negroponte, surtout connu en français pour son livre, *L'Homme numérique* (1995). Chez les Français, Christian Huitema a tenté de s'auto-attribuer ce titre en publiant, également en 1995, *Et Dieu créa l'Internet*, un ouvrage au ton délirant[14]. Tous deux y utilisaient une stratégie

---

13. Evan I. Schwartz, « Time's Pathfinder », *Wired*, mars 1996 : http://www.wired.com/wired/archive/4.03/pathfinder.html

14. Signe des temps, le quotidien montréalais *La Presse* leur avait consacré à tous deux l'ensemble de la une de son cahier Livres, le 8 octobre 1995.

connue de longue date de ceux qui veulent convertir leur auditoire. D'abord, vous exposez des évidences, avec lesquelles tout le monde sera d'accord (par exemple: «le monde change»; ou «le gouvernement répond mal à nos attentes»). Et puis vous glissez subtilement des extrapolations. Si vous avez bien rédigé le tout, ces extrapolations, quand bien même elles n'auraient rien d'inévitable et de naturel, passeront comme dans du beurre. Un peu comme ces vendeurs de médecines alternatives dont l'argumentation se résume à «la médecine actuelle est devenue impersonnelle» (ce qui est une évidence); «donc, l'homéopathie (ou la naturopathie, ou l'herbologie, ou l'urinothérapie) est valable» (ce qui est une extrapolation, qui ne repose sur aucune preuve, mais que nombre de gens avalent, uniquement parce qu'ils croient que le fait d'être d'accord avec la première partie de l'argumentation les oblige à être d'accord avec la deuxième).

Les collègues plus critiques de Negroponte lui ont un jour trouvé ce qualificatif cruel: «le P.T. Barnum de la science». Barnum est celui qui, il y a un siècle, a mis sur orbite le cirque tel qu'on le connaît aujourd'hui. Sa recette: un maximum d'éléments spectaculaires permet de faire oublier l'absence de substance.

Negroponte écrit par exemple que l'ère de la consommation de masse est révolue et laissera place à de la production de biens sur demande; ainsi, extrapole-t-il, le journal de masse, votre quotidien préféré, se transformera en un journal personnalisé, genre de synthèse des milliers de quotidiens accessibles par Internet, qui ne vous offrira que les articles que vous souhaitez lire.

Une partie de tout cela relève effectivement de l'évidence: grâce à une technologie déjà connue, celle des «agents intelligents», il est possible d'obtenir chaque matin un ensemble d'articles correspondant à nos goûts et nos préférences, de la même façon que, chaque soir, votre téléviseur pourrait ne vous offrir que les émissions qu'il aura choisies, parmi des milliers de chaînes, en fonction de paramètres que vous aviez définis une semaine ou un mois plus tôt.

Mais tout cela relève en même temps d'une extrapolation dont la justesse reste à prouver. Car ce que tous ces prophètes oublient, c'est: qui aura la capacité de définir ces paramètres dans son ordinateur ou sa télé? Qui prendra le temps d'apprendre les bases de la recherche documentaire? Car attention: quand on en est rendu à devoir choisir, à partir de quelques mots clés, parmi 2000 chaînes de télé et des milliards de pages Web, cela relève ni plus ni moins que du travail d'un bibliothécaire ou d'un chercheur chevronné!

Et ça, dans des pays où le quart des citoyens ne savent toujours pas programmer leur magnétoscope?

Qui, parmi ces prophètes, a concrètement réfléchi à la tâche monumentale que représente le fait de devoir définir des paramètres suffisamment précis pour ne choisir qu'une poignée d'émissions parmi 2000 chaînes numériques, ou pour éviter d'avoir à se farcir 25 dépêches successives de l'Agence France-Presse racontant toutes le même match de football Italie-Brésil, ou le même attentat à Jérusalem?

Et qui, parmi ces prophètes, a fait le moindre effort pour s'intéresser à l'histoire ? En 1978, les Français Simon Nora et Alain Minc, dans un rapport destiné au président Valéry Giscard d'Estaing, prophétisaient que «l'informatisation de la société» allait recréer une «agora informationnelle» qui atténuerait la crise de confiance du public à l'égard des politiques. En 1948, à l'aube de la télé et de l'informatique, l'Américain Norbert Wiener prophétisait la naissance d'une «société de l'information» qui permettrait d'éviter d'autres barbaries comme celles à laquelle la Deuxième Guerre mondiale venait de donner lieu. En 1934, l'historien américain Lewis Mumford voyait dans la radio encore jeune un moyen de renouer avec les agoras de la Grèce antique. En 1852, un ouvrage intitulé *The Silent Revolution* prophétisait une «harmonisation» de l'humanité grâce à la création d'un réseau mondial: l'électricité. En 1832, le Français Michel Chevalier prophétisait la même chose, en l'attribuant aux chemins de fer et aux progrès des communications à longue distance. «Enlacer l'univers» par les machines à vapeur et l'électricité, telle était son utopie, la sienne et celle d'un nommé Claude-Henri de Saint-Simon (1760-1825)[15].

15. Cette page d'histoire est inspirée d'Armand Mattelart, «Une éternelle promesse: les paradis de la communication», *Le Monde diplomatique*, novembre 1995, p. 4-5.

En 1995, Nicholas Negroponte était le directeur du laboratoire des médias (Media Lab) du Massachusetts Institute of Technology, qu'il avait lui-même fondé 10 ans plus tôt. Cela avait contribué à faire de lui l'universitaire qui, sur la planète, avait sans doute passé le plus de temps à réfléchir sur l'avenir des médias... Le problème, c'est qu'il avait passé tout ce temps à réfléchir uniquement sur leur avenir technologique ; jamais leur avenir social ou économique. En d'autres termes : comment l'individu moyen, comment la société, s'adaptera-t-elle à cette technologie-ci et à cette technologie-là ? Accepteront-ils seulement de s'y adapter ?

Negroponte figure également parmi les pères-fondateurs du magazine *Wired*, dont il partagea jusqu'à son départ, en 1998, l'optimisme à toute épreuve face à la technologie et à ses retombées.

« En bon dyslexique que je suis, je n'aime pas lire », écrit-il sur la toute première ligne de l'introduction à *L'Homme numérique*. Ceci explique sans doute cela...

Bref, pendant, en gros, la période 1991-1998, les optimistes décrochés de la réalité se sont nourris mutuellement : les fabulations de l'un furent perçues par l'autre comme des visions d'avenir, lesquelles visions d'avenir furent répercutées à des millions d'exemplaires dans des publications présentées comme des phares. Et quiconque mettait en doute la légitimité de ces phares était aussitôt taxé de réactionnaire – ou de dinosaure.

## Usenet : le dérapage oublié

Les optimistes avaient pourtant l'avenir sous les yeux : l'évolution tordue d'Usenet préfigurait l'évolution future du reste d'Internet.

Usenet, c'est une de ces sections d'Internet aujourd'hui tombées en désuétude. C'était pourtant, pendant les années 1980 et jusqu'aux environs de 1992, la section la plus dynamique, la plus achalandée et la plus porteuse d'avenir.

Fondé en 1979 pour faciliter les échanges entre spécialistes universitaires dispersés aux quatre coins du continent, Usenet, c'est aujourd'hui des dizaines de milliers de forums de discussion (en anglais, *newsgroups*), sur tous les sujets possibles et imaginables, des animaux domestiques à la physique nucléaire en passant par la culture pakistanaise ou *Star Trek*. Quiconque est abonné à Internet a accès, gratuitement, à ces forums, au moyen de la fonction «News» de son logiciel de navigation.

Jusqu'au milieu des années 1990, on pouvait trouver des partisans d'Usenet capables de le décrire comme une alternative aux médias dits «de l'establishment»: «Votre modèle de journalisme, reprochait par exemple l'un d'eux (sous pseudonyme) aux journalistes, permet aux médias traditionnels de contrôler le débat et, bien qu'il vous fournisse la possibilité de présenter des visions opposées, le rédacteur en chef a TOUJOURS le dernier mot. Dans le nouveau paradigme (Usenet), non seulement n'avez-vous pas nécessairement le dernier mot, mais en plus vous ne contrôlez même plus le flot du débat[16].»

Ce qui, soit dit en passant, est tout à fait exact. Un forum de discussion a effectivement pour particularité de pouvoir être lu par quiconque est abonné à Internet. Et de permettre à n'importe qui de participer: vous lisez un message, vous y répondez, et votre réponse est instantanément relayée à quiconque lit, comme vous, ce forum.

Mieux encore: avec ce système, on ne fait pas que discuter. On envoie de l'information. C'était d'ailleurs l'intention initiale des créateurs d'Usenet, d'où l'expression *newsgroups*, ou *groupe de nouvelles*. Ainsi, c'est sur Usenet qu'ont circulé, à l'été 1991, avec plusieurs heures d'avance sur les médias, des messages décrivant en direct la tentative de coup d'État de l'armée russe et son assaut manqué contre le Parlement. Lors du tremblement de terre de San Francisco, en 1993, c'est sur Usenet que des témoins, situés aux premières loges, ont envoyé de l'information, avant même que la télévision n'ait un contenu substantiel à offrir. C'est également sur

16. Un nommé «Joe Zoes», dans un message envoyé le 22 juillet 1994 au forum alt.internet.media-coverage. Ce forum était consacré, comme son nom l'indique, à la couverture journalistique d'Internet. Et plus spécifiquement à démolir la couverture journalistique d'Internet, considérée par ces internautes comme étant farcie d'erreurs. Ce message est cité par Michael Hauben, dans son étude *The Effect on the Net on the Professional News Media: The Usenet News Collective – The Man-Computer News Symbiosis*, New York, 1995: http://www.columbia.edu/~hauben/CS/net-and-newsmedia.txt

Usenet qu'ont eu lieu, au début des années 1990, des échanges déterminants, quoique très techniques, sur les normes futures du langage HTML, les noms de domaine, la tarification d'Internet ou les logiciels d'encodage pour courrier électronique.

Comme le résumait en 1994 notre partisan d'Usenet cité plus haut, «la croissance et l'adoption du courrier électronique et des forums de discussion (Usenet) fournit un contexte pour "un marché aux idées" tel qu'il n'en a pas été possible depuis, peut-être, les jours des Athéniens de l'Antiquité».

Socrate, Platon et Aristote, surpassés, pour la première fois depuis 2500 ans. Par les *newsgroups*.

Sauf qu'au-delà de ce beau rêve il y avait une réalité plus cruelle. «Le temps des discussions sérieuses et des "nouvelles" est révolu», résumait à l'été 1996 le *Chicago Tribune*. Usenet, c'est désormais «une salle de danse surpeuplée: des gens qui parlent fort, des tonnes de conversations sans intérêt, et quantité de combats de coqs.»

Que s'était-il passé? La nature humaine avait pris le dessus, tout simplement.

À sa naissance, en 1979, Usenet ne pouvait être reçu que par quelques poignées d'experts dispersés dans des universités, aux quatre coins des États-Unis. On ne comptait alors que quelques dizaines de forums, tous très spécialisés (biologie végétale, anthropologie historique, etc.). En 1986, on était passé à plusieurs centaines, incluant ceux qui sont destinés aux amateurs d'informatique et de divers hobbys; de là la création de sept divisions thématiques, qui expliquent les titres ésotériques de tous les vieux groupes (comp.sys.ibm, par exemple, appartient à la division comp, pour *computer* et il s'agit d'un forum qui parle des ordinateurs IBM).

Et ce qui devait arriver arriva. La croissance démographique du Net a fait progressivement déferler là-dedans des gens qui y ont vu un outil en or pour faire des envois publicitaires massifs, pour diffuser leurs croyances d'extrême-droite ou pour jouer aux agents provocateurs. L'outil de nouvelles s'est peu à peu transformé en une vaste foire où le bruit a enterré l'information.

Par exemple : la conférence alt.journalism est devenue, au cours de l'année 1994, dominée par des révisionnistes de l'Holocauste, des lobbyistes du port d'armes et quantité d'individus plus ou moins sains d'esprit, mais convaincus d'avoir sous la main la révélation du siècle ; alt.scientology est passée d'une discussion relativement civilisée entre « pour » et « contre » à une atmosphère de guerre ouverte, avec des messages mystérieusement effacés et des poursuites en justice[17] ; sci.archeology.mesoamerican, groupe fondé par des historiens spécialistes des Aztèques et autres peuples précolombiens, s'est mis à fourmiller de messages sur l'Atlantide et le triangle des Bermudes ; soc.history.medieval, créée par et pour des médiévistes, a été prise d'assaut par les amateurs de *Donjons et dragons*. Et ainsi de suite.

Résultat : entre 1993 et 1996, le gros des « vétérans » d'Usenet a déserté, privilégiant désormais les forums de discussion par courrier électronique. Moins achalandés, mais davantage contrôlés.

Ce qui n'empêchait pas le magazine *Internet World*, en mars 1996, de fournir un magnifique exemple de ces œillères que continuaient de porter les optimistes. Oui, y lisait-on, il y a des dérives, mais il est malgré tout encore possible de tirer profit d'Usenet : il suffit d'être « un peu bizarre, mais d'une façon qui vous distingue[18] ». Les philosophes grecs ont dû se retourner dans leurs tombes...

Qu'on ne se méprenne pas : les créateurs d'Usenet avaient bel et bien donné à la communauté un outil d'information et d'échange riche de promesses. Mais ils avaient oublié la nature humaine : si n'importe qui peut écrire n'importe quoi... on se retrouvera effectivement avec n'importe quoi ! Le pire et le meilleur. Et malheureusement, davantage de pire que de meilleur[19].

---

17. Wendy M. Grossman, « alt.scientology.war », *Wired*, décembre 1995 : http://www.wired.com/wired/archive/3.12/alt.scientology.war.html
18. Pour sa défense, reconnaissons que ce magazine avait tout de même publié, un an plus tôt, un article plus critique : « The Ups and Downs of Usenet », octobre 1995, p. 58-60. Les archives antérieures à 2000 ne sont plus en ligne.
19. Le réseau IRC (Internet Relay Chat), qui fut, en 1989, le pionnier de ces systèmes permettant d'échanger en direct avec d'autres internautes par clavier interposé (ce qu'on appelle le « chat » ou clavardage), avait été imaginé lui aussi, bien naïvement, comme un outil d'échanges « sérieux ». Il a dégénéré encore plus vite qu'Usenet. Lire entre autres Joshua Quittner, « Automata Non Grata », *Wired*, avril 1995, p. 120-122 : http://www.wired.com/wired/archive/3.04/irc.html

Pierre Foglia a, comme à son habitude, résumé cela brillamment, en février 1998, dans sa première chronique faisant état d'Internet: «Si j'ai bien compris, Internet est plus intelligent que l'utilisation qu'on en fait maintenant. Et c'est un instant qui risque de durer longtemps... Les mongols des forums de discussion sportive ne font pas d'effort pour être plus brillants quand ils embarquent sur Internet. Mais c'est pas Internet qui a fondé leur connerie. Il ne fait que la révéler[20].»

Assez tristement, le même dilemme, exactement le même, est en train de resurgir, au moment où vous lisez ces lignes. Depuis que, dans la foulée des manifestations antimondialisation, a été créé un réseau appelé Indymedia, ou centre des médias indépendants. Nous y reviendrons plus loin.

À l'heure actuelle, Usenet existe toujours, mais il ressemble davantage à un cadavre sur respirateur artificiel. Beaucoup de nouveaux internautes continuent d'y trouver un déversoir à leur fiel ou leur trop-plein de frustrations. D'autres y envoient de l'information en toute bonne foi, jusqu'à ce qu'ils prennent conscience du trou sans fond d'imbécillités dans lequel ils sont plongés. Le rôle original d'Usenet s'est à jamais perdu.

«Pour beaucoup de gens, a déploré Howard Rheingold, [Usenet] a été une sorte de club de réflexion mondial composé de millions de personnes, disponibles 24 heures sur 24 pour répondre à n'importe quelle question, de la plus triviale à la plus spécialisée.» Malheureusement, «ce pouvoir détenu par un grand groupe de gens est vulnérable devant la sottise humaine[21]».

«Il paraît, aurait pu ajouter Foglia si on l'avait présenté à Rheingold, que les hommes n'utilisent pas dix pour cent des possibilités de leur cerveau. Et ainsi de leurs machines.»

---

20. Pierre Foglia, «La quincaillerie», *La Presse*, 28 février 1998.
21. Howard Rheingold, «The Tragedy of the Electronic Commons», *Tomorrow*, 19 décembre 1994: http://www.well.com/user/hlr/tomorrow/tomorrowcommons.html

# Le rêve de Bill Gates

*Il ne suffit pas d'avoir raison. Il faut savoir persuader.*
Frédéric Ozanam, historien (1813-1853)

Pendant que tant «d'experts», de gourous et d'amateurs, indubitablement passionnés mais invariablement déconnectés de la réalité, étaient hypnotisés par leurs nouveaux joujoux, d'autres bâtissaient ce que serait vraiment l'avenir.

Ces gens d'affaires et ces riches investisseurs n'étaient pas moins déconnectés de la réalité que les autres. Eux non plus n'avaient pas la moindre idée de ce que serait l'avenir. Mais, au moins, ils avaient les moyens – ou prétendaient les avoir – de créer cet avenir. Pour le meilleur... et pour le pire.

## Un conte d'Halloween

Il était une fois un sorcier tout de noir vêtu qui, depuis son château mystérieux, à l'ouest de la lande, préparait de sulfureux mélanges dans d'immenses et coûteux chaudrons. Ses disciples, qui le vénéraient, préféraient l'appeler l'enchanteur, mais ils étaient incapables d'empêcher plusieurs enfants, petits et grands, d'en avoir très peur. Car les pouvoirs du sorcier étaient immenses : nul n'en connaissait l'exacte étendue.

Il avait l'oreille des rois et des riches. Mais il n'aspirait pas lui-même à devenir roi : son pouvoir de l'ombre et son immense richesse lui suffisaient. De cette position privilégiée, il pouvait influencer la politique et, surtout, contrôler le commerce : les puissants, qui n'entendaient rien à la science de ses potions – pas plus qu'à la science tout court – le laissaient tracer à sa guise les routes de la nouvelle économie ; et chacun dans la population était à même de constater que ses potions magiques, celles-là et aucune autre, étaient en vente sur toutes les tablettes de tous les magasins du pays.

Peu de gens s'en plaignaient, parce que la plupart n'avaient jamais connu d'autres potions pour faire fonctionner leurs mystérieuses machines; ils étaient donc réellement convaincus que celles-ci étaient magiques.

Il y avait tout de même quelques mécontents pour crier à l'infamie, et prétendre que le sorcier n'était rien de plus qu'un habile vendeur ambulant. Un vulgaire bonimenteur. Si tant de gens trouvent ses potions miraculeuses, c'est tout simplement parce que le sorcier les a convaincus de ne jamais goûter à une autre potion.

Tout ceci n'aurait été qu'une querelle de clochers, n'eût été de l'immense pouvoir acquis par Bill-le-sorcier. En effet, si on se donnait la peine de regarder en détail l'étendue de ce pouvoir – ce que peu de gens se donnaient la peine de faire, convaincus qu'un vendeur de potions, après tout, ne peut pas faire grand mal –, on s'apercevait que le royaume était en réel danger: avec chaque semaine qui passait, de plus en plus d'habitants étaient devenus dépendants de cette potion. Leurs outils de travail, leur maison, leur travail, leur vie, ne pouvaient plus fonctionner sans cette potion. Elle contrôlait leur écriture et celle des scribes, le calcul de leurs avoirs, leurs divertissements, leur courrier, elle s'était glissée jusque chez les fonctionnaires du royaume, eux qui décideraient par ailleurs de la potion qu'il conviendrait d'acheter pour les écoles.

On prétendait même que, d'ici quelques années, il ne serait plus possible de commercer sur la Terre, ou de recevoir des informations venues de l'autre côté du monde, sans avoir acheté cette potion.

Mais la voix de ces mécontents ne portait jamais loin. Pendant des années, ils avaient prêché dans le désert, pendant que le sorcier, peut-être amusé par l'impuissance de leur verbe, continuait de distribuer ses potions et de murmurer dans l'oreille des rois. Et le jour où les mécontents parvinrent finalement à s'organiser, le jour où des juges leur donnèrent même raison, ce jour-là, le mal était fait. Le sorcier était partout.

## Aveuglement + ignorance = échec

On retrouve ici encore l'aveuglement des internautes de la première heure. Mais il est cette fois accompagné d'une partenaire diabolique : l'ignorance. L'ignorance désastreuse de ce qu'est l'informatique, chez tous ceux sur qui la société aurait pu compter pour l'informer.

C'est ce mélange d'aveuglement et d'ignorance qui a favorisé la montée en puissance d'un Bill Gates. Entendons-nous bien : « un » Bill Gates, et pas « le » Bill Gates. C'est ce petit entrepreneur de Seattle, fondateur de Microsoft à 19 ans, en 1975, qui est devenu l'un des nouveaux maîtres du monde. Mais, si les circonstances avaient été différentes, la figure emblématique de l'informatique d'aujourd'hui aurait pu être quelqu'un d'autre, en tous points semblable à Bill Gates.

L'important, c'est qu'au cours des années 1990 citoyens et gouvernements étaient largement ignorants, et prêts par conséquent à ouvrir toutes grandes les portes du royaume au premier bonimenteur venu. On a ainsi vu nombre de ces bonimenteurs se promener dans les coulisses du pouvoir et dans les médias ; on les a vus bâtir des pages Web monstrueuses pour des sommes qui ne l'étaient pas moins. On les a vus bâtir des montages financiers qui ne reposaient que sur du vent, mais qui étaient acceptés béatement par ceux qui s'étaient laissés convaincre que « lui, Internet, il connaît ça. Où est-ce que je signe ? »

Mais il n'y a pas que les gouvernements et les citoyens « ordinaires » qui soient en cause. Alors qu'ils auraient dû être les premiers à monter aux barricades, les internautes de la première heure, les activistes des réseaux informatiques, ceux-là mêmes qui militaient pour un cyberespace libéré des grands financiers, ont été les premiers à défendre Bill Gates. Soit sous le prétexte fallacieux que, « si tout le monde achète des produits Microsoft, c'est que ça doit être bon », soit en vertu de l'argument lâche « on est dans un libre-marché ; si Microsoft a réussi à écraser tout le monde, c'est le système qui est ainsi fait ».

Microsoft n'est de toute façon pas dangereux, ont-ils justifié. Ce n'est même pas un monopole – après tout, il ne contrôle que 90% des micro-ordinateurs de la planète.

Microsoft n'est pas le méchant. Non, Microsoft est simplement «victime de sa popularité». Autrement dit, ceux qui lui font des reproches, ce sont des jaloux.

Propos dès lors repris, sans rire, par plusieurs journalistes en mai 1998 – sans se rendre compte qu'ils reprenaient mot pour mot une campagne de presse lancée ce printemps-là par Microsoft pour contrer les attaques dont elle était l'objet de la part de la justice américaine[1]. Le *Washington Post* révéla par exemple que Microsoft avait mis sur pied, avec la firme de relations publiques Edelman Worldwide, une stratégie secrète: des experts universitaires étaient payés pour écrire des articles sympathiques à Microsoft dans les pages d'opinions des quotidiens américains les plus influents; d'autres recevaient une rémunération – discrètement – afin d'organiser des rencontres avec les rédacteurs en chef des journaux et des bulletins de nouvelles télé de leurs régions respectives, pour les convaincre qu'ils n'ont rien compris à la situation: ce pauvre Bill Gates est, eh bien oui, «victime de sa popularité». Des organisations «pro-Microsoft» sont apparues comme par enchantement – et ont vu leurs directeurs locaux aussitôt interviewés par les médias de leurs régions. Et que dire du «Comité pour la défense morale de Microsoft», né tout aussi peu spontanément en ce printemps 1998?

Certes, tout n'était pas entièrement faux dans cette argumentation pro-Microsoft. Le fait qu'une seule compagnie se retrouve avec 90% du marché des systèmes d'exploitation des ordinateurs (le système d'exploitation est ce qui fait littéralement «rouler» tous vos logiciels: celui de Microsoft s'appelle Windows) a pour conséquence, aujourd'hui, une situation moins chaotique qu'il y a 15 ans.

Mais il serait plus exact de dire: moins chaotique que la situation qui s'esquissait il y a 15 ans, puisqu'au début des années 1980 le marché des micro-ordinateurs était encore singulièrement limité...

Certes, la domination outrageuse du logiciel de traitement de texte Word a facilité les échanges de textes à travers le monde, par

1. De nombreux articles ont été publiés à cette occasion sur les faiseurs d'images de Microsoft. Lire entre autres: Geoffrey James, «Image Making at Mighty Microsoft», *Upside*, 29 avril 1998: http://www.upside.com/texis/mvm/story?id=3533f4620 (article disponible uniquement avec un paiement).

rapport à l'époque où dominaient plusieurs logiciels moins connus, et incompatibles entre eux. Mais, là encore, il serait plus juste de dire : l'évolution de l'informatique aurait tôt ou tard conduit à une « normalisation » de ces logiciels, parce que le public, donc le marché, l'aurait exigé. Et ce, qu'il y ait une compagnie dominante ou une dizaine n'y aurait rien changé.

Or, quel prix a-t-il fallu payer pour en arriver là ! Un système d'exploitation, Windows, qui n'était qu'une pâle copie de son prédécesseur, Macintosh, et qui a donné quantité de maux de têtes à des individus que rien n'avait préparé à un système aussi difficile à installer, aussi dévoreur d'espace et aussi difficile à « déboguer » ; un logiciel de navigation sur Internet, *Explorer*, qui n'était qu'une pâle copie de son prédécesseur, *Netscape*, et qui a entraîné par la bande une domination excessive de sites Web et de services Internet (MSN, Hotmail, etc.) qui, autrement, ne l'auraient pas mérité ; et une domination si grande du marché du courrier électronique avec *Outlook Express* (fourni gratuitement avec *Explorer*, lequel est fourni gratuitement avec Windows), qu'elle a ouvert la porte à la transmission à grande échelle de virus informatiques plus dévastateurs les uns que les autres.

Internet, un monde égalitaire où chacun des créateurs indépendants est sur un pied d'égalité face aux riches et aux puissants ? Ceux qui professaient encore cette vision (en 1998 !) auraient eu intérêt à lire un manuel d'introduction à l'économie. Saviez-vous que le terme « prédateur » y est réellement utilisé, et qu'il n'est aucunement ironique ? On l'emploie dans des situations telles que celle-ci : il était une fois un petit informaticien travaillant dans une petite entreprise de la Silicon Valley, où il achevait la mise au point d'un génial logiciel. Arrive Microsoft, qui offre un million de dollars à cet informaticien s'il vient travailler chez elle. L'informaticien est intéressé, mais comme il doit bientôt se marier, il demande s'il ne peut pas retarder son déménagement de six mois. Pas de problème, lui répond amicalement Microsoft : on vous offre même un demi-million de dollars tout de suite... à condition que vous quittiez votre emploi demain matin[2] !

---

2. James Daly, « The Robin Hood of the Rich », *Wired*, août 1997 : http://www.wired.com/wired/5.08/reback.html

Prédateur? Microsoft a été accusé d'avoir obligé les fabricants d'ordinateurs à payer trois dollars chaque fois qu'ils installaient Windows 95 dans une de leurs machines... s'ils n'y installaient pas aussi le navigateur *Explorer*. Microsoft a été accusé d'organiser des ventes «groupées» de produits médiocres avec des produits essentiels. Microsoft a été accusé d'avoir annoncé la sortie imminente de logiciels-bidons, afin de décourager la sortie du concurrent. Microsoft a été accusé, dès 1995, d'avoir menacé la compagnie Apple de cesser de produire des versions Macintosh de ses produits, si Apple ne laissait pas tomber son projet d'un outil susceptible de concurrencer Microsoft.

En dépit de tout cela, de 1995 à 1998 et même 1999, les médias ont traité ces «problèmes» comme s'il ne s'agissait que d'une guéguerre sans conséquence, parce qu'elle était limitée à cet univers nébuleux qu'était l'informatique. Or, dans la logique de trop de journalistes et chefs de pupitres, si c'est nébuleux, c'est spécialisé. Donc, ça ne doit pas être très important...

Le lancement de la version 1995 du système Windows – Windows 95, de son nom célèbre – a ainsi été l'occasion d'une tempête médiatique sans précédent, d'un encensement journalistique prodigieux autour d'un produit dont la majorité de la population n'avait pourtant que faire... puisque la majorité de la population n'avait même pas d'ordinateur à la maison!

Pas étonnant que Bill Gates ait pu, un mois plus tard, «dire un gros merci à la presse»: «La presse a tellement bien couvert ce lancement que (Microsoft) n'a presque pas fait de publicité», a-t-il déclaré, tout réjoui[3].

Guéguerre sans conséquence, boniments réussis d'un habile vendeur... Un risque de monopole certes, admettait-on du bout des

3. Agence France-Presse, «Bill Gates dit un gros merci à la presse», 5 septembre 1995. Quelques trop rares journalistes s'en sont indignés: «Je ne pense pas jamais faire la file pour acheter un système d'exploitation. Des billets pour les Beatles, peut-être... Bon Dieu. Si Windows pré-95 était si épouvantable que les Nord-Américains ont dû faire la file comme des Soviets pour obtenir quelque chose de mieux, pourquoi utilisaient-ils tous Windows? Achetez-vous un Macintosh!» Peter Scowen, «If No News, Make Hype», *The Mirror* (Montréal), 31 août 1995.

lèvres. Mais dans le secteur informatique, et seulement lui. Alors pourquoi s'en soucier? Il y a d'autres secteurs de l'économie qui méritent davantage notre attention, comme les portes et fenêtres, ou la construction routière...

Le réveil allait être brutal, quand on s'apercevrait soudain que le secteur informatique était devenu partie indissociable du secteur des médias, des télécommunications et du divertissement. «Microsoft en est arrivé à une forme de partenariat ou d'entente promotionnelle avec la moitié de la presse américaine, de NBC au *New York Times*», s'indignait l'analyste des médias Jon Katz dans la version électronique de *Wired*, en octobre 1997[4]. «Désormais, concluait le mensuel du journalisme *Columbia Journalism Review*, dans un dossier paru également en 1997, mais qui n'aurait qu'un écho limité, désormais, ce sont les journalistes qui entendent, derrière eux, les bruits de bottes du président de Microsoft, Bill Gates, alors qu'il travaille à devenir un baron des médias du XXIe siècle[5].»

America On Line aussi s'était lancé à fond de train dans la production ou la diffusion de «contenus» (journalistiques, publicitaires, sans oublier le sexe...). Yahoo aussi. Et AT&T. Et, au Québec, Bell et Vidéotron. Et France Telecom. Les frontières entre la «techno» et le «contenu», jadis bétonnées, étaient devenues aussi minces qu'une feuille de papier... et personne ne semblait s'en être aperçu, du moins dans le camp des médias «non branchés».

Vers quoi tout cela peut-il conduire? Imaginons par exemple un futur pas si lointain, dans lequel le logiciel clé pour accéder aux bulletins de nouvelles électroniques serait la propriété de Microsoft. Ou d'AT&T, ou de Time Warner, ou de Disney, ou de tout autre géant, actuel ou futur. Et imaginons que chacun de nous doive dès lors verser cinq sous dans les goussets de Bill Gates ou d'un autre, chaque fois qu'il ouvre son téléviseur-ordinateur pour y écouter le téléjournal. Ou pour lire la version de 16h25 de *La Presse*.

---

4. Jon Katz, «Uncle Sam vs. Mr Bill», *Hotwired*, 28 octobre 1997: http://www.hotwired.com/synapse/katz/97/43/index1a.html
5. Neil Hickey, «Will Gates Crush Newspapers?», *Columbia Journalism Review*, novembre 1997, p. 28-36: http://www.cjr.org/year/97/6/gates.asp

Ce serait déjà inacceptable aux yeux de certains, que de contribuer ainsi à accroître la fortune d'un plus-que-milliardaire. Mais il y aurait plus inquiétant encore: dès le moment où une grande compagnie contrôlera un logiciel de ce genre, rien ne l'empêchera de contrôler les médias auxquels vous aurez accès gratuitement – en l'occurrence, ce seront, comme par hasard, uniquement les médias qui auront eu les moyens de payer la redevance nécessaire à cette compagnie. Ou uniquement les médias qui auront été achetés, ou fusionnés, avec cette compagnie. Et c'est là que la vague déferlante de fusions et d'acquisitions, amorcée vers 1995, prenait un sens nouveau.

Bref, l'informatique n'était soudain plus une guéguerre abstraite entre deux fabricants de babioles incompréhensibles (*Netscape* et Microsoft, à l'époque). C'était une lutte tout ce qu'il y avait de classique entre des gens d'affaires pour le contrôle de quelque chose de lucratif. De très vaste et de très lucratif.

Qu'on pense à AOL/Time Warner et ce qu'il était devenu au début de l'année 2000: ses centaines de magazines, chaînes de télé, distributeurs de films et de disques... Qu'on pense à MSNBC, cette alliance entre Microsoft et le réseau américain de télé NBC, qui est devenu le site Web d'actualité le plus visité au monde, non pas parce qu'il est meilleur que CNN ou la BBC, mais parce que quiconque utilise Windows, donc *Explorer*, se retrouve avec une page d'accueil de Microsoft affichée par défaut sur son écran, chaque fois qu'il entre sur Internet. Et qui dit page d'accueil de Microsoft dit MSNBC...

Dans le merveilleux monde de l'économie, on appelle ça la convergence.

«Chacun des champs conquis par Microsoft enregistre un déclin rapide de l'innovation», écrivait Ralph Nader, le politicien américain «anti-corporatiste» par excellence (et éternel «troisième candidat» à la présidence). «Microsoft sera bientôt en mesure de fermer le système décentralisé sur lequel Internet s'est développé: s'il parvient à monopoliser le logiciel qui y donne accès, il pourra agir sur la sélection des contenus et des services... La concentration excessive de pouvoir nuit à la démocratie[6]. »

« Autant le corporatisme que les monopoles ont été des tragédies pour le journalisme, s'inquiétait Jon Katz. Ils ont limité les points de vue, homogénéisé l'information, ghettoïsé la participation des individus à des formes d'expression marginales[7]. »

Katz écrivait ces lignes en décembre 1996. Ralph Nader, à l'automne 1997. Le dossier de la *Columbia Journalism Review* paraissait en novembre 1997. Des activistes réclamaient un boycott des produits Microsoft depuis aussi longtemps que 1994[8]. Quelques chroniqueurs généralistes plus futés que les autres – ou moins endormis – avaient constaté dès 1995 que, derrière Windows 95 et autres vagues médiatiques spectaculaires, il y avait un objectif central, occulté : « s'assurer la domination mondiale des réseaux télématiques[9] ».

Et pourtant, en mai 1998, il se trouvait encore plein de gens influents pour affirmer haut et fort – et ainsi influencer des millions d'autres personnes – que Microsoft n'était rien d'autre qu'une malheureuse « victime de sa popularité » !

Avec pareil aveuglement, les rêveurs Internet n'avaient aucune chance. C'était la victoire du rêve de Bill Gates qui était écrite dans le ciel, et pas la leur.

***

---

6. Ralph Nader, « Microsoft, monopole du prochain siècle », *Le Monde diplomatique*, novembre 1997 : http://www.monde-diplomatique.fr/md/1997/11/NADER/9458.html

7. Jon Katz, « Bland Ambition », *Hotwired*, 2 décembre 1996 : http://www.hotwired.com/netizen/96/49/katz2a.html

8. Entre autres : The Microsoft Boycott Campaign (http://www.msboycott.com/). Par ailleurs, haïr Microsoft est devenu une seconde nature pour plusieurs militants d'Internet. Mais leurs arguments ont souvent sacrifié la rigueur intellectuelle au venin : un défoulement utile pour celui qui le crache, mais qui sera peu lu, au-delà du cercle des convertis. Entre autres initiatives, signalons Microsuck (http://www.microsuck.com/) et The Anti Microsoft Association (http://users.aol.com/machcu/amsa.html).

9. Jean Pichette, « Une fenêtre sur Internet », *Le Devoir*, 30 août 1995, p. 1.

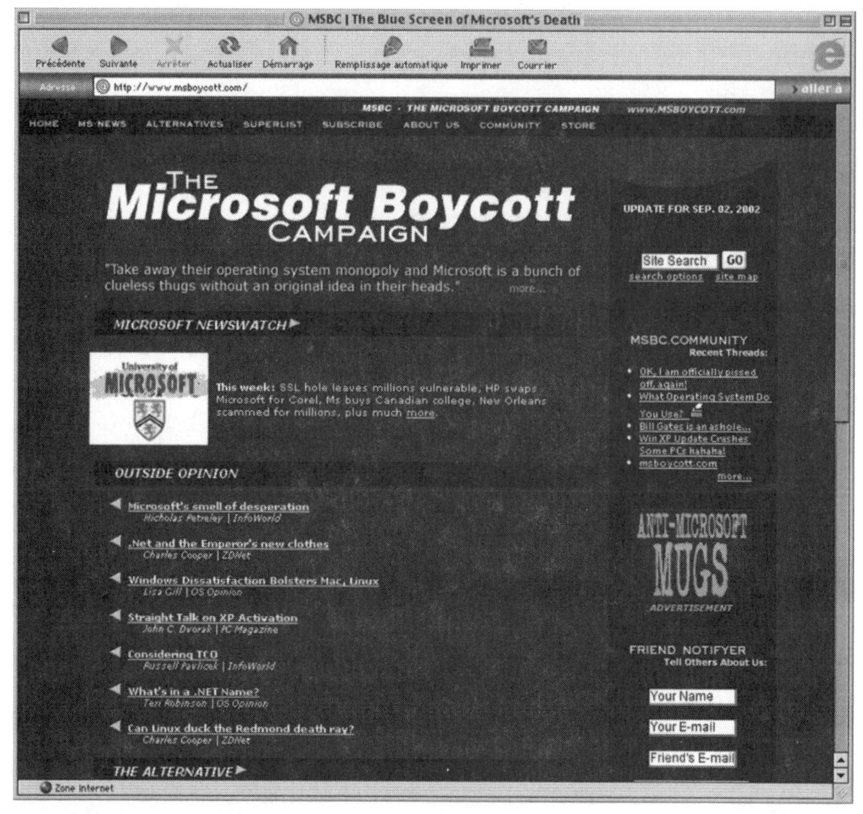


http://www.msboycott.com

Bien sûr, est arrivé un moment où les critiques virulentes ont quitté la marginalité pour éclater au grand jour. Est arrivé un moment où des gens jouissant d'une solide réputation ont soudain osé sortir de l'ombre... et ce moment fut, comme par hasard, celui où Microsoft était, pour la première fois, ébranlé par la justice américaine.

Au printemps 1998 était publié aux États-Unis *Barbarians Led by Bill Gates*, ouvrage qui s'appuyait en partie sur le témoignage de Marlin Eller, ancien programmeur de Microsoft[10]. La conclusion: Bill Gates est loin d'être le génie de l'informatique qu'on prétend – il n'a jamais vu venir Internet, entre autres choses – et Microsoft est loin d'être la compagnie bien huilée que ses relations publiques décrivent.

10. Jennifer Edstrom et Marlin Eller, *Barbarians Led by Bill Gates*. New York, Holt and Company, 1998, 256 p.

C'est plutôt une entreprise désordonnée, chaotique, où la puissance financière permet d'essayer un tas de choses, en espérant que certaines soient payantes.

À l'automne 1998, suivait en librairie *The Microsoft File*, où on retrouvait entre autres, courriers électroniques privés à l'appui, des anecdotes sur les tactiques peu honorables employées par le géant pour marcher sur la tête de ses adversaires[11].

Enfin, en octobre 1998, sortait en France *Le Hold-up planétaire*, entretiens accordés à la journaliste Dominique Nora par Roberto Di Cosmo, maître de conférences à l'École normale supérieure de Paris. L'universitaire y décrivait comment Microsoft «méprise ses clients, piège ses concurrents et asservit l'innovation». La réussite de Microsoft, lisait-on là aussi, n'est pas due à la qualité de ses produits ou à sa capacité d'innovation, mais à ses pratiques commerciales déloyales et à son marketing dynamique[12].

Problème: si la chose était à ce point évidente, où étaient-ils tous, entre 1995 et 1998, ces preux chevaliers? Pourquoi, demande Nora à Di Cosmo, «la communauté des informaticiens ne s'est-elle pas exprimée plus tôt?» Réponse en forme d'acte de contrition:

> Les spécialistes qui ont les connaissances nécessaires pour déjouer tous ces pièges et mettre en évidence les erreurs, les dangers, les manipulations, se sont tus trop longtemps. Et il est vrai que ce vide a été comblé par des pseudo-experts, surtout porteurs de désinformation.
>
> Il faut comprendre que, si un scientifique veut toucher le grand public, il devra accepter d'utiliser des médias qu'il ne respecte pas forcément, comme les revues de la presse informatique, dont le contenu s'apparente dans beaucoup de cas au publi-rédactionnel... Malheureusement, cela a contribué à mettre en place un véritable cercle vicieux: dénuée de l'appui de ces experts qui la boudent et très dépendante de ses annonceurs publicitaires, la presse informatique est souvent réduite à devenir un écho peu crédible de la propagande des constructeurs.

---

11. Wendy Goldman Rohm, *The Microsoft File: The Secret Case against Bill Gates*. New York, Random House, 1998, 313 p.
12. *Le Hold-up planétaire*. Paris, Calmann-Lévy, 1998, 187 p. http://www.00h00.com/direct.cfm ?titre=4809980401

C'est, incidemment, une autre caractéristique de ces intellectuels: ils sont prompts à dénoncer une certaine presse qu'ils ignoraient la veille encore. Sauf que, s'ils s'étaient intéressés plus tôt à cette presse et à ses besoins, ils auraient peut-être senti qu'ils ne rendaient service à personne en demeurant cachés dans leurs tours d'ivoire.

## Les avoir au berceau

Mais, si vous vous appelez Bill Gates, pourquoi s'arrêter en si bon chemin? Pourquoi ne pas convaincre les enfants eux-mêmes, dès leur plus jeune âge, que Windows représente le summum du génie informatique?

Eh bien, il essaie. Des Français, au printemps 1998, se sont insurgés parce que leur gouvernement venait d'annoncer qu'il ouvrait toutes grandes les portes des écoles à Microsoft: «Un grand philanthrope distribue à tous les écoliers de France des copies gratuites de Windows 95, dans le seul but de les aider à rattraper leur retard technologique», ironisait Roberto Di Cosmo[13].

L'intrusion de Microsoft dans les écoles est un phénomène auquel avaient déjà dû faire face les enseignants américains: «Microsoft, écrivait la *Chronicle of Higher Education* au même moment, dans un dossier aussi étoffé qu'inquiétant, est tellement désireuse de vendre dans les collèges qu'elle distribue gratuitement ses logiciels, et appâte les responsables de l'informatique des campus avec des salaires élevés[14].»

En octobre 1998, c'était au tour du gouvernement canadien d'annoncer, tout fier, que le père Noël était descendu de son atelier de la côte Ouest pour offrir aux écoles canadiennes tout plein de cadeaux pour équiper leurs ordinateurs. Des cadeaux fabriqués exclusivement dans les ateliers du père Noël, bien sûr, mais pourquoi s'en soucier? Le père Noël, après tout, c'est bien connu – et

---

13. Roberto Di Cosmo, «Piège dans le cyberespace», *Multimédium*, 17 mars 1998: http://www.mmedium.com/dossiers/piege

14. «Microsoft's Reach in Higher Education», *Chronicle of Higher Education*, 24 avril 1998: http://chronicle.com/free/v44/i33/microsoft.htm Cet excellent dossier a valu à ce magazine un prix de l'Association des rédacteurs américains en éducation.

ses gentils lutins se font fort de le rappeler – n'est pas là pour faire des sous, mais pour faire plaisir aux enfants...

Le risque, pour ceux qui ne l'auraient pas encore compris, c'est que Microsoft – ou une autre compagnie du genre – ne devienne elle-même une école. Que, «à plus long terme, les visées expansionnistes de la compagnie ne la conduisent à concurrencer les collèges», en vendant ses propres programmes d'études, avec profs et diplômes à la clé. Cette vision pessimiste n'était pas seulement partagée par la *Chronicle of Higher Education*, puisqu'au même moment, aux quatre coins des Amériques, les mouvements antimondialisation, qui surgiraient dans l'actualité moins d'un an plus tard avec les manifestations de Seattle, mentionnaient tous, au milieu de leurs longues listes d'inquiétudes, le risque que l'éducation universitaire ne soit de plus en plus détournée par les grandes entreprises; le risque qu'un établissement d'enseignement ne devienne très riche et très huppé, qu'il attire les professeurs les plus célèbres et que son diplôme n'acquière, aux yeux des employeurs, une valeur supérieure, non en raison de la qualité de son enseignement, mais en raison des sous qu'y auront fait déferler les Microsoft de ce monde.

Moyennant, évidemment, quelques menues concessions aux programmes d'enseignement...

Et c'est exactement ce qu'avait visé, en mars 1998, Microsoft France, en faisant parvenir au gouvernement français une proposition de contrat pour que les étudiants en informatique puissent désormais acquérir la «certification Microsoft» pendant leur formation.

Cette fois-là, la proposition avait créé un tel tollé que le gouvernement avait fini par reculer. Mais, dans un premier temps, il avait bel et bien été tenté d'accepter une offre aussi généreuse et, cela va sans dire, désintéressée...[15]

Et dans un deuxième temps... Eh bien, Microsoft emporterait finalement la mise, puisque le gouvernement – les gouvernements – ouvrirait bel et bien les portes des écoles et des universités.

15. Pour en savoir plus sur les protestations de l'époque, lire la *Lettre ouverte à tous les amis de Bill, et néanmoins représentants du peuple français*: http://www.iris.sgdg.org/microsoft/index.html

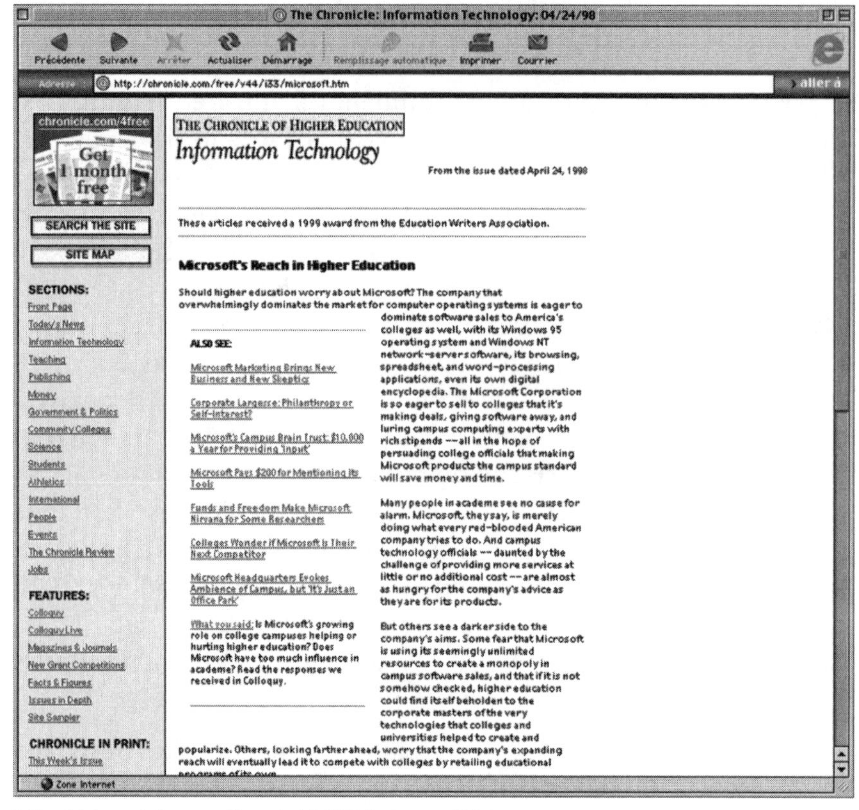

THE CHRONICLE OF HIGHER EDUCATION

*Information Technology*

From the issue dated April 24, 1998

These articles received a 1999 award from the Education Writers Association.

**Microsoft's Reach in Higher Education**

Should higher education worry about Microsoft? The company that overwhelmingly dominates the market for computer operating systems is eager to dominate software sales to America's colleges as well, with its Windows 95 operating system and Windows NT network-server software, its browsing, spreadsheet, and word-processing applications, even its own digital encyclopedia. The Microsoft Corporation is so eager to sell to colleges that it's making deals, giving software away, and luring campus computing experts with rich stipends — all in the hope of persuading college officials that making Microsoft products the campus standard will save money and time.

Many people in academe see no cause for alarm. Microsoft, they say, is merely doing what every red-blooded American company tries to do. And campus technology officials — daunted by the challenge of providing more services at little or no additional cost — are almost as hungry for the company's advice as they are for its products.

But others see a darker side to the company's aims. Some fear that Microsoft is using its seemingly unlimited resources to create a monopoly in campus software sales, and that if it is not somehow checked, higher education could find itself beholden to the corporate masters of the very technologies that colleges and universities helped to create and popularize. Others, looking farther ahead, worry that the company's expanding reach will eventually lead it to compete with colleges by retailing educational

ALSO SEE:

Microsoft Marketing Brings New Business and New Skeptics

Corporate Largesse: Philanthropy or Self-Interest?

Microsoft's Campus Brain Trust: $10,000 a Year for Providing 'Input'

Microsoft Pays $200 for Mentioning Its Tools

Funds and Freedom Make Microsoft Nirvana for Some Researchers

Colleges Wonder if Microsoft Is Their Next Competitor

Microsoft Headquarters Evokes Ambience of Campus, but 'It's Just an Office Park'

What you said: Is Microsoft's growing role on college campuses helping or hurting higher education? Does Microsoft have too much influence in academe? Read the responses we received in Colloquy.

http://chronicle.com/free/v44/i33/microsoft.htm

C'était prévisible. Dès le milieu des années 1990, la mode était d'ores et déjà aux commandites dans les écoles et aux partenariats avec l'entreprise privée. Nike et Adidas dans les gymnases universitaires, Pizza Hut et McDonald's dans les cafétérias scolaires, les libraires Barnes & Noble remplaçant les librairies de campus...[16] Ce n'était que la première étape: une fois cette intrusion tenue pour acquise, tolérée à défaut d'être acceptée, celle de Microsoft devenait du coup moins choquante, presque normale.

16. À ce sujet, le chapitre 4 de l'ouvrage de Naomi Klein, *No Logo*, intitulé «Le branding de l'éducation», Toronto, 2000, p. 121-141, fournit un bon tour d'horizon de la situation.

> Bien sûr, les sociétés qui se présentent sans invitation à la porte de l'école n'ont rien contre l'éducation. Les étudiants doivent à tout prix s'instruire, disent-elles, mais pourquoi ne pas lire à propos de notre compagnie, écrire sur elle, travailler sur leurs propres préférences en matière de marques et créer un dessin pour notre prochaine campagne publicitaire? D'après ces sociétés, l'enseignement et l'élaboration de la notoriété d'une marque peuvent constituer deux aspects du même projet[17].

Les gourous d'Internet ne se sont jamais prononcés là-dessus... C'était comme si cela dépassait soudain leur entendement.

17. Naomi Klein, *op. cit.*, p. 123.

# Le rêve d'une révolution

*Quand tu es jeune, on te permet d'être n'importe quoi, tout: rebelle, révolutionnaire, tout ce que tu voudras, du moment que tu t'en repentes plus tard, quand tu seras mûr. En vérité, pour le système, le jeune est un avorton de révolte.*

Attribué au sous-commandant Marcos

*Il faut examiner si le réformateur a le pouvoir de s'imposer ou s'il dépend d'autrui. Autrement dit, si pour mener à bien ses entreprises, il compte sur ses prières, ou sur sa force...*

Nicholas Machiavel, homme d'État et historien (1469-1527)

Fort bien. Internet n'est pas le Messie qui a chamboulé la société et revu ses structures au profit des sans-voix. Microsoft symbolise l'emprise, de plus en plus forte, des géants économiques sur ce nouveau média soi-disant libre et égalitaire. Les prophètes ont été aveuglés par leur optimisme, et les médias et les gouvernements, aveuglés par leur ignorance, en ont remis.

Mais n'y a-t-il vraiment aucune révolution que puisse apporter Internet? Après tout, ne s'agit-il pas d'un réseau mondial comme on n'en a jamais connu auparavant? N'est-il pas exact qu'on peut informer les gens plus facilement grâce au courrier électronique, voire les mobiliser plus rapidement et plus efficacement pour des causes justes? N'a-t-il pas été démontré, par exemple, qu'Internet offre, avant toute chose, la possibilité de créer des communautés autour de champs d'intérêt, même si les membres sont séparés par des milliers de kilomètres? Dans cet esprit, ultimement, Internet ne serait-il pas le premier embryon d'une future communauté planétaire?

## Communautés virtuelles

Le concept de communauté, plus exactement de *communauté virtuelle,* est presque aussi vieux qu'Internet. Dès le moment où des hommes et des femmes – surtout des hommes, de 1967 jusqu'au début des années 1990 – qui ne s'étaient jamais rencontrés ont pu converser, par claviers interposés, aussi facilement que s'ils avaient été dans la même pièce, on s'est mis à fantasmer là-dessus. L'arrivée des forums de discussion a ajouté une pierre à l'édifice: communauté des amateurs de *Star Trek*, communauté internationale des généticiens de la mouche à fruit, des généalogistes amateurs, des professeurs de mathématiques, des cyber-journalistes, etc. D'autres, avant l'explosion d'Internet, ont franchi un pas de plus en créant des mini-Internet, genres de cyberespaces à l'intérieur du cyberespace, voués à rassembler des gens dans un esprit encore plus communautaire. On a appelé ces espaces des *babillards électroniques*: on y accédait par l'intermédiaire d'un modem qui, en vertu des normes actuelles, était épouvantablement lent – mais constituait un exploit technologique dans les années 1980 – pour aboutir dans un lieu qui, en vertu des normes actuelles, était épouvantablement terne: du texte, du texte et encore du texte.

L'une de ces communautés s'appelait le WELL. Elle fait aujourd'hui partie de la légende.

Fondé en 1985, le WELL (Whole Earth 'Lectronic Link) attira pendant plus d'une décennie une faune intellectuellement riche, des discussions bien plus étoffées qu'ailleurs et, surtout, un esprit de groupe: le sentiment, partagé par ses membres, de faire partie d'une espèce à part. Une communauté.

Mais qu'est-ce qui est véritablement une communauté dans le cyberespace? Tout dépend du sens que l'on donne à ce mot. Après 1985, il en est venu à désigner tout et n'importe quoi. Au départ, c'était un forum ou un babillard électronique. Aujourd'hui, cela peut être n'importe quel site Web, juste parce qu'on y a joint une salle de bavardage en direct (en anglais, *chat*) ou une liste de discussion par courriel. Ou bien c'est un *weblog*, un autre de ces néologismes nés d'Internet, dont nous reparlerons plus loin. À la limite, même un magasin électronique comme le méga-libraire Amazon.com sera considéré par ses promoteurs – et certains de ses clients – comme une communauté, sous le prétexte qu'il permet à ses utilisateurs d'être reconnus à chaque visite par un robot qui, ainsi, peut leur suggérer des achats... en fonction de ce qu'ils ont précédemment acheté.

Pire encore: un site aussi impersonnel que Yahoo obtiendra le qualificatif de «communauté», sous le prétexte qu'on peut y obtenir une adresse de courriel gratuite *@yahoo.com*, ou qu'on peut y personnaliser sa page (un peu moins de météo, un peu plus de sports, un peu plus d'astrologie, etc.).

Pour Clifford Stoll, auteur en 1995 de *Silicon Snake Oil*, critique décapante de la mythologie des réseaux informatiques, après tout, pourquoi pas: s'ils tiennent absolument au qualificatif, ces différents groupes d'intérêts sont bel et bien des communautés. Mais combien appauvries: «sans église, café, galeries d'art, théâtre ou taverne... Beaucoup de contacts humains, mais aucune humanité. Et aucun oiseau qui chante[1].»

Hervé Fischer, un des pères du multimédia au Québec, traduira cela autrement six ans plus tard: le fétichisme technologique. «Le désir de communication, devenu obsessionnel ou pulsionnel chez beaucoup de nos fétichistes branchés, symbolise apparemment... le désir d'amour, d'appartenance, de participation, de fusion qui délivre l'individu de sa peur de la solitude et de son angoisse[2].»

À l'origine, au milieu des années 1980, il y avait une autre idée sous-jacente à ce concept de communauté: la politique. Le WELL fut à cet égard le modèle et le point de référence de tous ceux qui sont venus après lui: en rassemblant devant leur écran des gens éparpillés aux quatre coins du continent, on crée une cohésion, point de départ indispensable pour, ensuite, tenter de faire bouger les choses. Qu'il s'agisse d'accroître le niveau d'information sur les pratiques sexuelles sécuritaires, sur une alimentation saine ou sur la défense des prisonniers politiques au Timor oriental, ou qu'il s'agisse d'augmenter la pression sur les politiciens pour qu'ils achètent davantage d'ordinateurs pour les écoles. Le WELL, tout comme les forums de discussion d'Internet, c'était l'espoir de transposition, dans le cyberespace, des agoras de l'Antiquité: des lieux créés par et pour les citoyens.

Pour que l'information circule, pour que les idées s'entrechoquent, pour que le débat citoyen progresse.

1. Clifford Stoll, *Silicon Snake Oil*, New York, Anchor Books, 1995, p. 43.
2. Hervé Fischer, *Le Choc du numérique*, Montréal, VLB, 2001, p. 101-103.

Pour que l'information soit libre.

Parce que « l'information veut être libre ».

Les premiers utilisateurs du WELL, dans les années 1980, étaient ces Californiens de gauche, scolarisés, dans la trentaine ou la jeune quarantaine, dont nous parlions plus haut. Les mêmes *baby-boomers* qui seraient, quelques années plus tard, à l'avant-garde du discours sur la révolution Internet[3].

L'idée du physicien Larry Brillant, l'un des deux cofondateurs, c'était de « prendre un groupe de gens intéressants, et de leur fournir le moyen de rester en communication les uns avec les autres ». En 1985, personne n'avait encore essayé de créer un système de communication informatique qui soit accessible non pas aux seuls chercheurs et aux maniaques d'informatique, mais à tout le monde. Et de surcroît à un prix modique (établi alors à 8 dollars par mois).

La communauté que visait le WELL, c'était donc la société tout entière. Ce qui, en soi, était assez révolutionnaire, il faut bien le dire.

Mais drôlement ambitieux. Tout d'abord, il n'est pas sûr que ces Californiens dans la trentaine, scolarisés, érudits, parfois snobs, centrés sur leurs passions et souvent très asociaux, auraient considéré que les 250 millions d'Américains méritaient tous le qualificatif de « gens intéressants ». Et ça, c'est en supposant que ces 250 millions d'Américains aient tous eu la capacité technique de se brancher (un ordinateur, un modem, et le savoir pour les faire fonctionner). Et les moyens financiers. Sans parler de la capacité tout court d'entretenir de telles discussions : il faut une certaine aisance avec l'écriture, il faut une certaine aisance dans l'art du débat... et il faut avoir du temps à y consacrer.

Pire encore, on ne parle pas seulement de la capacité financière des individus, mais de celle de leur quartier. Si vous naissez dans un quartier défavorisé, même en Californie, il y a de bonnes chances

3. Pour en savoir plus sur l'histoire du WELL, lire la version – idéaliste, comme toujours – du magazine *Wired* : Katie Hafner, « The World's Most Influential Online Community », *Wired*, mai 1997, p. 98-142 : http://www.wired.com/wired/archive/5.05/ff_well.html

pour que votre école soit sous-équipée en ordinateurs, par rapport aux écoles des quartiers plus huppés. Ce qui, arrivé à l'âge adulte, vous procure déjà des longueurs de retard sur vos concitoyens du même âge. On connaissait déjà, dans tous les domaines, le concept d'une société à deux vitesses: Internet y a ajouté les concepts d'inforiches et infopauvres.

L'idée du WELL était remplie de noblesse. Mais terriblement débranchée... de la réalité.

Dès 1985, il aurait dû être clair que, si ces outils électroniques devaient vraiment engendrer une révolution politicosociale, celle-ci serait le fruit d'un petit noyau de gens, et non pas d'une masse de citoyens. Et, même pour en arriver là, il faudrait des années, voire des décennies.

Car plus la population d'internautes s'accroissait, plus elle ressemblait à la population en général, et non pas à l'élite intellectuelle à laquelle rêvait le WELL. On avait tellement pris l'habitude, dans les médias, de parler des hauts faits d'armes internationaux qui avaient pris place sur le Net, de la popularité du *Monde diplomatique*, de la Bibliothèque du Congrès et de la NASA, qu'on en avait oublié de surveiller la progression des sondages: or, plus les années passaient et plus ces sondages révélaient que les nouveaux internautes étaient attirés davantage par l'information locale que par *Le Monde diplomatique*: les hebdos culturels comme *Voir*, les guides de cinéma ou de restaurants, et les «city guides» (expérience avortée, mais qui a eu son heure de gloire aux États-Unis lorsqu'on tenta de les fédérer en réseau, en 1998-1999)[4].

Oublié, le village planétaire. Oubliée, la communauté globale. En 1999, une enquête Dahlin & associés révélait que 72% des usagers habituels de 120 journaux américains en ligne avaient choisi d'abord et avant tout l'information locale ou régionale. En janvier 2001, une enquête téléphonique révélait que, dans deux tiers des marchés

---

4. L'expérience de ces guides urbains n'était guère concluante non plus en France, en 2001. Dennis Ruellan, «Guides de villes et sites municipaux», *Inform@tion.local. Le paysage médiatique régional à l'ère électronique*. Paris, L'Harmattan, 2001, p. 203-218.

urbains américains, le site Web du bon vieux journal local était plus populaire que tout autre service ou média Internet créé dans la région.

Des quotidiens locaux américains avaient déjà agi en conséquence : le *Commercial Appeal* de Memphis se vantait d'afficher une page d'accueil exclusivement consacrée aux nouvelles de la municipalité et de l'État du Tennessee – ainsi qu'une section spéciale sur Elvis Presley, histoire locale oblige – et y voyait la raison de l'accroissement de son achalandage – de 2 millions de pages affichées en mai 1998 à 3,5 millions en mai 1999.

Soit. Mais que faire alors, quand on se trouve dans une métropole, par définition davantage ouverte sur le monde? «Notre problème, déclarait par exemple le directeur du "portail" SFGate.com (qui rassemble les quotidiens *San Francisco Chronicle* et *San Francisco Examiner*) est qu'au niveau national, nous [les journaux] puisons tous dans le même matériau.» Or, en matière de nouvelles nationales (et internationales), il est bien difficile, même à un quotidien aisé comme le *San Francisco Chronicle*, de compétitionner contre les CNN de ce monde. Résultat, craignait-il avec raison : même pour un grand média comme lui, l'avenir du Web se traduira peut-être en nouvelles locales.

De toute façon, dès décembre 1998, une autre enquête, du Centre de recherches Pew, avait déjà enfoncé le clou sur le cercueil des utopistes du WELL. On y apprenait que le sujet préféré de 64% des utilisateurs de nouvelles sur le Net, c'était désormais... la météo[5].

Cette fois, il n'y avait plus de doute : l'internaute était *vraiment* devenu un citoyen comme les autres...

## Des électeurs mieux informés

L'histoire nous rappelle constamment que les changements sociaux, peu importe à quel point on les souhaite, prennent tout leur temps. Un petit noyau de gens peut bien, déjà, vivre dans un nouveau siècle, que

5. Pew Research Center, *The Internet News Audience Goes Ordinary*, 14 janvier 1999 : http://people-press.org/reports/display.php3 ?ReportID=72

ce soit celui d'Internet, du téléphone, du chemin de fer ou de l'imprimerie, mais la majorité, elle, n'a pas encore trouvé les raisons ou la volonté pour se défaire des vieilles méthodes et des vieilles routines.

Le renforcement de la démocratie, relisez vos livres d'histoire, remontez jusqu'à la Révolution française en passant par la montée des médias de masse aux XIXe et XXe siècles, remontez même jusqu'à la Grande Charte du roi d'Angleterre Jean sans Terre en l'an 1212 – le premier traité de l'histoire à avoir clairement limité les pouvoirs d'un chef d'État – le renforcement de la démocratie, ou simplement son évolution, c'est un processus pas mal plus complexe que la simple invention d'un outil de communication. Complexe, et lent.

Désespérément lent. Qui s'étale sur des décennies... et, parfois, des siècles.

La comparaison que font les activistes du Net avec les agoras de la Grèce antique ou les conseils de villages est pertinente, mais bancale : ces lieux furent effectivement des arènes pour les débats. Sauf qu'on voit mal l'électronique prendre leur place du jour au lendemain : des échanges désincarnés par vidéotextes ne sont pas des substituts à des face-à-face, dénonçait par exemple l'historien américain Mark Poster[6].

Un jour, peut-être la technologie permettra-t-elle de participer en direct à des « conseils de quartier virtuels » plutôt qu'à des vidéoconférences aux images vacillantes et saccadées. Un jour, peut-être sera-t-il naturel à un citoyen d'un quartier pauvre de se brancher sur sa communauté virtuelle locale. Mais on en est loin.

La démocratie directe, alors ? La possibilité de voter sans quitter son chez-soi fait en effet rêver plusieurs, mais suscite également des craintes : en arriverons-nous à tant multiplier les consultations électroniques que nous aurons engendré un gouvernement si craintif face à ces « sondages » qu'il en sera incapable de prendre des décisions ? D'autant que c'est d'ores et déjà une critique qu'on leur fait...

6. Mark Poster, « The Net as a Public Sphere ? », *Wired*, novembre 1995 : http://www.wired.com/wired/archive/3.11/poster.if.html

Reste l'accroissement d'informations. Déjà, grâce aux sites des partis politiques, des universités, des groupes de pression et des médias, il n'est plus besoin de courir pour ramasser les programmes électoraux, les horaires des bureaux de scrutin, les nouvelles et potins en tous genres.

Le problème, c'est que, si le citoyen n'a pas envie, aujourd'hui, de lire un programme électoral «papier», on voit mal ce qui l'inciterait à le lire dans le cyberespace. Ou à en lire deux, ou trois, ou quatre...

Des expériences sont tentées aux États-Unis lors de chaque élection présidentielle et législative, depuis le début des années 1990: l'une de celles à avoir servi de modèle à toutes les autres, The Democracy Network, lancée en octobre 1996 en Californie, est un organisme à but non lucratif se donnant pour objectif de fournir des «outils à l'électeur». Le site rassemble et résume un maximum d'informations sur chacun des candidats, aussi bien nationaux que locaux – les informations proviennent des candidats eux-mêmes – ce à quoi s'ajoutent éditoriaux et analyses en provenance des médias locaux[7].

Des groupes similaires s'y essaient dans la plupart des pays occidentaux. Pour l'instant, aucun ne peut dire s'il a changé le cours des choses, ou même s'il a redonné confiance en la politique à une partie significative de l'électorat[8].

En récoltant davantage d'informations, l'internaute court évidemment le risque de ramasser une information différente: celle des groupes minoritaires ou marginaux (communautaires, écologistes, anarchistes, etc.), qui n'ont normalement pas voix au chapitre. Le premier d'une liste de cas célèbres fut celui des rebelles du Chiapas, en janvier 1994, qui ont su judicieusement tirer parti d'un média encore naissant. S'il y a un gain tangible dû à Internet, c'est bien celui-là.

---

7. http://www.democracynet.org/
8. Signalons, pour la Grande-Bretagne, le UK Citizens Online Democracy: http://www.democracy.org.uk/. Par ailleurs, un article de votre serviteur n'a plus, aujourd'hui, qu'une valeur historique, mais permet de se rappeler que dans la deuxième moitié des années 1990, alors qu'on tentait de mettre sur pied de tels modèles pour mieux informer l'électeur, tout le monde semblait tenir mordicus à... suivre le même modèle. Pascal Lapointe, «Élections: une couverture uniforme», *La Presse*, 30 avril 1997: http://www.cam.org/~paslap/medianet/elections97.html

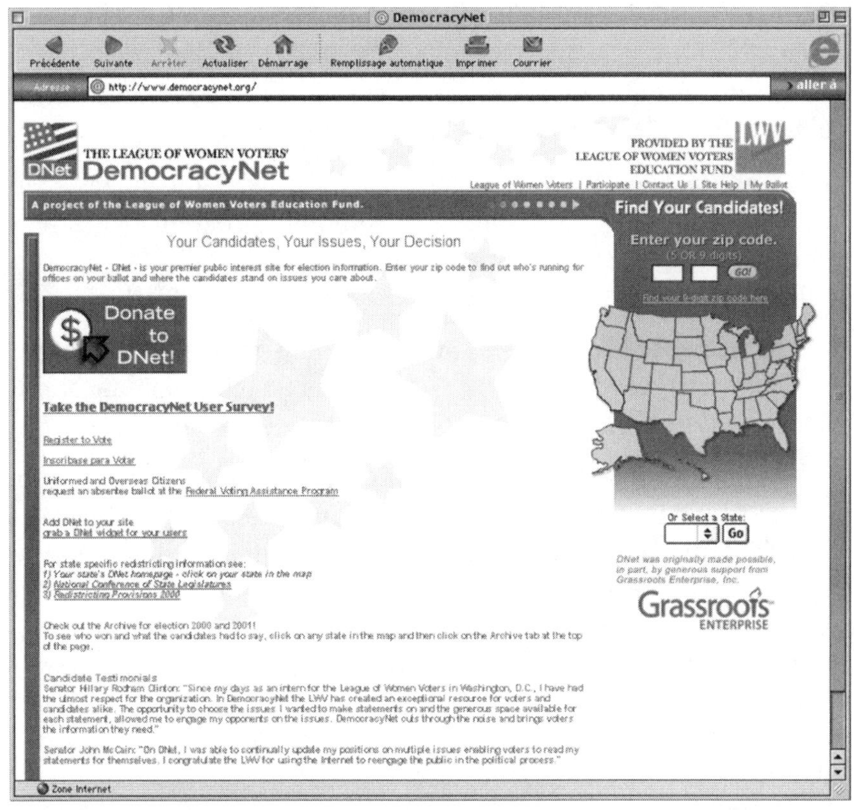


http://www.democracynet.org

Mais même ce gain est limité: parce que, pour paraphraser Orwell, si tout le monde est égal sur le Web, certains sont plus égaux que d'autres. Si le Web permet aux sans-voix de s'exprimer (ni frais d'impression ni frais postaux), il n'en demeure pas moins qu'un site Web financièrement à l'aise attire beaucoup l'attention des médias – tandis que son homologue bénévole ou chiche est relégué dans la colonne des nouvelles brèves.

## Une planète encore à brancher

Élargissons même la perspective. Considérons un instant cette fameuse planète branchée qu'on nous promet. Après tout, le rêve du Net, répétons-le encore, c'est de fournir une voix aux sans-voix. Y compris ceux des pays du Sud qu'on entend si peu dans les médias du Nord. L'une des prétentions des activistes et des prophètes du Net, c'était par conséquent que le Tiers-Monde allait rejoindre l'Occident, grâce à la révolution Internet. Jusqu'à Nicholas Negroponte, le pape des optimistes, qui proclamait sans rire, jusqu'en 1996, qu'Internet compterait, en l'an 2000, un milliard d'utilisateurs[9].

Un milliard d'utilisateurs. Mais où diable serait-on allé les chercher? En 1994, le rapport annuel de l'Union internationale des télécommunications évaluait que la moitié de l'humanité – soit trois milliards d'habitants – n'avait encore jamais utilisé... un téléphone[10]!

Et nombre de Nord-Américains en tombent en bas de leur chaise, lorsqu'ils apprennent que certaines stations de télécommunications africaines doivent encore compter... sur le télégraphe.

Certes, sur toutes les jolies cartes colorées à la *Wired*, on peut constater qu'Internet est désormais «présent» dans plus de 200 pays. Mais c'est une façon un peu commode d'oublier que, dans certains cas, cette «présence» se limite à quelques milliers d'ordinateurs «branchés», au sein des ministères, des universités, de compagnies étrangères et d'ambassades occidentales... et de quelques écoles, à raison d'un ordinateur pour tout le bâtiment! Et, si on est chanceux, dans un café électronique: il a tout de même fallu attendre l'automne 1996 pour voir ouvrir à Dakar, capitale du Sénégal, le premier café électronique... de toute l'Afrique subsaharienne!

On peut rétorquer que chaque petit gain comme celui-là est une victoire considérable pour ceux qui se battent depuis des années. Ce qui est vrai: «Ça peut prendre trois, cinq, même dix tentatives pour rejoindre un autre pays africain par téléphone; on peut y passer la journée» disait en 1994 Babacar Fall, journaliste sénégalais alors chargé par l'UNESCO de relancer la Panafrican News Agency. Autant dire que, pour lui, le courrier électronique fut une délivrance...

On peut également rétorquer que, sans Internet, le Centre des médias des femmes africaines n'aurait pas pris son essor, permettant

9. Nicholas Negroponte, «The Next Billion Users», *Wired*, juin 1996: http://www.wired.com/wired/archive/4.06/negroponte.html
10. Union internationale des télécommunications, *World Telecommunication Development Report 1994*. Ce rapport annuel et les suivants peuvent être lus ou commandés à: http://www.itu.int

à ces femmes d'échanger sur leurs rêves, leurs rôles et leurs carrières[11]; ni l'Agence de presse panafricaine; et il n'y aurait aucun médecin qui, dans les régions éloignées de Zambie, serait capable de contacter ses collègues de la capitale aussi facilement[12]. Sans le courrier électronique, il n'y aurait pas eu, en mai 1998, des dizaines de milliers de protestataires indonésiens descendus dans la rue, en l'espace de quelques jours, après 32 ans de répression politique. Le 21 mai 1998, le dictateur Suharto démissionnait.

Et c'est grâce à Internet si, en Inde, des gens que le gouffre des castes sépare ont soudain accès à la même information: à Veerinpattinam par exemple, village d'une centaine d'habitants sur la rive du golfe du Bengale, un ordinateur reçoit tous les matins par courriel, depuis le village voisin, les dernières nouvelles sur la météo dans le golfe, les prix du poisson et du riz sur les marchés locaux, ainsi que des informations gouvernementales, par exemple sur la lutte aux parasites agricoles. Là-bas, comme dans d'autres coins de ce vaste pays, des gens se chargent de récolter cette information sur le Web ou ailleurs, de la traduire en tamoul ou dans une autre des multiples langues régionales et de la relayer à leurs réseaux respectifs de villages. Certains de ces volontaires sont payés par de l'aide étrangère, d'autres sont des bénévoles qui, sans comprendre un seul mot de l'anglais des logiciels, avec une scolarité qui s'est parfois arrêtée en 2e année, ont tout de même appris à se servir des ordinateurs, et font ainsi franchir des pas de géants à leurs communautés[13].

Mais quand on considère qu'à côté de ces exploits il y a des millions de gens pour qui «un accès universel au service téléphonique», cela signifie avoir *un* téléphone à moins de cinq kilomètres de chez soi (au Brésil, en 1998) ou *un* téléphone par village (en Chine), on mesure mieux le chemin qui reste à faire avant d'avoir une planète unie par Internet. Ce rêve-là relève encore carrément de la science-fiction.

---

11. African Women's Media Center: http://www.awmc.com
12. Richard Folk, «Et les citoyens du Sud?», *Le Monde diplomatique*, mai 1996, p. 17.
13. Michael Le Page, «Village-life.com», *The New Scientist*, 4 mai 2002, p. 44-45.

Et quand on considère que 20% de la population du globe consomme 80% des ressources, on doit admettre que les utopistes qui affirmaient qu'Internet amènerait en un claquement de doigts l'égalité pour tous étaient non seulement déconnectés de la réalité mais, surtout, étaient d'une ignorance déplorable.

## Le rêve d'une mondialisation

Résumons. L'Occidental branché est donc représentatif d'un petit noyau de gens, par rapport à la population mondiale. Et ces activistes californiens qui tentaient de changer le monde étaient eux-mêmes représentatifs d'un petit noyau de gens, à l'intérieur du petit noyau d'Occidentaux branchés.

Malgré tout, il est intéressant de regarder ce que ce petit noyau dans le petit noyau est parvenu à accomplir. Car même si l'histoire est quelque chose qui évolue lentement, et même si les changements sociaux sont des phénomènes qui se mesurent en siècles, il est encourageant de s'arrêter sur ce qu'Internet a réussi à accomplir de mieux, en quelques si courtes années.

***

En signant ce traité international, vous consacrez «la souveraineté des entreprises sur les États», disaient ses opposants. Pour Ignacio Ramonet, directeur du *Monde diplomatique*, ce traité n'est rien de moins qu'une tentative «impérialiste» des grandes compagnies pour imposer leur vision du monde aux peuples de notre petite planète[14].

Le traité international, c'était l'AMI, ou Accord multilatéral d'investissement, un nom si terne qu'il n'avait soulevé que peu d'intérêt jusqu'en décembre 1997. Mais qui, dans les semaines qui ont suivi, a créé une opposition telle que les gouvernements ont finalement dû le mettre sur la glace, le 28 avril 1998.

14. Ignacio Ramonet, «L'Accord multilatéral d'investissement», *Le Monde diplomatique*, décembre 1997: http://www.monde-diplomatique.fr/md/dossiers/ami/index.html

http://www.monde-diplomatique.fr

«Il faut remonter aux traités coloniaux... pour trouver exposés avec autant d'arrogance dominatrice les droits imprescriptibles du plus fort – ici les sociétés transnationales – et les obligations draconiennes imposées aux peuples.» En écrivant ces lignes orageuses, et en déposant sur le site Web du *Monde diplomatique*, dans les derniers jours de l'année 1997, un lourd dossier sur l'AMI, Ignacio Ramonet se doutait-il qu'Internet jouerait un rôle déterminant dans le rassemblement d'opposants dispersés aux quatre coins du globe?

Car l'AMI n'était pas qu'un simple document pour régir le commerce international, comme son parrain, l'Organisation de coopération et de développement économiques (OCDE) en pondait depuis des décennies. C'était, avançaient avec fierté plusieurs économistes et financiers, une véritable «Constitution pour une économie mondiale unique»: interdiction pour un gouvernement de limiter la propriété étrangère sur ses entreprises locales, interdiction d'imposer un nombre minimal d'emplois ou de contenu «local» à une entreprise étrangère s'installant chez lui, etc.

La lutte contre l'AMI s'inscrivait donc à l'intérieur de la lutte, plus large, menée depuis des années par une foule de groupes sociaux contre une série de décisions politiques regroupées sous le terme de «mondialisation» (en ce début d'année 1998, la rencontre internationale de Seattle et les énormes manifestations qui l'accompagneraient appartenaient encore au futur).

La France avait déjà son observatoire de la mondialisation, comme d'autres pays en auraient un après elle, et celui-ci avait même, le 4 décembre 1997, organisé à l'Assemblée nationale un colloque d'information sur l'AMI. Il y avait plus d'un an que cet observatoire tirait la sonnette d'alarme, n'obtenant que des réactions vaguement indifférentes dans les médias. À partir de janvier 1998 toutefois, avec la multiplication des informations diffusées par Internet, avec l'appui de deux partis politiques, puis de groupes d'artistes et de cinéastes (jusqu'au cyber-magazine de cinéma *Écran noir* qui allait publier un dossier spécial «anti-AMI»!), les choses allaient débloquer. Au fil des semaines, des groupes de pression allaient à leur tour débarquer sur le Net et découvrir qu'y étaient déjà débarqués de nombreux groupes similaires au leur, sur les cinq continents. Au milieu de tout ce brassage, une solution proposée depuis 25 ans (!) allait pour la première fois déborder du cercle des universitaires pour commencer à atteindre les oreilles du grand public. Ce fut l'œuvre du groupe ATTAC, ou Action pour une *taxe Tobin* d'aide aux citoyens, du nom du Prix Nobel d'économie James Tobin qui, en 1972, avait proposé l'idée en question: une taxe sur les transactions de change. L'objectif: modérer quelque peu les transports de ces milliardaires qui grossissent leur fortune en jouant avec la dévaluation des monnaies – quand ils ne contribuent pas eux-mêmes à cette dévaluation.

Vous êtes nul en économie? Ce n'est pas grave, vous allez tout de suite comprendre: supposons que la «taxe Tobin» ne soit que de

0,1%; cela suffirait à ce qu'elle produise chaque année des revenus de plus de 160 milliards de dollars. En dollars américains. De quoi guérir bien des maladies, nourrir bien des enfants affamés, arroser bien des terres en voie de désertification...

En ce début d'année 1998, il était impossible de dire si, à court terme, l'ATTAC continuerait de faire son chemin. Mais, déjà, le cyberespace lui avait apporté plus d'audience *en quatre mois* qu'elle n'en avait eu... en 25 ans! Jusqu'aux ministres des 29 pays de l'OCDE qui, réunis le 28 avril à Paris, reconnurent, à leur corps défendant, qu'Internet, par son réseau d'échange et d'information transcendant les frontières, avait contribué à sceller le sort de l'AMI.

Il y avait là une ironie certaine: les promoteurs de l'AMI, eux qui étaient les défenseurs par excellence de la mondialisation, avaient été défaits par des groupes vilipendant la mondialisation... mais qui avaient utilisé à leur avantage une forme inattendue de mondialisation: Internet[15].

## Seattle: le début d'un temps nouveau

Ce n'était donc pas la révolution annoncée. Ce n'était pas non plus un changement né de la masse de la population. C'était né d'un petit noyau de gens, eux-mêmes à l'intérieur d'un petit noyau de la population mondiale. Mais cela avait suffi à bouleverser l'ordre des choses. Et ce petit noyau n'aurait jamais obtenu ce pouvoir de changement sans l'arrivée du réseau informatique.

Et la suite, on la connaît. Un an et demi plus tard, à la fin de novembre 1999, à Seattle, ils étaient des milliers à protester contre cette forme de mondialisation qu'on voulait leur imposer. Là encore, Internet avait joué un rôle central dans leur protestation[16].

15. Cette sous-section du chapitre a été tirée d'une chronique de l'auteur intitulée «Le beau côté de la mondialisation», parue dans *La Presse*, Montréal, le 5 mai 1998.
16. Les paragraphes qui suivent sont tirés d'une chronique de l'auteur intitulée «Les manifs entrent au XXI$^{e}$ siècle», parue dans *La Presse*, Montréal, le 8 décembre 1999.

Ce qu'on a vu ces semaines-là, avant et pendant Seattle, aux quatre coins du cyberespace, ce n'était plus la sympathique désorganisation des jeunes internautes de 1995 ou 1996, qui s'échangeaient des messages indignés sur tel et tel projet de loi ; ce n'était plus la spontanéité de militants qui se découvraient soudain des collègues, à des milliers de kilomètres. Cette fois, c'était un mouvement diablement bien organisé qui savait où il allait, qui avait planifié son action de longue date, qui avait divisé la ville en « secteurs » et qui avait prévu jusqu'aux moindres détails, y compris la façon de profiter des dernières innovations technologiques – caméras numériques, téléphones portables reliés en direct à un site Web, etc. – pour obtenir le maximum d'impact, aussi bien dans la rue que dans les médias.

Prenez en particulier le Global Trade Watch, un groupe de pression créé spécialement en vue de la Conférence de Seattle. Sur son site (toujours actif aujourd'hui), des mois à l'avance, on pouvait apprendre tout ce que ces gens espéraient accomplir à Seattle – et qui s'est déroulé au quart de tour : les manifestations pacifiques, les bâtiments encerclés par une chaîne humaine, les gens arrêtés par la police, et les médias, locaux et nationaux, pour répercuter tout cela[17]. Avec, en plus, des hyperliens vers les organismes, ailleurs dans le monde, susceptibles de donner un coup de main – par exemple, en organisant une caravane de véhicules, de Toronto à Seattle. Et sans oublier, bien sûr, le manuel du parfait manifestant (pas d'armes, pas d'alcool, quoi faire si vous êtes emprisonné, etc.) ; le Direct Action Network (dont le site national, lui, n'existait plus au moment d'écrire ces lignes), autre groupe de pression, est allé plus loin, en donnant carrément une formation à ses manifestants – et lui non plus n'aurait jamais rassemblé autant « d'étudiants » s'il n'avait eu Internet sous la main.

Et ce n'est pas tout. En plus de faciliter leur regroupement et leur coordination, Internet leur a permis de franchir une autre étape, fondamentale : *la diffusion par eux-mêmes de l'information, au-delà de leurs cercles.*

---

17. Site de Global Trade Watch : http://www.globalizethis.org

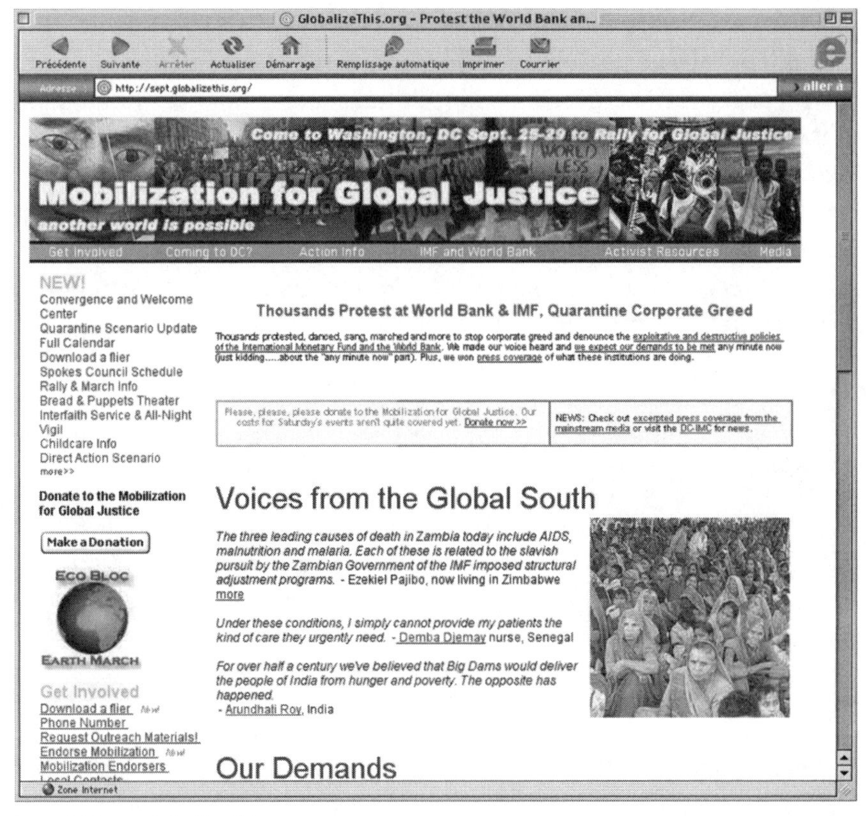


http://www.globalizethis.org

C'est que, comme tous les militants du monde, ceux-là en ont long à reprocher aux journalistes. Sauf que, étant à la fois organisés ET fervents utilisateurs d'Internet, ils peuvent désormais aller au-delà des simples reproches. Ils peuvent diffuser eux-mêmes. C'est ainsi que, pendant les événements de Seattle, ils ont mis en ligne, pratiquement heure par heure, leur propre vision des choses. Ce fut la naissance d'Indymedia, contraction de «médias indépendants», un réseau non pas de médias mais d'individus, un genre d'agence de presse auquel collabore qui le veut. Un an plus tard, l'Indymedia de Seattle s'était muté en une soixantaine d'Indymedia dans toutes les principales villes d'Amérique et d'Europe – y compris Québec, juste à temps pour le Sommet des Amériques d'avril 2001.

La présence de ces sites Indymedia permet d'accroître le nombre de collaborations de sympathiques amateurs. Mais elle donne aussi un second souffle à des reportages plus professionnels, pondus par des journalistes de médias alternatifs ou de gauche, comme le service de nouvelles AlterNet. Des articles qui sont en général plus fouillés, ou bien des revues de presse qui reprennent entre autres les articles d'hebdos alternatifs locaux comme le *Seattle Weekly*, ou des magazines nationaux comme *Mother Jones* et *The Nation*. Ces articles obtenaient à leur tour, du coup, un auditoire élargi. Les journalistes de ces derniers médias avaient en particulier l'avantage d'avoir, bien avant Seattle, couvert en profondeur l'Organisation mondiale du commerce, ce qui leur permettait d'offrir une foule de dossiers de fond au visiteur désireux d'en savoir plus.

Et ainsi, peu à peu, le petit noyau de gens, dans le petit noyau d'Occidentaux, ne se contentait plus de parler à ceux qui étaient déjà convertis, mais élargissait son auditoire, d'une manifestation à l'autre et d'un Sommet à l'autre.

Un autre beau côté de la mondialisation: car à l'extérieur de Seattle, qui, avant 1999, aurait pensé – même dans les milieux de gauche! – lire le *Seattle Weekly*?

Mieux encore: ces activités et ces pages Web n'ont pas, elles, été ébranlées le moins du monde par la débandade boursière du printemps 2000. N'ayant rien à vendre et tout à donner, ces gens peuvent poursuivre leur travail comme si de rien n'était. Chaque jour, de l'information sur Nike, Shell, Gap ou McDonald's et leurs usines du Tiers-Monde, ou leur traitement des travailleurs précaires, circule électroniquement, entre le Comité national du travail des États-Unis, la Clean Clothes Campaign des Pays-Bas, Agir ici et Artisans du monde de France, l'Asian Monitoring and Resource Center de Hong Kong, ou la Fairwear Campaign d'Australie[18].

Les journées internationales d'action Nike sont par exemple organisées avec un minimum d'argent et un maximum d'échanges virtuels. Quelques dizaines de bénévoles britanniques ont mené une

18. Naomi Klein, *No Logo*, Leméac, 2000, p. 460-464.

lutte – achevée par une demi-victoire – de sept ans contre les 793 restaurants McDonald's de leur pays, avec l'aide d'un ordinateur bas de gamme, dans la pièce minuscule d'un appartement. Pour Tony Juniper, de l'association écologique Les Amis de la Terre, Internet est « l'outil le plus puissant de la boîte à outils de la résistance ». En plus d'être devenu un modèle d'organisation qui ne cesse d'étendre ses tentacules chez de plus en plus d'opposants écologistes, féministes, étudiants, jeunes, vieux, urbains, ruraux...

« Ces mouvements, prédit Naomi Klein dans *No Logo*, ne font que commencer à prendre conscience de leur propre envergure et de leur propre pouvoir. »

Sans doute le plus beau côté de la mondialisation que l'on puisse imaginer... Et un acquis concret d'Internet. Peut-être le plus précieux de tous, dont on commence à peine à mesurer l'importance.

# Le rêve d'une inforoute

*Toute révolution qui n'est pas accomplie dans les mœurs et dans les idées échoue.*

François René Chateaubriand, écrivain (1768-1848)

*Avec une campagne de presse bien menée, les Français croiraient en Dieu.*

Maurice Donnay, auteur (1859-1945)

Examinons brièvement, à présent, deux des plus gros dérapages qu'ait connus le Québec. Tous deux révèlent les mêmes erreurs de jugement, le même aveuglement face au mythe de «l'autoroute de l'information». Et ils nous fournissent en même temps un prétexte pour parler de ce mythe, dont l'évolution fut, pendant un moment, distincte d'Internet.

Paradoxalement pourtant, ces deux dérapages – Freenet et UBI – se situent aux antipodes l'un de l'autre.

## L'affaire Freenet

> La région de Montréal se dotera d'ici la fin de l'année 1994 d'un réseau électronique d'information, dynamique et accessible à tous. Appelé Free-Net Montréal, ce réseau gratuit et bilingue sera mis à la disposition de la communauté de Montréal et des environs. Tout en permettant d'échanger des informations de toutes sortes, le réseau donnera accès à divers services communautaires, gouvernementaux et autres.

C'était un communiqué de presse. Le 22 juin 1994, le groupe Free-Net de Montréal annonçait ainsi son arrivée soi-disant «imminente» dans la métropole du Québec.

Il lui faudra en réalité 27 mois pour arriver – et, une fois cela fait, il ne vivra que... six semaines.

Un Freenet, ou *Libertel*, comme on en est venu à l'appeler en français, c'est un petit univers fermé sur lui-même, avec une fenêtre ouverte sur Internet. Les initiés le comparent à un babillard électronique, c'est-à-dire une sorte de club privé auquel on accède avec un ordinateur et un modem. Deux différences marquées toutefois : l'accent est mis sur l'information locale et communautaire. Et l'abonnement à un Libertel est gratuit.

Le premier Freenet est né à Cleveland en 1986, à l'initiative d'un enseignant, Tom Grundner, 40 ans. Soit à la même époque que le WELL. Ce qui n'est pas une coïncidence. C'était l'époque où les micro-ordinateurs commençaient à se multiplier dans les foyers ; c'était aussi l'époque où une foule d'expériences en télématique – des systèmes qui, par l'entremise de la télévision, donnaient accès à différents services, comme la météo ou la loterie – donnaient des idées à quelques rêveurs. Le Canada eut son Télidon, les Britanniques le Pestel et les Français, bien sûr, eurent le Minitel[1].

Huit ans plus tard, en 1994, il y avait une centaine de ces Libertels aux quatre coins de l'Amérique du Nord.

Accès gratuit aux abonnés, canal de diffusion gratuit pour les informations émanant des groupes locaux et communautaires : nul ne pouvait être opposé à la vision altruiste qui sous-tendait un Freenet.

Dans une demande de subvention envoyée le 10 décembre 1994 à la ministre de la Culture et des Communications d'alors, Rita Dionne-Marsolais, le chef de file du projet Libertel de Montréal, l'avocat André Laurendeau, en remettait :

> Les Free-Nets sont des représentants privilégiés des intérêts publics sur l'autoroute de l'information. Réseaux communautaires de télécommunication, ils permettent aux membres d'une communauté, conformément à la conception traditionnelle des autoroutes de l'information, d'obtenir de l'information sur les services offerts dans leur communauté, à demande et de façon interactive...
>
> Il ne s'agit pas d'un projet d'entreprise, mais bien de celui d'un organisme sans but lucratif dont le membership est ouvert à tous les individus d'une communauté.

1. Yves Leclerc, *Le Vidéotex*, UQAM/Guérin, Montréal, 1985.

Tous les individus, vraiment? De quelle communauté? Pendant toutes ces années, à peu près personne ne posa ces questions pourtant toutes simples : même si c'est gratuit, qui voudra vraiment apprendre à se servir d'un ordinateur? En 1994, à peine 20% des Québécois avaient un ordinateur à la maison. Qui pouvait raisonnablement croire que, parce qu'on offrirait un service gratuit, une masse de gens trouveraient soudain les moyens financiers de s'acheter un ordinateur? Sans parler du temps et de l'énergie à consacrer pour apprendre son fonctionnement?

Et quand bien même le feraient-ils, qui, parmi ces gens, en aurait vraiment besoin?

C'est une chose que d'offrir la gratuité. C'en est une autre que de prétendre que cela suffit pour soudain «démocratiser» les inforoutes, comme l'affirmaient André Laurendeau et, avant lui, le futur journaliste Michel Dumais, ainsi que la centaine de bénévoles qui, à partir d'août 1993, travaillèrent au sein de ce qu'ils avaient baptisé le Regroupement électronique du Montréal métropolitain (REMM).

Mais ce vice de forme n'empêcha pas ces bénévoles de passer une partie des trois années suivantes à réclamer des subventions du gouvernement du Québec et de la ville de Montréal, de même que des commandites des grandes entreprises locales.

Car, si le Freenet était gratuit pour ses usagers, il avait besoin d'argent, notamment pour l'achat de deux ordinateurs (six au bout de trois ans, si les prévisions de 100000 usagers se réalisaient), et la location de 100 lignes téléphoniques (350 après trois ans). On estimait les investissements nécessaires à deux millions sur trois ans, dont le tiers viendrait des gouvernements. Le Freenet garantissait pouvoir ensuite devenir autosuffisant : quand on connaît la suite de l'histoire, on sursaute devant pareille affirmation!

Nul ne prétendait que tous les citoyens se mettraient soudain à acheter des ordinateurs. Pour ceux qui ne le pouvaient pas ou ne le voulaient pas, les descriptions du projet montréalais, à l'image de tous les autres Freenet, soulignaient que le service serait accessible gratuitement dans les bibliothèques et divers lieux publics. Mais, même ainsi, la question de départ demeurait sans réponse : qui, parmi les technophobes ou les professionnels pressés par le temps, voudrait consacrer une demi-heure à trouver une information sur le ramassage des déchets, les heures d'ouverture de la cour municipale, ou les numéros gagnants de Loto-Québec, s'il savait qu'il pouvait obtenir cette information en cinq minutes en décrochant le téléphone? Jamais cette question ne fut vraiment soulevée dans les médias, pendant toute la période où les gens du Libertel firent la promotion de leur projet. Le Libertel eut plutôt droit à une oreille presque unanimement sympathique, et même une journaliste qui osa critiquer le projet – à la veille de sa fermeture, des années plus tard! – se fit sévèrement rabrouer par le redevenu-journaliste Michel Dumais.

Certes, il y avait la présence, dans le décor, de tous ces groupes communautaires ou à but non lucratif, à qui on offrait d'afficher gratuitement leurs informations. C'était là un apport positif indéniable d'un Freenet: sans un tel service, entre 1986 et 1993, la grande majorité des groupes communautaires n'auraient jamais eu les moyens d'entrer sur l'inforoute. Et, quand bien même les auraient-ils eus, encore aurait-il fallu que l'un de leurs bénévoles soit, avant 1993, très compétent en informatique.

Mais il y avait plus grave. En cette première moitié des années 1990, s'était produit quelque chose d'autre, qui avait rendu le projet Libertel de Montréal carrément bancal. Était apparu le World Wide Web, cette section d'Internet qui, avec sa profusion d'hyperliens, allait faire la joie du grand public. Par-dessus le Web, tel le glaçage sur le gâteau, était apparu en janvier 1993 le premier logiciel permettant de naviguer sur le Web avec des images et non plus seulement du texte. Cette création d'étudiants de l'Université de l'Illinois, appelée *Mosaic*, était gratuite. La même équipe lancerait moins d'un an plus tard une version améliorée: *Netscape*, toujours gratuite. Internet devenait soudain une réalité en couleurs, et facile à appréhender.

Ce n'est pas tout. Avec ces deux logiciels, était soudain rendu accessible à tous un système d'encodage, appelé le langage HTML, qui permettait même aux technophobes, avec un minimum d'efforts, de se bâtir une page Web à peu de frais. Alors que, pendant les années 1970 et 1980, toute forme de création sur les réseaux informatiques ne pouvait se faire sans l'apprentissage de commandes informatiques rébarbatives, désormais, même un organisme sans ressources financières pouvait construire sa propre page Web.

Bref, en 1993-1994, Internet était en train de déferler sur la planète, et de permettre tout ce dont les Freenet de 1986 avaient rêvé.

Il n'était pas gratuit, puisqu'il fallait payer un abonnement mensuel pour y entrer. Mais il était de plus en plus facile d'accès. De sorte que, en décembre 1994, lorsqu'une ministre se faisait servir comme argument clé que «les Free-Nets permettent l'accès, grâce à la gratuité de leurs services, à un grand éventail d'informations qui autrement ne seraient pas accessibles», c'était faux: avec chaque mois, chaque semaine, chaque jour qui passait, Internet rendait de plus en plus accessible ce «grand éventail d'informations». Et plus encore...

Le Freenet était un projet de plus en plus dépassé, appartenant aux années 1980. Mais, pour d'obscures raisons, ceux qui osaient le dire tout haut étaient dénigrés – comment ose-t-on s'opposer à un projet «pour le peuple»? – ou leurs propos restaient cantonnés aux forums de discussion spécialisés d'Internet ou aux babillards électroniques qu'aucun journaliste ne lisait.

Le Freenet était une bonne idée à l'époque où à peu près personne ne connaissait le sens du mot «télématique», et où on croyait, avec raison, que l'avenir des télécommunications ressemblerait au Minitel ou à Télidon: des rangées et des rangées de textes, sur de petits écrans noirs, offrant de l'information terne, inélégante, austère, mais utile. L'annuaire téléphonique. La liste des centres de loisirs de votre communauté. L'horaire de la bibliothèque municipale. L'achat de billets de spectacles depuis chez soi.

Mais, en 1994, le Libertel était d'ores et déjà un anachronisme. C'était un projet qui survivait parce que ses intentions étaient généreuses... et, surtout, parce que la majorité de ceux qui en faisaient la promotion, au sein du gouvernement et de quelques entreprises, n'avaient aucune idée de ce dont ils parlaient.

Ainsi, lorsque, deux ans plus tard, le 15 novembre 1996, le Libertel de Montréal annonça son décès, après seulement deux mois d'existence, il n'y eut à peu près personne pour le pleurer.

Sur Internet, du moins. Ailleurs, il y eut sûrement plusieurs fonctionnaires et autres mécènes, pour se demander comment ils avaient bien pu se faire avoir à ce point...

Car les subventions qu'il demandait, le comité du Libertel avait bel et bien fini par les avoir, en partie : en décembre 1995, il obtenait un premier chèque de 125 000 $ du gouvernement du Québec. En juin 1996, un deuxième du même montant. C'est avec cet argent qu'il put ouvrir en août... et fermer en novembre.

Il devait à l'origine ouvrir à la fin de 1994. Puis, à la fin de 1995. Ses défenseurs décidèrent donc de blâmer Québec: c'est lui qui est responsable de la fermeture, dirent-ils, parce qu'il a trop tardé à verser sa subvention[2].

C'était balayer un peu vite sous le tapis le fait que, pendant ces deux mois, et en dépit d'une campagne de presse impeccable de trois ans, le Libertel n'avait réussi à récolter que 1 500 abonnés. Tous gratuits.

Un quart de million de dollars de subventions, pour 1 500 abonnés gratuits. Il y aurait sûrement pu y avoir des méthodes plus efficaces...

## L'affaire UBI

Le projet québécois UBI fournit un autre fascinant exemple de ces bourdes monumentales. À une différence près: ici, pour une très rare fois, ce sont les internautes qui ont vu juste.

Pendant toutes les années où ce projet a progressé cahin-caha, soit de 1992 à 1997, ils l'ont en effet descendu en flammes. Ceux qui appuyaient ce projet d'autoroute électronique, c'étaient les politiciens et les gens d'affaires. Ainsi que, pendant un moment, les journalistes généralistes (à ne pas confondre avec les journalistes spécialisés en nouvelles technologies qui, eux, ont traditionnellement été du côté des internautes, pour le meilleur et pour le pire).

---

2. Parmi ces défenseurs, le consultant montréalais en informatique Peter Burke, qui fut le seul à lancer une action concrète: une «campagne de la page noire», lancée sur son site: «le 1er décembre 1996, je noircirai les pages de mon site pour la journée. J'invite les membres de la communauté Internet à se joindre à ma protestation». Sa campagne rassembla... cinq sites Web.

Tout sépare UBI du Libertel: économiquement, politiquement et même philosophiquement! Mais il s'est effondré tout aussi lamentablement – plus encore, en fait, si on tient compte des sommes englouties.

Ce projet avait pourtant tellement bien progressé – sur papier et dans l'imaginaire collectif – que c'en était arrivé au point où, vers 1995, il se trouvait des médias généralistes pour le traiter sur le même pied qu'Internet: à leurs yeux, il y avait désormais deux avenirs possibles pour «l'autoroute de l'information»: Internet d'un côté, et UBI de l'autre.

Ce qui, bien sûr, était la vision qu'avait tout intérêt à promouvoir Vidéotron, le concepteur d'UBI...

Il aurait tout aussi bien pu s'agir de gens vivant sur deux planètes: alors que les sceptiques s'interrogeaient systématiquement sur le contenu (que va donc pouvoir offrir UBI d'aussi intéressant qui mérite qu'on en parle autant?), les gens d'UBI, eux, semblaient ne se préoccuper que d'une seule chose: le contenant (comment vont fonctionner la console et la télécommande, et à quelle vitesse tout cela va-t-il rouler sur votre télé?).

«Un outil de communication et de vente interactif et indispensable», «le moyen de distribution de l'avenir», un instrument «d'utilisation facile et agréable». Ces superlatifs qui ressemblent en tous points à ceux qui ont été utilisés pour faire mousser UBI dans ses brochures promotionnelles sont en fait tirés d'un document promotionnel du projet Alex, ce système de vidéotexte à propos duquel Bell faisait miroiter monts et merveilles à la fin des années 1980, et qui a rapidement fini sa carrière au cimetière des technologies.

Or, qu'offrait Alex? Un système de télé-achat, des transactions bancaires à domicile, des jeux, des services financiers, les nouvelles du jour... Bref, tout ce que comptait offrir UBI.

UBI (pour Universalité, Bidirectionalité et Interactivité, alors qu'il n'avait pas la prétention d'être universel, et qu'il n'était certainement pas interactif!), c'était en effet une extension des systèmes télématiques, du Télidon au Minitel, imaginés et expérimentés dans une dizaine de pays, au cours de la décennie précédente: un appareil spécialement conçu pour être branché sur la télé, doublé d'une télécommande permettant d'effectuer différentes opérations. Opérations qui, en majorité, ont une teneur commerciale – d'où le dédain manifesté par les internautes pendant toutes ces années.

Dans la description même de leur projet, les concepteurs d'UBI ne cachaient pas l'aspect commercial de leur joujou : UBI, y lisait-on, c'est « un terminal interactif pour effectuer des transactions commerciales ». La majeure partie des 150 fournisseurs qui, au début de 1995, avaient d'ores et déjà annoncé leur présence sur UBI (Sears, Avon, Chrysler, Coke, Pizza Hut, Ford, Goodyear, Pharmaprix, etc.) relevaient effectivement de ce qu'on appelle le télé-achat, c'est-à-dire la possibilité d'effectuer des achats à distance, grâce à une télécommande et une carte de débit (carte à puces) spécialement conçues. La publicité télévisée d'UBI montrait même une famille confortablement assise sur un divan et manipulant allègrement sa télécommande pour faire son magasinage.

Même la Fédération nationale des associations de consommateurs s'en était mêlée, affichant en 1995, devant le Comité consultatif canadien sur l'autoroute de l'information, sa crainte que le public ne se retrouve devant une « autoroute de la consommation » plutôt qu'une autoroute de l'information.

Lancée en janvier 1994, la phase 1 – le branchement de 34000 personnes dans la région du Saguenay – devait à l'origine s'achever au printemps 1995. L'implantation fut repoussée à l'automne 1995 – officiellement, en raison de problèmes techniques. Puis au printemps 1996. Puis, à l'automne 1996, sous la forme d'une « version allégée » annonça-t-on, après le départ de certains des partenaires initiaux (dont IBM, de qui relevait une partie de la conception de la technologie). Ce dernier report survenait également après de nouveaux retards dans l'allocation de la subvention de 5 millions de dollars du gouvernement du Québec, subvention promise en 1995 en vertu du Fonds de l'autoroute de l'information. Une partie ne fut jamais versée.

Les partenaires d'UBI devaient quant à eux investir jusqu'à 100 millions dans l'aventure, dont une partie en services. Loto-Québec avait déjà avancé près de 3 millions, Hydro-Québec, 3 millions et demi. Vidéotron, 8 millions.

Certes, les concepteurs de la technologie UBI avaient appris des plus flagrantes erreurs du passé. Les appareils qu'ils prévoyaient mettre à la disposition du consommateur étaient plus performants, plus faciles d'accès, et moins coûteux – autant pour le producteur, les fournisseurs, et le consommateur – que le vieux terminal d'Alex. Mais ce faisant, là encore, ils commettaient l'erreur de ne penser qu'au contenant: ils présumaient que l'échec d'Alex n'était attribuable qu'à sa technologie déficiente, et non à son contenu.

Ils en présumaient si fort qu'en 1995-1996, lorsque des journalistes sceptiques tentaient de les questionner sur le problème du contenu («les gens seront-ils intéressés à payer pour du contenu qu'ils pourraient obtenir gratuitement sur Internet?»), ils se contentaient de renvoyer la balle. «Ce n'est pas nous qui faisons le contenu. Ce sont nos fournisseurs», déclarait par exemple à l'auteur de ces lignes, à l'été 1995, le porte-parole Sylvain Leclerc.

Et la réaction était révélatrice d'une certaine façon de voir l'avenir de l'inforoute, parce qu'elle était en tous points semblable à celle du géant américain Time Warner, qui testait au même moment à Orlando, en Floride, un projet similaire, le Full Service Network: «Nous ne faisons que rendre plus accessibles des services qui existent déjà», déclarait la porte-parole, Tammy Lindsay.

En fait, des dizaines de projets similaires étaient au même moment sur les planches à dessin, ou déjà à l'essai, aux quatre coins des États-Unis (sous l'égide des Bell Atlantic, U.S. West et autres compagnies de téléphonie ou de câblodistribution), et en Europe (British Telecom, entre autres). Souvent regroupés sous l'épithète de «télévision interactive», ils promettaient tous monts et merveilles... moyennant des investissements monstres. Les plus avancés technologiquement se permettaient de faire miroiter la vidéo sur demande, c'est-à-dire la possibilité d'écouter n'importe quel film, n'importe quand: on le commande en appuyant sur quelques boutons et il nous est envoyé par le fil du téléphone ou le câble de la télé. En quelques minutes, assurait-on[3]!

---

3. La réaction typique des internautes à ces projets se trouve résumée dans le titre de cet article: «People Are Supposed to Pay for this Stuff?», par Evan I. Schwartz, *Wired*, juillet 1995: http://www.wired.com/wired/archive/3.07/cable.html

Ce n'est donc pas une coïncidence si, toujours au même moment, les compagnies de téléphone demandaient à leurs gouvernements de déréglementer les télécommunications afin qu'elles puissent elles aussi offrir la câblodistribution (ce fut chose faite en Grande-Bretagne dès 1991); et que les câblodistributeurs demandaient la permission de se transformer à leur tour en compagnies de téléphone (l'Association canadienne de télévision par câble, qui réclamait à l'origine une période de transition de sept ans, a laissé tomber cette exigence en novembre 1994): tous étaient soudain convaincus que cette fameuse télévision interactive serait un lieu où se brasserait beaucoup d'argent, et que ce brassage se ferait d'ici très peu de temps.

Mais aucun d'entre eux n'avait une idée précise de ce à quoi ressemblerait cette fameuse télévision interactive. Aucun n'imaginait qu'une partie de cette télévision interactive était en train de muter en une entité appelée Internet. En fait, leur aveuglement était tel qu'avant 1996 seule une infime minorité des dirigeants et des cadres supérieurs de ces compagnies avait déjà navigué sur Internet.

Ils étaient donc singulièrement mal placés pour présumer de ce qui remporterait l'adhésion du public – puisqu'ils se désintéressaient totalement de ce public, ou plus exactement de celui qui constitue le tout premier public cible de quelque innovation technologique que ce soit: ce neveu boutonneux, ou cet oncle un peu ermite qui, invariablement, bouffent de la technologie.

Jusqu'à la référence des milieux d'affaires, *The Economist* qui, au plus fort de la vague «télé interactive», au début d'août 1995, commençait à s'inquiéter: que savent vraiment ces gens d'affaires du marché dont ils nous parlent tous? Sur quoi se basent-ils pour nous affirmer que le consommateur réagira aussi favorablement[4]?

4. Une bonne partie de cette section sur UBI et de la section suivante est adaptée d'un article préparé en août 1995, commandé par une revue québécoise d'économie, mais qui fut finalement refusé: à l'époque, ce type de critique du projet UBI ne passait absolument pas la rampe, sauf dans les milieux d'internautes.

## L'hégémonie des barons de la tuyauterie

Ces questions furent balayées sous le tapis lorsque commencèrent à déferler les méga-transactions, dont l'été 1995 donna deux cas explosifs: l'achat du réseau de télé ABC par Walt Disney pour 19 milliards de dollars américains, et celui de CBS par la multinationale Westinghouse. Et les questions furent balayées encore plus loin lorsque la valeur des actions de tout ce qui touchait, même de très loin, aux nouvelles technologies, se mit à grimper en flèche. Ce même été 1995, Netscape ne fut que la première d'une longue série de minuscules compagnies Internet à transformer ses créateurs en millionnaires, lorsque ses actions se mirent à grimper dans la stratosphère. Les investisseurs étaient entrés dans une phase complètement irrationnelle, dont ils ne sortiraient, avec fracas, qu'au printemps 2000.

Irrationnelle, et euphorique. C'est qu'il y avait vraiment beaucoup d'argent en jeu. À lui seul, UBI, pourtant un nain parmi les projets du reste de l'Amérique, nécessitait un investissement évalué à l'origine à 750 millions, et qu'on réévaluait en 1995 à un milliard de dollars.

Ce n'est pas pour rien que dans toutes ces transactions, dans toutes ces batailles de chiffres, dans toutes les demandes de subventions, le contenu ne soit jamais une priorité. Ces hommes d'affaires, accusait la rédactrice en chef du *Devoir*, Lise Bissonnette, en octobre 1994, s'en moquent éperdument. «L'information, sa production, n'est ni leur affaire ni leurs affaires... Ils veulent dominer la distribution, donc les péages de l'autoroute. Quand ils s'intéressent aux contenus, c'est moins pour le produire, sauf dans le cas de Disney, que pour l'emmagasiner.»

Michel Cartier, professeur à l'Université du Québec à Montréal, avait même créé une expression pour décrire cette situation: «C'est l'hégémonie des barons de la tuyauterie.»

Les spéculateurs, en ce milieu des années 1990, avaient évidemment beau jeu de souligner qu'il était normal qu'il y ait rien de garanti, puisqu'à travers le monde il n'existait, par la force des choses, aucune enquête fiable sur la réaction du consommateur: tous ces projets de télévisions interactives étaient encore au stade expérimental – ou n'avaient même pas dépassé le stade des planches à dessin. Le plus avancé, le Full Service Network de Time Warner (alors deuxième câblodistributeur aux États-Unis, avec 7 millions d'abonnés), n'avait été mis en marche qu'en décembre 1994.

L'une des rares enquêtes pertinentes, dans le monde entier, se trouvait pourtant au Québec. André H. Caron, de l'Université de Montréal, l'avait effectuée en 1992 auprès des usagers du système Vidéoway, un genre de «pré-UBI[5]». Il en ressortait un taux de satisfaction élevé des usagers. Sauf que pour eux, l'application la plus utilisée restait, de loin, les jeux (70 %) (Vidéoway ne proposait ni télé-achat ni transactions bancaires), suivis de très loin par la loterie, la météo et... l'horoscope. Pas de quoi faire beaucoup d'argent...

Et cette enquête, c'était en 1992, alors qu'à peu près aucun de ces consommateurs n'avait encore entendu le mot «Internet». Le jour où ils apprendraient l'existence d'un réseau électronique gratuit, continueraient-ils à payer pour Vidéoway ou UBI?

Les spéculateurs avaient une autre carte dans leur manche, plus forte celle-là: il arrive effectivement que le consommateur prenne tout le monde par surprise. Par exemple, personne n'avait prévu le succès remporté par QVC, une chaîne américaine de télé-achat, acquise en 1992 par l'homme d'affaires Barry Diller alors qu'elle périclitait. Généralement décrite comme une chaîne ennuyeuse, vendant des babioles aussi médiocres qu'inutiles (vous vous souvenez du zirconia cubique?), elle se glissa pourtant comme dans du beurre parmi les chaînes traditionnelles et fit ses frais en trois ans! «Il y a sans doute davantage d'opulence – et d'ennui – que d'aucuns le supposaient, dans les parcs de maisons mobiles et les communautés de retraités», écrivait cyniquement le magazine financier *Barron's*, en septembre 1994.

Sauf qu'en 1995 ces spéculateurs auraient dû être mis en face de l'évidence: outre le décollage magistral d'Internet, les indices quant à l'échec appréhendé d'UBI étaient légion. Les projets de télé interactive de British Telecom (Royaume-Uni) et de Viacom (Californie) accumulaient retards après retards. Celui d'AT&T et GTE (Virginie) de

5. André H. Caron, *La Domestication d'une nouvelle technologie de communication: le système Vidéoway*. Université de Montréal, 1995.

même que celui de Pacific Telesis (Californie) avaient d'ores et déjà été annulés. Ne restait, à peu de chose près, que le Full Service Network: il avait certes été lancé en décembre 1994, mais après avoir été reporté à deux reprises. Time Warner le maintenait à bout de bras, en même temps qu'elle lançait avec fracas le premier mégasite Web d'un média, *Pathfinder*, et en même temps qu'elle investissait dans un service coûteux chez America on Line. De toute évidence, en cette année 1994, chez Time Warner, on n'avait aucune idée de ce à quoi ressemblerait cette mythique inforoute, de sorte qu'on tirait dans toutes les directions. Officiellement, le Full Service Network visait 4000 abonnés au bout de quelques semaines. Il lui faudrait pour cela attendre... un an. Et son service de vidéo sur demande, qui devait être son joyau avec «des centaines» de films, n'en comptait que 62 en décembre 1994 – un chiffre qui mettrait un an à grimper à... 120.

Insulte suprême lancée à la face des internautes: en 1996, quatre ans après les premières ébauches du projet, et trois ans après les premiers articles consacrés à Internet dans la presse québécoise, UBI était toujours décrit par ses promoteurs, sans la moindre trace de honte, comme un système qui serait fermé sur lui-même. En d'autres termes, pas question, pour un *ubiiste*, d'aller se brancher, par Internet, sur le musée du Louvre ou la banque d'images de la NASA. Et pas question d'envoyer un courrier électronique à quiconque serait branché ailleurs que sur UBI. Les usagers d'UBI n'auraient accès qu'à ce qu'UBI voudrait bien leur donner accès... et, pour cela, il leur faudrait payer!

Le 18 décembre 1997, l'avis de décès était signé. Les six membres du consortium (dont la Société canadienne des postes et la Banque nationale) annonçaient l'arrêt du projet, alléguant que l'expérience pilote menée au Saguenay (20000 abonnés gratuits) s'était avérée un échec.

Le projet avait englouti 29 millions de dollars, dont cinq provenant du gouvernement du Québec.

## Inforoute: la construction d'un mythe

Certains diront qu'on l'a échappé belle avec cet échec des UBI et autres Full Service Network: des services commerciaux, des vendeurs de babioles, des entités où seule la quête du profit détermine ce qui sera offert et ce qui sera oublié.

Pourtant, il faut reconnaître que la philosophie d'UBI est plus près du rêve de Bill Gates que la philosophie du Libertel. Par conséquent, elle est plus près de ce qu'est devenu le Net que de ce que ses pionniers rêvaient.

En fait, élargissons la perspective. La philosophie commerciale qui sous-tendait UBI, c'est, à peu de chose près, celle-là même qui a préfiguré, dans l'esprit des politiciens et des investisseurs, *tout cet univers* qu'on a un temps appelé l'*autoroute de l'information.*

C'est un univers dont les historiens considéreront un jour que l'explosion en était inévitable, dans le dernier quart du XX^e^ siècle: les multiples expériences de télématique et de vidéotexte, à partir des années 1970, les micro-ordinateurs de plus en plus puissants et, surtout, plus faciles d'accès à partir du milieu des années 1980 (grâce au Macintosh de la compagnie Apple, en 1984, premier ordinateur auquel on pouvait donner des commandes en cliquant simplement sur des icônes), et cette fameuse télévision interactive qui se pointait à l'horizon au début des années 1990: tôt ou tard, un politicien ingénieux allait fusionner tout cela dans une métaphore qui donnerait l'illusion d'un Grand Plan.

Ce fut «l'autoroute électronique» du vice-président américain Al Gore.

Au cours de la campagne présidentielle de 1992, le thème était apparu dans la bouche de l'équipe démocrate Clinton-Gore sous la forme d'une «nouvelle frontière»: référence au Far West cher à l'imaginaire américain. Un an plus tard, le 13 septembre 1993, le thème était décrit noir sur blanc dans le document *The National Information Infrastructure (NII) Agenda for Action*: c'est ce texte qui constitue le document politique fondateur de toutes les utopies dont il est question ici. On y parle de télétravail, de démocratisation de l'éducation et de la santé (plus besoin de se déplacer, disparition des files d'attente, tous les citoyens sont égaux devant leur écran, etc.).

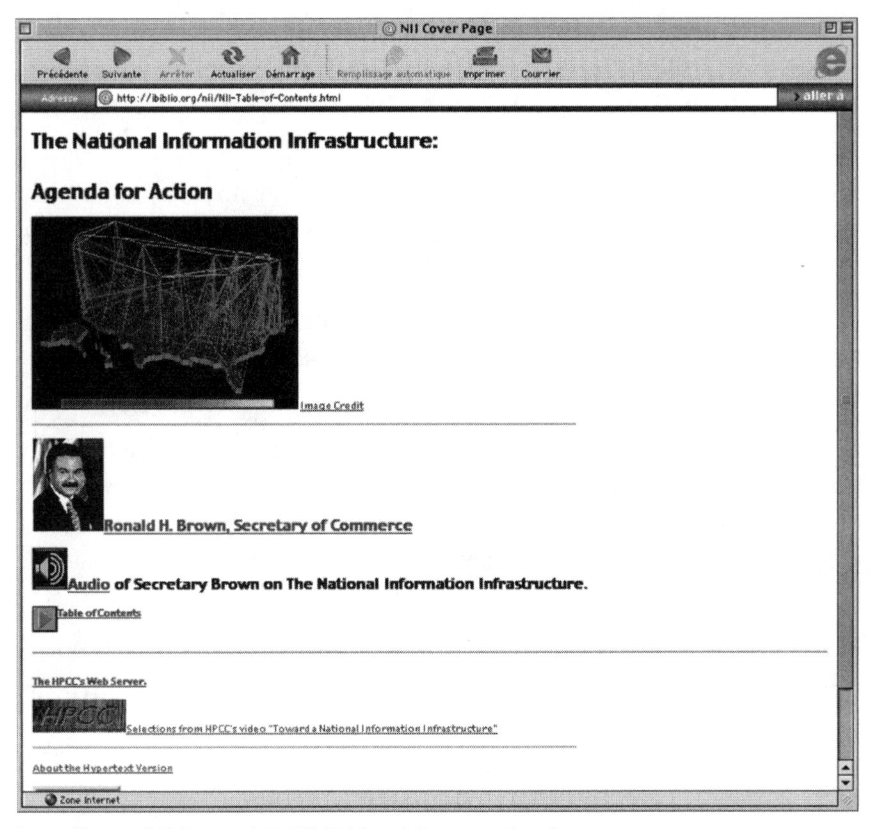


http://www.ibiblio.org/nii/NII-Table-of-Contents.html

Et de démocratisation tout court: «Ces nouveaux modes de communication vont promouvoir la démocratie et sauver des vies[6].»

Mais il ne faut pas trop monter aux nues Al Gore: si ce n'avait pas été ce politicien, c'en aurait été un autre. Non seulement l'évolution technologique conduisait-elle inévitablement vers la naissance d'une telle «autoroute», mais le contexte économique était mûr: après la récession des années 1980, les autorités américaines étaient à la recherche d'un rêve pour relancer leur industrie, recréer de l'emploi, faire redémarrer les exportations.

6. Texte intégral disponible à: http://www.ibiblio.org/nii/NII-Table-of-Contents.html

Or, il n'était nul besoin de se creuser la tête. Deux secteurs étaient tout trouvés pour cela: l'informatique et les télécommunications. Tous les pions étaient donc en place pour que se produise ce qui s'est produit en d'innombrables circonstances à travers l'histoire.

*Un*: un besoin apparaît dans une partie de la société (en l'occurrence, chez les universitaires et les grandes compagnies: communiquer et échanger de l'information plus rapidement et plus efficacement).

*Deux*: des passionnés planchent, bénévolement, sur toutes sortes d'innovations technologiques en vue de combler ce besoin.

*Trois*: des investisseurs fournissent à ces passionnés l'argent nécessaire, en pariant sur le fait qu'il y aura des bénéfices à en retirer. Et lorsque la machine se met à rouler toute seule (et que des tas d'autres gens se découvrent ce «besoin»), les investisseurs prennent le contrôle de la machine.

Les technologies existantes, en 1992, ont donc fourni la métaphore; les entreprises de télécommunications ont fourni l'argent pour développer les réseaux; et les gouvernements ont fourni le terreau nécessaire en déréglementant: les câblodistributeurs, ont-ils décrété, pourront désormais, comme ils le demandent, se lancer dans la téléphonie, et les compagnies de téléphone, dans la câblodistribution; la National Science Foundation, principal organisme subventionnaire de la recherche scientifique aux États-Unis, cessera d'être (en 1994) le principal bailleur de fonds d'Internet et laissera ainsi le champ libre à l'entreprise privée; et les lois anti-monopoles seront allégées afin de permettre la création de conglomérats télécommunications-informatique-divertissement-médias.

Michel Venne, dans sa brillante synthèse *Ces fascinantes inforoutes*, a appelé cela «l'un des pivots de la politique américaine de reconquête commerciale du monde». En «enrobant dans un discours messianique» le projet d'autoroute électronique, «les dirigeants américains ont pour but, avant tout, de faire redémarrer l'industrie américaine de l'électronique grand public... et d'accroître la puissance et la diffusion planétaire des produits culturels américains, autant le film que les communications scientifiques, autant la musique rock que les jeux vidéo[7] ».

Et pas seulement aux États-Unis, bien sûr. En avril 1994, le ministre de l'Industrie John Manley créait le Comité canadien sur l'autoroute de l'information, avec pour objectif de « définir ce que sera l'autoroute de l'information au Canada ». Sur ses 29 membres, plus des trois quarts étaient des représentants de la grande entreprise, voire les grands patrons eux-mêmes : André Chagnon, président de Vidéotron, André Bureau, vice-président d'Astral Communications, Charles Sirois, de Téléglobe, les présidents des conseils d'administration de Rogers Cantel et d'Unitel, les présidents de la Corporation de téléphone d'Edmonton, de Western International Communications, d'IBM Canada, de Bell Canada...

En janvier 1995, le gouvernement du Québec créait lui aussi un comité dont le mandat était de définir le plan d'action gouvernemental sur l'inforoute. Là encore, le comité était composé surtout de représentants de l'industrie, plutôt que des créateurs de ce nouvel univers (dont André Chagnon, Louis Tanguay, vice-président de Bell Canada, etc.).

Aucun de ces dirigeants d'entreprises n'a la moindre idée, en 1994-1995, de ce à quoi ressemblera cette autoroute de l'information, dix ans plus tard. En fait, il est probable qu'aucun n'a même imaginé que ce sera Internet, et non un projet commercial comme UBI, qui dominera... moins de deux ans plus tard[8] !

Mais la forme finale que prendra cette infrastructure inforoutière importe moins à leurs yeux que l'existence de l'infrastructure. Et avec le recul, on comprend mieux car c'est grâce à cette infrastructure que des centaines de milliards de dollars ont été investis dans

---

7. Michel Venne, *Ces fascinantes inforoutes*. Montréal, Institut québécois de recherche sur la culture, 1995, p. 21.

8. Considérons la date étonnamment tardive de cette citation de Michel Venne, « Le secteur privé s'interroge : où mènent les inforoutes », *Le Devoir*, 12 février 1996. À ce moment, un quart des dirigeants se donnaient encore trois ans « pour faire la lumière sur les voies à suivre » !

l'économie nord-américaine, européenne et asiatique, que des emplois nouveaux ont été créés (concepteurs de pages Web, programmeurs, infographistes, rédacteurs, mais aussi professionnels du marketing et de la publicité, bibliothécaires, et même acteurs virtuels!). Des emplois qui n'ont pas tous été perdus lorsque le ballon s'est dégonflé, en 2000-2001.

Bref, un vent d'optimisme a soufflé sur les consommateurs, lesquels se sont remis à acheter (de nouveaux ordinateurs, des lignes téléphoniques supplémentaires, etc.). Pour un homme d'affaires, que demander de plus?

La revue *Wired* et toutes celles qui ont été créées dans sa foulée (*Internet World, Planète Internet, Infobahn*, mais aussi les revues d'affaires qui décidèrent soudain de se consacrer à la soi-disant «nouvelle économie») ont contribué à forger ce discours. C'est même le succès inattendu de *Wired*, à partir de 1993, qui a obligé plusieurs compagnies de haute technologie à prendre conscience de l'énorme potentiel commercial qu'elles avaient sous la main – et c'est cette prise de conscience qui a fait rouler la machine encore plus vite.

La roue du capitalisme a en effet pu recommencer à tourner à plein régime; les politiciens en ont profité, une nouvelle génération d'entrepreneurs en a profité, les grandes compagnies américaines qui ont pris le virage à temps en ont profité. Les télécommunications se sont hissées parmi les principaux secteurs d'exportations des États-Unis à la fin des années 1990; et des multinationales hier concurrentes se sont fondues en des compagnies encore plus puissantes.

Au passage, le citoyen moyen des pays du Nord en a tout de même profité, puisqu'il s'est retrouvé avec un outil d'information et d'éducation populaire dont nul n'avait prévu la venue. Mais, même si le discours politique lui a fait croire qu'il en serait le principal bénéficiaire, ce citoyen n'était pas le premier visé par cet effort massif: qu'il ait pu en bénéficier fut un épiphénomène... et le fruit du travail acharné de quelques-uns de ces citoyens, le noyau à l'intérieur du noyau, ceux qui ont pris, de leur propre chef, les moyens nécessaires pour s'approprier l'outil. Si Internet n'est pas devenu un UBI géant, c'est grâce à eux: bénévoles, activistes, journalistes indépendants et autres passionnés.

Car s'il n'en avait tenu qu'aux gens d'affaires...

«Notre travail, résumait par exemple en 1994 Sumner Redstone, président du géant du câble Viacom, est de tirer profit de nos droits d'exploitation des œuvres dans tous les formats et grâce à une myriade de systèmes de distribution: télévision, téléphone, câble, inforoutes... appelez ça comme vous voulez, je m'en fous[9].»

Encore plus cynique, cette remarque, faite au mensuel *Scientific American*, par celui qui était, en 1995, vice-président à la recherche chez AT&T Bell Laboratory, Arno A. Penzias: «Le pays a besoin d'un centre commercial de l'information, pas d'une autoroute de l'information[10].»

On l'a échappé belle...

---

9. Cité par Michel Venne, *Ces fascinantes inforoutes, op. cit.*
10. Gary Stix, «Domesticating Cyberspace», *Scientific American*, édition spéciale *The Computer in the 21st Century*, 1995, p. 36.

# Parenthèse : le mythe de l'imprimerie

*Les hommes sont plus disposés à tolérer des maux supportables qu'à se faire justice à eux-mêmes en abolissant les formes auxquelles ils sont accoutumés.*

Déclaration d'indépendance des États-Unis d'Amérique (1776)

Élargissons encore plus la perspective, ce qui nous oblige à ouvrir une parenthèse. Les créateurs d'Internet ont eu un illustre prédécesseur, en la personne de Gutenberg. Mais ce n'est pas du tout pour la raison que les internautes ont imaginée.

## Imprimerie : la construction d'un mythe

Depuis 1993, on nous sermonne qu'Internet serait l'événement le plus important *depuis l'invention de l'imprimerie*. On répète comme des perroquets que l'invention de l'imprimerie fut un moment marquant, qui a fait prendre un virage à l'histoire de l'humanité, et que l'invention d'Internet en est un autre, de la même nature.

Or, contrairement à la croyance populaire, des *moments marquants*, cela n'existe que rarement dans l'histoire de l'humanité. Dans l'Histoire avec un grand H, il n'y a pas de virages, en tout cas certainement pas des virages brusques. Les dates qu'on apprend par cœur à l'école donnent une fausse impression de précipitation et de progression linéaire. En réalité, l'histoire évolue lentement, indifférente au rythme frénétique que les humains veulent lui imposer.

Ces dates, ces chronologies, ce qu'elles pointent du doigt, ce sont plutôt des moments où se sont cristallisés des changements qui étaient en préparation depuis des décennies, voire des siècles.

Remontons le temps. Nous sommes en l'an 1455. Un atelier de Mayence, ville de taille moyenne au cœur de l'Empire germanique, termine la production d'une bible tout à fait semblable aux autres, sauf sur un point fondamental : sa réalisation n'est pas le fruit d'une plume tenue par main d'homme. Elle est plutôt le résultat d'une série d'opérations technologiquement complexes. Ce dont on ne se douterait pas, en jetant un œil sur cet atelier, puisque tout y est déjà amplement connu des hommes de l'époque : des caractères métalliques, de l'encre, du papier et une presse à vigne.

Le génie d'un homme, appelé Johannes Gutenberg, c'est d'avoir amalgamé tous ces éléments disparates. Ce qu'on appelle « l'invention » de l'imprimerie est en réalité la fusion d'une série d'innovations technologiques qui faisaient lentement leur chemin, et ce depuis un bon bout de temps. Certes, le futé Gutenberg est conscient qu'il vient d'amalgamer quelque chose d'important, et il espère que son œuvre va se répandre dans toute l'Europe. Mais elle ne va pas se répandre simplement parce qu'il s'agit d'une invention géniale. Elle va se répandre parce qu'elle répond à un besoin.

Or, là où il y a un besoin, il y a des investisseurs. Si l'imprimerie a obtenu le succès qu'on lui connaît, c'est en effet parce que des gens qui avaient de l'argent y ont tout de suite vu leur intérêt. Et que Gutenberg, tout passionné qu'il était par son travail, avait lui aussi l'œil fixé sur ce qu'on appellera, en un autre siècle, la rentabilité.

Si ce besoin n'avait pas existé en cette année 1455, l'imprimerie ne se serait tout simplement pas répandue. En fait, elle n'aurait peut-être même pas été inventée, du moins pas à cette époque.

Ce besoin aux quatre coins de l'Europe, c'est le besoin d'avoir plus de livres. Et ce besoin ne vient pas tout juste de surgir. Il a commencé à émerger au XIIe siècle, soit 10 à 15 générations plus tôt !

Tout doucement, dans les villes, un nouvel homme – rarement une femme – était apparu : *l'intellectuel.* Cherchant à renouer le contact avec les auteurs de l'Antiquité, désireux d'en apprendre plus sur le monde qui l'entoure, et par-dessus tout désireux de partager son savoir, il crée les universités – la première, celle de Paris, naît vers l'an 1200.

Des écoles existaient évidemment bien avant cette date (bien avant Charlemagne aussi, contrairement à la légende). Or, dans ces écoles, le mode de diffusion de la connaissance était simple : c'était l'exercice oral. Le maître parlait, les élèves répétaient.

Avec les universités, un nouveau type d'enseignement apparaît, appuyé sur le livre. L'idée que répandent les intellectuels, c'est qu'un enseignement, pour être valable, doit pouvoir être transmis de la même façon à tous. Si le maître disparaît, son enseignement lui survit.

Pour le livre, c'est donc, d'ores et déjà, une révolution. Car si les auteurs au programme des universités doivent être lus par maîtres et étudiants, et si les cours des professeurs doivent être conservés, il faut par conséquent produire davantage de livres.

Comment produisait-on les livres ? À la main, bien sûr. Essentiellement dans les monastères, où des moines, appelés *copistes*, recopiaient minutieusement les textes, depuis des siècles.

Dès le moment où les universités apparaissent, et que le besoin de livre se met à augmenter, les moines ne suffisent plus à la tâche. Il faut donc embaucher des individus qui, payés par les universités – elles-mêmes financées par des seigneurs ou des marchands locaux –, auront pour tâche de copier davantage de livres. On donne à ces individus le nom, comme dans les monastères, de copistes. Et on donne à leurs ateliers un nom : librairie. *Le lieu où sont créés les livres.*

Chaque université génère bientôt autour d'elle un réseau de copistes et de libraires. Le livre cesse tout doucement d'être un objet de luxe, qu'on pouvait mettre des années à produire, avec un soin maniaque. Il devient un instrument de travail… et un objet commercial : son format a diminué afin d'en réduire les coûts de production ; son ornementation, si chère aux moines, se réalise désormais à la chaîne. Toujours à la plume d'oie, mais en prenant beaucoup moins son temps.

Ce n'est pas tout : bien longtemps auparavant, aux IVe et Ve siècles, c'est-à-dire après l'effondrement, en Europe, de l'ancien monde – celui que nous appelons aujourd'hui l'Antiquité – le fait de savoir lire et écrire était tombé presque exclusivement entre les mains du clergé. Mais, à partir des années 1000-1100, de riches seigneurs, dont les pères ou les fils sont revenus de voyages en des terres lointaines, développent le goût du savoir, et assemblent, d'une génération à la suivante, leurs propres bibliothèques. En Italie, à mesure que les villes croissent et qu'une nouvelle classe sociale y apparaît, cette pratique commence à s'étendre aux familles plus aisées[1].

Tous ces gens contribuent donc eux aussi à accroître le besoin de livres. C'est jusqu'au clergé qui réclame plus de bibles, de livres religieux et de grammaires, pour instruire ses prêtres – car même, s'ils savaient lire, leur éducation était singulièrement limitée.

## L'imprimerie : une invention commerciale

Revenons sur l'aspect technologique. Ce qu'on appelle l'invention de l'imprimerie est donc, en réalité, la fusion de quatre technologies distinctes – et fort anciennes. Une encre suffisamment grasse pour laisser des empreintes convenables, des caractères métalliques faits d'un alliage suffisamment résistant, le papier et un instrument capable d'exercer une pression suffisante : on choisira pour cela la presse à vigne.

Pourquoi insérer le papier dans une liste de « technologies » ? Parce que, jusqu'à une date récente, cela n'avait rien d'évident. Les moines copistes travaillaient sur du parchemin, même à l'époque de Gutenberg. Le papier, lui, est originaire de Chine, où on l'utilisait depuis le Ier siècle. Il avait été transmis aux Arabes mais il avait tout de même fallu attendre les environs de l'an 1000 pour le voir arriver en Espagne (terre musulmane à cette époque). De là, il avait atteint l'Italie, où le premier moulin à papier était créé en 1276, puis l'Allemagne en 1391.

Or, sans le papier, il n'y aurait jamais eu d'imprimerie : le parchemin aurait été trop fragile pour les presses – on l'avait essayé – et, surtout, trop coûteux pour une production de livres en série. Ce n'est donc pas un hasard si, au moment où Gutenberg arrive au terme de ses recherches, on trouve des dépôts de papier dans tous les grands centres d'Allemagne – y compris la ville de Mayence.

---

1. Sur ce thème, on lira avec intérêt Jacques Le Goff, *Les Intellectuels au Moyen Âge*, Paris, Seuil, 1957, 191 p. Sur le livre proprement dit, entre autres : Lucien Febvre et Henri-Jean Martin, *L'Apparition du livre*, Paris, Albin Michel, 1958, 557 p. et Albert Labarre, *Histoire du livre*, Paris, PUF (collection « Que sais-je »), 127 p.

Avec les caractères métalliques, même dilemme. Un siècle avant Gutenberg, d'autres avaient expérimenté le bois: plus précisément, la gravure sur bois, ou xylographie. Or, le bois révèle vite ses limites: il s'use rapidement, et l'encre n'y adhère pas très bien. Le métal, en revanche, dure longtemps; l'encre y adhère parfaitement, et les bords ne s'érodent pas, ce qui garantit des lettres plus lisibles sur le papier.

Gutenberg a planché sur tout cela pendant une bonne quinzaine d'années, avant de s'arrêter en 1453 sur un alliage de plomb, d'étain et d'antimoine. Sa bible de l'an 1455, qu'on décrit comme «le premier livre imprimé» de l'histoire, n'est en réalité que le premier livre *complet* qui soit sorti de cet atelier de Mayence: pendant ces 15 années d'essais et d'erreurs, les livres ratés, tachés d'encre ou au contraire trop pâles, aux pages déchirées ou aux lettres mal fondues, ont sans doute été nombreux.

Il n'était pas seul à travailler avec autant d'acharnement. Au point où certains historiens affirment que Gutenberg aurait été coiffé au poteau: un orfèvre juif d'Avignon, dans le sud de la France, appelé Waldvogel, aurait, de l'avis de quelques-uns, imprimé en 1444-1446, soit une dizaine d'années avant notre artisan de Mayence, des textes en hébreu. D'autres affirment qu'un nommé Laurent Coster, à Harlem, en Hollande, aurait lui aussi précédé Gutenberg sur la ligne d'arrivée. Que cela soit vrai ou faux importe peu; en revanche, ce que nous révèle cette querelle de spécialistes, c'est que le besoin de produire davantage de livres se faisait si pressant en ce milieu du XVe siècle que plusieurs personnes, aux quatre coins de l'Europe, sans s'être concertées, convergeaient vers un même but: une solution rapide et économique.

Économique, revoilà lâché le grand mot. Il y avait de l'argent en jeu. Étaient donc en place nos trois éléments de tout à l'heure. *Un:* un besoin existe dans la société (en l'occurrence, chez les intellectuels et les familles aisées). *Deux:* des passionnés planchent sur diverses innovations en vue de combler ce besoin. *Trois:* des investisseurs fournissent l'argent nécessaire, en pariant sur le fait qu'ils en retireront des bénéfices. Et lorsque la machine se met à rouler toute seule, les investisseurs prennent le contrôle.

De fait, après 1455, l'imprimerie ne se propage pas de façon égale autour de Mayence, comme on aurait pu s'y attendre d'une invention altruiste faite pour le seul bien de l'humanité. Au contraire, elle suit méthodiquement les grands axes commerciaux (entre autres, le Rhin). Après Mayence, des disciples de Gutenberg (qui meurt en 1468) ouvrent un deuxième atelier typographique à Strasbourg en 1458, puis dans les villes universitaires (Cologne est la première, en 1466), dans les capitales politiques (Augsbourg, Nuremberg), qui fournissent une clientèle naturelle (il y a là une demande pour les livres de jurisprudence), et dans les carrefours commerciaux (Venise en 1469).

Bien simplement, l'imprimeur va s'installer là où il espère tirer un bénéfice. L'outillage est cher, et la main-d'œuvre représente à elle seule 75% du prix du livre. Venise illustre cette stratégie économique: les Allemands, en 1469, détiennent encore le monopole du savoir typographique, de sorte qu'entre toutes les villes étrangères que pouvaient choisir leurs imprimeurs Venise s'est imposée, parce qu'elle constitue, à cette époque, un point de rayonnement vers la majeure partie du monde connu[2].

En 1480, sur les 110 villes ayant accueilli au moins une imprimerie, une cinquantaine sont italiennes et une trentaine, allemandes. La France, qui n'a pas le même poids économique, suit très loin derrière avec neuf imprimeries[3].

En tout, de 1455 jusqu'en l'an 1500, plus de 40% de la production imprimée est sortie des presses italiennes, contre 30% pour l'Allemagne.

Et à combien se chiffre cette production? À 30000 ou 35000 éditions différentes, représentant 20 millions d'exemplaires. Pour une population européenne de 100 millions d'habitants, c'est énorme. C'est une réussite sans précédent dans l'histoire.

Cela représente un virage déterminant pour le savoir global: l'humanité ne sera plus jamais la même. Désormais, et de façon de

---

2. Philippe Braunstein, «Les Allemands et la naissance de l'imprimerie vénitienne», *Revue des études italiennes*, décembre 1981, p. 381-390.
3. Henri-Jean Martin, *Le Livre et la civilisation écrite*, Paris, École nationale supérieure de bibliothécaires, 1968, p. 102-105.

plus en plus marquée à mesure que passeront les siècles, les petites gens auront accès au livre, un privilège qui, depuis l'invention de l'écriture 5000 ans plus tôt, avait toujours été réservé à une élite.

Mais c'est un virage qui ne s'est pas fait du jour au lendemain, et qui ne s'en est pas moins appuyé sur une stratégie bassement commerciale. Il a fallu aux imprimeurs produire d'abord ce que le public demandait. Et ce qu'il demandait, c'était ce qu'il connaissait déjà: la production des premières presses à imprimer correspond exactement à la production des copistes de la fin du Moyen Âge. Tel un wagon attaché au bout d'un train, l'imprimerie s'emboîte dans les siècles qui l'ont précédée. Les imprimeurs, par souci de garantir leurs ventes, ont choisi, d'abord et avant tout, de publier ce qui était déjà populaire. Air connu.

La bible vient évidemment en tête de liste. Près de 130 éditions entre 1455 et 1500, et près de 1300 éditions de *commentaires* sur les Écritures. Les livres liturgiques (bréviaires, missels), les grandes œuvres religieuses (saint Augustin) et toute une littérature destinée à alimenter la piété (vies de saints, livres d'heures, ainsi nommés parce qu'ils indiquent les pratiques religieuses à suivre heure après heure...) sont bons deuxièmes. Avant 1520, les trois quarts de la production imprimée sont de nature religieuse. Et les trois quarts de la production imprimée sont en latin: les langues «vulgaires» ne pénètrent d'abord les écrits que sous la forme de traductions du latin (la première bible en allemand est produite en 1466, la première en italien, en 1471).

Le dernier quart de la production repose lui aussi sur ce qui est déjà connu: les ouvrages juridiques (10%) et scientifiques, de même que les œuvres de l'Antiquité, sont déjà quelque peu connus, par les manuscrits des moines, ou les récits oraux.

Et puis, la roue se met à tourner de plus en plus vite. Au fur et à mesure que se multiplient les petites bibliothèques privées et que la bourgeoisie se développe, la proportion, favorable aux livres religieux et en latin, s'inverse. Les littératures nationales font leur entrée dans les statistiques, d'abord avec les traditionnels romans de chevalerie, où le courageux combattant dans son armure étincelante secourt sa belle dame aux cheveux blonds. Bref, la littérature «populaire» prend lentement le dessus.

À ce sujet, peut-être y eut-il, dans les années 1500, quelque intellectuel pour se désoler de cette évolution. Peut-être y eut-il quelque auteur pour pleurer sur le fait que cette magnifique invention soit détournée d'une production «sérieuse» – Aristote, saint Augustin, Avicenne, et le latin, langue internationale de l'époque – vers une production aussi vile. Mais, quand bien même ces opposants auraient-ils été réunis en un puissant groupe de pression – une Electronic Frontier Foundation de l'époque –, ils n'auraient pas eu la moindre chance face au rouleau compresseur commercial. Passé un seuil critique, l'imprimerie devenait un véritable fait de société, soumis aux mêmes règles que les autres – la loi de l'offre et de la demande et la loi d'inertie des humains.

## Les véritables impacts de l'imprimerie

Mais voyons le côté plus rose de la chose. Si notre intellectuel de l'an 1500 avait été transporté en l'an 2000, aurait-il été encore aussi désolé? Une Europe où le taux d'analphabétisme est tombé à 15%, comparativement à... 95% à son époque. Une Europe où un journal peut être imprimé à des millions d'exemplaires en une nuit. Une Europe où la complainte des intellectuels ne concerne plus le manque d'information, mais la surabondance d'information.

Et les impacts de l'imprimerie, ce ne furent pas que des livres, et encore plus de livres. Ce furent aussi les réformes religieuses du XVIe siècle. Sans l'imprimerie, l'Allemand Martin Luther et le Français Jean Cauvin, dit Calvin, n'auraient jamais obtenu une si grande diffusion pour leurs travaux. En quelques décennies seulement, de 1517 (date de la publication des *95 thèses* de Luther) à 1559 (publication de la dernière édition de l'œuvre monumentale de Calvin, *L'Institution chrétienne*), c'est la chrétienté tout entière qui, à l'encontre des désirs de son establishment, a dû se lancer dans une vaste entreprise de redéfinition, du bas jusqu'en haut de l'échelle. De nouvelles façons de penser le monde, les rites, l'autorité, des idées et des concepts qui, jusque-là, restaient reléguées à la marge, sont apparues au grand jour, sur les places publiques, sur des feuilles placardées jusqu'aux portes des églises...

Les impacts de l'imprimerie, c'est aussi dans la science qu'ils commencent à se manifester, au bout d'une ou deux générations. Plus les livres se répandent, et plus il devient difficile d'empêcher la dissémination des idées: au travers de ces gens qui se donnent entre eux le qualificatif d'«Humanistes» et qui, entre 1450 et 1550, s'approprient comme mission sacrée de «rendre à la lumière» des arts «presque abolis» (grammaire, poésie, peinture, sculpture, architecture, musique), se glissent d'autres érudits qui explorent des idées et des concepts inédits. Ils réfléchissent sur la politique et la place du citoyen dans la cité idéale, l'avenir de l'humanité, l'amour et la guerre; ils s'inspirent des auteurs de l'Antiquité (la *Physique* d'Aristote est éditée en 1495, la *Cosmographie* de Ptolémée en 1498), mais suivent également leurs propres voies. À Florence, la richissime famille des Médicis aide, à la fin du XVe siècle, à la création d'une académie où brillent les plus grands esprits du temps. À Naples, Lyon, Paris, Cambridge, des cercles humanistes se créent et des bibliothèques prennent de l'expansion, avec pour ambition de s'ouvrir «au public».

En réalité, comme avec le WELL, ce «public» ne sera qu'une élite. Mais la graine est plantée. D'une génération à l'autre, l'élite en question sera de plus en plus large, les livres de plus en plus nombreux, les idées de plus en plus libres.

Et le processus n'est toujours pas terminé: il est en effet indignant que, dans des sociétés riches et scolarisées comme celles d'Europe et d'Amérique du Nord, plus de 10% des citoyens arrivent à l'âge adulte sans savoir lire. Le cas de l'Afrique, où des millions de personnes meurent dans la plus totale indifférence de l'hémisphère Nord, parce que personne n'a eu la volonté de leur fournir à prix abordable des médicaments qui existent pourtant, reste une tache indélébile pour une société qui se prétend «société de l'information».

Ce qui suggère une autre question. Le processus de démocratisation du savoir n'étant toujours pas terminé, un demi-millénaire après Gutenberg, faudra-t-il autant de temps à Internet pour parcourir le même chemin?

On pourrait rétorquer à cela que le monde hypermédiatisé dans lequel nous vivons n'a plus rien à voir avec celui de Gutenberg. Aujourd'hui, toute nouvelle technologie peut faire le tour de la planète en une génération. Il n'a fallu qu'une poignée de décennies à la télévision pour atteindre les villages les plus pauvres d'Afrique; on peut espérer une dissémination d'Internet au moins aussi rapide.

Mais les humains, eux, changent plus lentement que la technologie. Ils sont fondamentalement conservateurs, dotés d'une force d'inertie décourageante, prompts à reculer dès qu'ils pressentent un obstacle. La majorité finit tôt ou tard par s'adapter, mais pas avant que la nouvelle technologie ou la nouvelle idée ait eu amplement le temps d'être décortiquée, analysée et expérimentée. Ou pas avant qu'elle ait été remplacée par une autre qui aura été, à son tour, décortiquée, analysée et expérimentée.

Oui, Internet pourrait fort bien entraîner une redéfinition sociale d'une ampleur comparable à la réforme religieuse ou scientifique du XVIe siècle. Sur les fronts anti-mondialisation par exemple, nous avons déjà senti ce que pourraient être les premiers soubresauts d'une telle redéfinition.

Mais faudra-t-il des décennies ou des siècles pour que la planète entière soit touchée? Personne ne peut répondre. Ceux qui prétendent le faire, les gourous d'Internet qui prophétisent d'immenses et imminents changements en les présentant comme des évidences («c'est comme si c'était fait»), ceux-là sont les plus grands fumistes de notre époque.

Ou ceux qui, de nous tous, sont les plus déconnectés de la réalité. Les branchés débranchés, ce sont eux.

# Le culte de la nouveauté

*Il ne peut y avoir de révolution que là où il y a conscience.*
Jean Jaurès, homme politique (1859-1914)

Ces fumistes, on les a par exemple vus à l'œuvre autour d'une innovation appelée le *push*.

En 1997, on ne parlait plus que de cette technologie, dans les milieux «informés» du cyberespace. *Wired*, le magazine qui s'auto-proclamait le héraut de la cyberculture, avait attaché le grelot en février, avec un long article décrivant à grands renforts de superlatifs la technologie du *push*. Le Web ne sera plus jamais le même. L'ordinateur ne sera plus jamais le même. La vie ne sera plus jamais la même. Votre agenda électronique, le tableau de bord de votre voiture, les panneaux publicitaires, même les murs de votre bureau: tout deviendra un jour le théâtre d'un gigantesque et omniprésent média *push*, qui pourra aller vous chercher tout ce que vous voudrez, n'importe quand, n'importe où.

Magazine Wired: http://www.wired.com/wired/archive/5.03

## La révolution manquée du *push*

Entre une page couverture («L'avenir du média après le Web») tout entière consacrée au *push* – une première pour ce magazine – et un long dossier dénué de tout sens critique, jamais *Wired* n'avait accordé autant d'attention à une nouvelle technologie – lui qui, pourtant, n'avait jamais été à court de superlatifs pour tout ce qui était nouveau[1].

C'est quoi, le *push* ou technologie du *pousser*? C'est un concept-parapluie englobant toutes ces choses – logiciel ou quincaillerie informatique – qui pourraient, littéralement, «pousser» l'information vers vous – au contraire de l'Internet actuel, où vous devez aller chercher vous-même cette information (la *tirer* vers vous, quoi!), par exemple, en vous rendant sur vos sites Web préférés.

*PointCast*, né en février 1996, fut le plus connu: ce logiciel, une fois installé sur votre ordinateur, se branchait sur le Net à intervalles réguliers et allait y chercher sur des dizaines de sites – dont plusieurs médias – les dernières nouvelles. Nouvelles qu'il faisait ensuite défiler sur votre écran, en lieu et place de l'économiseur d'écran. On pouvait aussi lui demander d'aller chercher de l'information seulement dans des catégories précises – sport, politique, cinéma, par exemple.

Simple, non? À première vue, l'idée est admirable. Combien de temps ne sauverions-nous pas, avec un système qui afficherait chaque fois sur notre écran «la» nouvelle qui nous intéresse – plutôt que de nous obliger à faire le tour de notre demi-douzaine de médias préférés, avec le risque d'en revenir bredouille?

Sauf que ça, c'est la théorie. En pratique, le monde de l'information ne fonctionne pas du tout ainsi.

Arrive une crise, quelle qu'elle soit, et dans les salles de rédaction de toutes les agences de presse couvrant l'actualité en continu (Agence France Presse, Reuter, Associated Press, etc.), il se passe la même chose: le journaliste assigné à l'événement – que ce soit celui

1. Kevin Kelly et Gary Wolf, «Push!», *Wired*, février 1997: http://www.wired.com/wired/archive/5.03

qui couvre le Parlement au moment où un ministre est accusé de corruption, celui qui couvre la Formule Un au moment où un pilote est victime d'un accident, ou celui qui est en poste dans une ville lointaine lorsque s'y produit un tremblement de terre – envoie rapidement un article d'un paragraphe sur les fils de presse. Si l'événement est survenu à 10h12, inévitablement, avant 11h, ce même journaliste enverra un second article, un peu plus élaboré. Et un autre vers midi, auquel il aura ajouté des réactions récoltées sur le vif. Et encore un en début d'après-midi, toujours plus étoffé. Si vous écoutez le bulletin de nouvelles télé de 18h, vous n'aurez droit qu'à une nouvelle d'une minute et demie résumant l'ensemble de ces dépêches. Si vous lisez le journal du lendemain, vous n'aurez droit qu'à un article, peut-être deux, résumant l'ensemble de ces textes envoyés la veille. Ou, plus simplement encore, ce que vous lirez dans votre journal sera la dernière version qu'aura envoyée le journaliste de l'agence de presse, la veille en soirée.

Mais, pendant tout ce temps, l'abonné au *push*, lui, aura peut-être été dérangé 10 fois... pour la même nouvelle. Plus exactement: pour des versions à peine revues et augmentées de la même nouvelle.

Pire encore: même si cet abonné a demandé à ne recevoir que les nouvelles relatives à la Formule Un, il y a fort à parier qu'il aura choisi plus d'un média: le réseau américain des sports ESPN, Radio-Canada, le magazine *Sports Illustrated*, la BBC... Tous ces médias couvrent évidemment de près l'événement en question, et envoient donc eux aussi des textes, d'heure en heure, revus et augmentés... Au bout de la ligne, notre pauvre abonné se retrouvera donc avec une quarantaine de textes traitant tous du même événement!

Ce n'est pas fini: si l'événement est survenu alors que la majorité des journalistes étaient partis en vacances, ces quatre médias relaieront *à peu près tous les mêmes articles*, à savoir ceux d'une des agences de presse internationales à laquelle ils sont abonnés.

Or, le *push* ne fait pas de discrimination. C'est une machine: il envoie tout ce qu'il a pu trouver, bon ou mauvais, court ou long, nouvelle ou commentaire... y compris les doublons! Et ainsi, chaque fois, l'abonné est prévenu soit par un signal sonore, soit par son économiseur d'écran, que, ô joie, *quelque chose de neuf vient d'arriver.*

Avec le recul, aujourd'hui, tous ceux qui ont expérimenté ce système en connaissent les limites et le caractère irritant. Les journalistes en particulier, qui savaient mieux que quiconque comment fonctionne un fil de presse en continu, auraient dû être prévenus de ce qui allait se passer. Et pourtant...

« Lorsque (*Wired*) en arrive au *média push*, la prose sombre dans une obscure extase, dans le langage vague des mystiques et des auteurs brouillons », s'est indigné Steven Johnson dans le magazine alternatif *Feed* (aujourd'hui disparu).

« Ce n'est pas comme un site Web qui nous frustre ou nous offense, a dénoncé pareillement Dominique Paul Noth, consultant en médias. De cela, nous pouvons nous déconnecter. Le *push* encombre notre machine d'encore plus de trucs et d'encore plus de messages. »

« Votre modem se met en marche au moment où vous ne vous y attendiez pas. Il y a une bestiole que vous ne contrôlez pas en train de se promener sur votre disque dur. Parfois, un humain à l'autre bout du fil fait une minuscule erreur qui transforme votre machine en Étoile de la Mort[2]. »

Phénomène rarissime : même des lecteurs de *Wired* n'ont pas apprécié la couverture, dénuée du plus petit soupçon de doute, que leur magazine a accordée à cette soi-disant « technologie d'avenir ». « Vous et moi, a écrit Julie Petersen, connaissons la raison pour laquelle des éditeurs sur Internet manquent de visiteurs : c'est parce que leur contenu est ennuyant... Ils ne sont pas prêts à accepter que ça puisse être de leur faute. Alors que font-ils ? Ils insistent pour nous enfoncer dans la gorge leurs informations sans valeur. »

En septembre 1997, une étude de la revue *Editor & Publisher* devenait la première à dire tout haut, chiffres en main, ce que ces commentateurs proclamaient depuis près d'un an : « Plusieurs diffuseurs qui ajoutent la technologie du pousser à leurs sites Web livrent beaucoup trop d'information et laissent aux utilisateurs trop peu de

2. Dominique Paul Noth, *Hidden Lesson 2: Pushing too Hard*, avril 1997 : http://www.arcfile.com/dom/colessn1.html

contrôle sur le contenu... Le résultat, c'est que l'utilisateur type annule rapidement son abonnement[3].»

Mais les rédacteurs en chef et les éditeurs, ajoutait *Editor & Publisher*, ont tellement été convaincus par les *Wired* et consorts que l'avenir est là, qu'ils en concluent que ça doit nécessairement être la faute de la technologie si l'utilisateur se désabonne. Il doit y avoir quelque chose qui ne fonctionne pas correctement. Peut-être les graphiques. Peut-être les images. Peut-être les couleurs. C'est peut-être la faute à la band[illegible] passante.

Il [illegible] à l'esprit de s'interroger sur le contenu qu'ils offren[illegible]

***

Soy[illegible]timiste: peut-être l'avenir est-il, malgré tout, au *pus*[illegible] qu'il faudra, un jour, qu'un tri soit fait dans cette s[illegible]formation lancée à la tête des citoyens en général [illegible] dans la deuxième partie de ce livre, puisque ce [illegible]réoccupations dominantes du XXI^e^ siècle, que nou[illegible]igée jusqu'ici.

Mais [illegible]ution ne reposera pas seulement sur une technologie, aussi géniale soit-elle. Elle reposera sur le facteur humain: il faudra s'appuyer sur un changement des habitudes, et sur son corollaire, une meilleure éducation: éducation aux médias et éducation à la recherche. Et ce, à la fois chez ceux qui produisent l'information, et chez ceux qui la reçoivent.

Or, un changement d'attitude, c'est ça qui prend du temps. Beaucoup de temps.

## La révolution manquée de la WebTV

Ces fumistes, on les a aussi vus à l'œuvre autour de la WebTV – ce système en vertu duquel, comme son nom l'indique, on pourra naviguer sur le Web à partir de notre télévision.

---

3. «New Push Technology Report», *Editor & Publisher*, 23 septembre 1997.

L'année 1997 sera celle de la WebTV, ont annoncé ses promoteurs à grand renfort de publicité – une «prédiction» aveuglément relayée par une foule de journalistes spécialisés en nouvelles technologies. Plus de cinq ans plus tard, on l'attend toujours.

Là encore, comme pour le *push*, la prémisse était pourtant imparable: «Les gens sont davantage familiers avec une télé qu'avec un ordinateur. Ils préfèrent jouer avec une télécommande qu'avec un clavier.»

L'imposant marché des technophobes, des personnes âgées, et de tous ceux qui ne veulent pas perdre un instant à apprendre comment démarrer un ordinateur, était donc dans la ligne de mire du consortium Philips-Sony, lors du lancement du produit, à l'automne 1996. Et pour seulement 300 $US (terminal et télécommande), c'était une aubaine, renchérissaient les journalistes techno, davantage habitués à voir débarquer des produits se vendant dans les quatre ou cinq chiffres.

Tous de ressortir alors le même exemple, comme s'ils s'étaient donnés le mot: leur grand-mère, à qui il ne serait jamais venu à l'esprit de toucher à un ordinateur, pourra *enfin* naviguer sur le Web, si on lui donne la possibilité de le faire à partir de sa télévision.

Où était donc le problème derrière ce miracle? Eh bien, tout simplement qu'en cette année 1997 – et 1998, et 1999, et 2000, et 2001, et 2002! – la plus importante utilisation d'Internet, ce n'est pas la navigation sur le Web... C'est le courrier électronique.

La fameuse grand-mère, elle s'extasie devant Internet parce que cela lui permet de rester en contact avec ses petits-enfants. Le technophobe, il s'étonne de la grande facilité avec laquelle il peut correspondre avec ses amis et collègues. L'homme d'affaires typique, il a apprivoisé le courrier électronique, ce qui n'empêche pas que le géant Internet continue de lui faire peur. Une association américaine, The Electronic Messaging Association, vouée à la promotion de la «messagerie électronique», avait même été fondée dès... 1983[4]!

4. http://www.ema.org

Or, qui est intéressé à rédiger du courrier, calé au fond d'un sofa, une minuscule télécommande sur les genoux, avec l'écran à deux mètres de distance? Personne. Et surtout pas ceux qui en reçoivent et en envoient des dizaines par jour, depuis qu'ils ont découvert des groupes d'échanges par courriel sur la philatélie, *Star Trek*, le tricot ou la mondialisation.

Bien sûr, comme tous les promoteurs de la technologie l'ont également dit, *un jour*, télé et ordinateurs auront convergé en un seul appareil.

Mais ça, c'est déjà commencé, et il n'y a pas eu besoin de WebTV pour en arriver là. De plus, ce rapprochement ne signifie pas pour autant que l'ordinateur sera bientôt rayé des résidences privées ou des appartements, où l'on continuera à pondre des textes, faire du montage sonore ou vidéo, jouer en réseau ou lire son journal préféré, sur l'écran de son petit appareil – pendant que, dans l'autre pièce, quelqu'un sera peut-être en train de regarder un film à la télé – à écran géant, si on y tient absolument.

## Les révolutions manquées (*bis repetita*)

Ces fumistes, on les a aussi vus à l'œuvre avec le Network Computer, cet ordinateur bas de gamme, pas cher parce que, expliquait-on, il n'aurait pas besoin de beaucoup de mémoire: il se contenterait d'aller cueillir ses logiciels sur le Net plutôt que de les emmagasiner en lui. D'où, économie de ressources, et d'argent.

Logique, non? «L'ordinateur de l'avenir», proclamait-on au milieu des années 1990. On l'attend encore.

Ces fumistes, on les a aussi vus à l'œuvre avec le mythe des micro-paiements. Un des plus puissants lieux communs du Net. Un de ces concepts partis on ne sait d'où mais qui, au bout d'un temps, a fait tellement de chemin et a été répété par tant de bouches que plus personne n'a songé même à le remettre en question.

À l'origine, il y a fort à parier que les promoteurs du concept de micro-paiement étaient des gens qui avaient une technologie de micro-paiement à vendre: en vertu de cette théorie, rappelons-le, les internautes seront un jour – un jour prochain, cela va sans dire, pas dans 25 ans ou 50 ans – amenés à payer un quart de sou ou un demi-sou pour accéder à des services particuliers sur le Net. Un demi-sou, multiplié par plusieurs millions d'utilisateurs, ça arrondit drôlement bien les fins de mois...

C'était tellement passé dans le langage courant qu'en 1996-1997 on tenait l'avenir des micro-paiements pour acquis.

Et puis, l'édifice commença à se désagréger. En mai 1997, le magazine britannique *The Economist* publiait une étude sur le commerce électronique, où il était fait mention, entre autres choses, du caractère totalement inadéquat des micro-paiements: psychologiquement inadaptés à l'esprit de gratuité d'Internet et aux consommateurs qui veulent minimiser leurs risques, mais, surtout, technologiquement trop dépendant du mythique «argent numérique» (les cartes à puces, par exemple), lequel n'était toujours pas à la veille de décoller.

À la fin de l'année 1997, les micro-paiements étaient désormais sur la paille. Trop aléatoires, jugeait-on, et, en prime, chaque mois ne faisait que reléguer dans un futur encore plus lointain une éventuelle normalisation du système: car, avec la multiplication des systèmes concurrents sur le marché – et incompatibles entre eux –, quel individu raisonnablement constitué serait intéressé à se promener avec douze douzaines de cartes à puces et autant de mots de passe?

## La révolution manquée des portails

Ces fumistes, on les a aussi vus avec la notion fourre-tout de *portail*. Un an après avoir adopté le «push» comme mot magique de l'heure, les internautes se sont lancés à corps perdu sur le portail. Portail, comme dans *porte d'entrée*: une page Web, qui servirait de page d'accueil à un maximum de gens. Qui contiendrait tout ce que les usagers du Net ont besoin d'avoir à portée de la main.

À première vue, le concept est alléchant: dans cet univers désordonné qu'est Internet, un coup de main n'est en effet pas de trop.

Mais qu'avons-nous eu en matière de coup de main? Des pages d'accueil interchangeables. En l'espace de deux ans, entre 1997 et 1999, les sites qui n'étaient jadis que des répertoires ou des moteurs de recherche (Yahoo, Excite, Alta Vista, Lycos ou le français Nomade) se sont métamorphosés en des pages fourre-tout, rassemblant le plus petit dénominateur commun d'Internet: des liens vers les actualités du jour (en général, provenant toutes de la même source), le sport, la météo, l'horoscope, une section pour les jeunes, une section pour maman, une section pour papa, une section sur les toutous, etc. Les pages d'accueil par défaut des abonnés aux plus gros fournisseurs d'accès à Internet (Sympatico et InfiniT au Québec, Wanadoo et Club Internet en France, etc.) ont elles aussi imité la formule. Résultat: à la fin de 1999, l'internaute, francophone comme anglophone, avait à sa disposition des dizaines de ces portails... tous pareils, sans le moindre effort d'originalité.

John Nail, analyste principal chez Forrester Research, leur prédisait un triste avenir, lors du congrès *Internet World* de l'été 1998. La courtière en information québécoise Françoise Mommens dénonçait en décembre leur manque d'originalité. Le journaliste californien Dan Gillmor, du *San Jose Mercury News*, leur suggérait une cure d'amaigrissement: ce désir d'offrir un peu de tout à tout le monde a inévitablement pour conséquence une page surchargée d'hyperliens... et de publicités[5].

En fait, la principale chose qui continue de favoriser, aujourd'hui, l'achalandage des portails est extrêmement inquiétante pour eux: c'est que la grande majorité des gens ont, sur leur ordinateur, un portail déjà programmé comme page d'accueil par défaut (généralement celui de leur fournisseur d'accès)... et qu'ils ne savent pas comment modifier cette page d'accueil par défaut!

Le portail a justement pour immense désavantage d'être un fourre-tout. Or, dès qu'un individu moyen a un tant soit peu navigué sur Internet, il finit par découvrir des sites correspondant davantage à ses goûts: que ce soit la science, la mode ou le cinéma, il trouvera tôt ou tard «le» lieu qui l'enchantera: un *portail spécialisé*, où il voudra revenir aussi souvent que possible. Ce jour-là, le portail généraliste d'un Sympatico ou d'un Wanadoo ne lui sera plus d'aucune utilité.

---

5. Dan Gillmor, «Small Portals Prove that Size Matters», *San Jose Mercury News*, 6 décembre 1998.

## La brève révolution des magazines

Ces fumistes ont aussi causé des dommages dans un secteur inattendu : les magazines. Inattendu, parce que, lors d'une révolution où tout était censé se passer désormais sur l'écran d'un ordinateur, il était pour le moins étonnant de voir soudain grimper en flèche le marché d'un « vieux » média papier.

C'est que, emportés par le succès rapide de *Wired*, des tas d'éditeurs et de journalistes se sont laissés convaincre, et ont voulu faire des sous-*Wired*. D'autres ont rêvé, pendant quelques saisons, qu'ils pouvaient engendrer le *The Economist* de la « nouvelle économie ».

Cela a eu deux avantages : ils ont créé... de l'emploi. Des emplois précaires, mais qui ont duré quelques années. Et ils ont contribué à renouveler l'apparence des magazines (à défaut de leur contenu).

Quant à savoir s'ils ont révolutionné les habitudes des lecteurs, ou s'ils en ont fait des citoyens plus informés ou plus critiques, ça reste à prouver.

La revue *Wired* a été lancée en 1993. Avec son *look* audacieux, elle a influencé toute une génération d'illustrateurs, de metteurs en page et d'infographistes. Et ce, bien au-delà du secteur des revues d'informatique : en quelques années, les colonnes de texte emberlificotées, les titres dont les couleurs changent à tous les trois caractères, les textes surimposés sur deux ou trois images se mirent à surgir dans des magazines de « tendance », d'art, de design, d'architecture, et jusque dans les cahiers « spectacles » ou « week-end » des quotidiens.

Au-delà de la forme, il y avait aussi le fond : parler d'informatique était auparavant réservé aux revues d'informatique (*MacWorld, PC Magazine*, les québécois *Direction Informatique, Atout Micro* et *Info Tech*, etc.). Désormais, on pouvait choisir de ne parler que d'Internet... et pourtant attirer un public qui ne connaissait rien à la technologie. Mieux encore, on pouvait parler d'Internet et de la technologie dans un contexte social : l'influence de l'informatique sur le travail des agriculteurs, aussi bien que des astronautes, l'avenir des médias après le Web, les aînés qui s'approprient l'ordinateur, les écoles face à cette machine et ainsi de suite[6].

En autant, bien sûr, qu'on parle de tout cela de façon hyper optimiste. Dans *Wired*, pas question de critiquer le «progrès», sous peine de passer pour un dinosaure. Dans *Wired*, si vous étiez le créateur d'une innovation technologique, quelle qu'elle soit, vous étiez un Dieu. Si vous étiez un technophile de 20 ans *et* militant politique, vous étiez le politicien du futur. Si vous étiez technophile et ne serait-ce qu'un tout petit peu intéressé à la politique, vous étiez le citoyen du futur. Le «netizen» – ou citoyen (*citizen*) du Net[7].

Dans *Wired*, si la croissance du Web montrait des signes de ralentissement, ce n'était pas inquiétant: c'était «un signe de maturité[8]». Dans *Wired*, si la publicité sur le Web stagnait, c'était parce que le format des bannières était inadéquat. Tout allait bientôt rentrer dans l'ordre, dormez en paix.

Dès 1995, les titres de magazines s'étaient multipliés: *Internet World, Infobahn, WebMagazine, Internet Magazine, NetGuide, Internet Week, Yahoo! Internet Life*, les français *Internet Reporter, Planète Internet, Univers interactif*, auxquels s'ajouteraient plus tard le canadien *Shift*, les québécois *Branchez-vous* et *NetMag*, le français *Transfert*...

---

6. On trouvera une intéressante description de la personnalité du fondateur de *Wired*, Louis Rossetto, et des nombreuses démarches qui ont conduit à la revue que l'on connaît, sous la plume de Michael Wolff, *Burn Rate*, New York, Simon & Schuster, 1998, p. 31-48.
7. L'article du cyber-journaliste Brock Meeks sur sa visite aux bureaux de *Wired*, où il décrit l'atmosphère bon enfant qui y régnait, donne le ton. «Jacking In from Wired Magazine Headquarters», 21 juin 1994: http://cyberwerks.com:70/0/cyberwire/cwd/cwd.94.06.21 Les femmes en sont absentes, s'étonne par contre Pauline Barsook, «An Aging Berkeley Feminist Examines Wired», *Wired Women*, New York, 1996, p. 24-31. Même certains lecteurs ont à l'occasion fait part de leur irritation face à cet optimisme débridé, surtout quand il ne s'appuie sur aucun fait concret. Voir par exemple deux réactions à un article de Jon Katz sur le «citoyen branché», dans l'édition d'août 1997, p. 32: http://www.wired.com/wired/archive/5.08/rants.html
8. Kevin Kelly, «New Rules for New Economy», *Wired*, septembre 1997, p. 46: http://www.wired.co/wired/archive/5.09/newrules.html

Dans la deuxième moitié des années 1990, apparurent ensuite des revues d'affaires spécifiquement consacrées à ce qu'on appelait désormais avec conviction la «nouvelle économie»: *Business 2.0, Fast Company, Red Herring, Upside, New Economy* (nouveau nom d'une revue appelée *Smart Business*) et *The Industry Standard.* Ainsi, en mars 2000, il n'y avait pas moins de six magazines d'affaires, en langue anglaise, consacrés aux nouvelles technologies! Et le géant Time Inc. annonçait son intention d'en créer un septième, *eCompany now*!

Même le très californien et très activiste *Wired* avait à ce moment pris un virage économiste (il a essayé d'entrer en bourse!), après son rachat, en mai 1998, par le géant new-yorkais Conde Nast (*Vogue, Vanity Fair*, etc.). Virage pris au grand dam de ses habitués, qui auraient préféré continuer d'entendre parler du sympathique pirate informatique ou de la délurée créatrice de logiciels *underground*, plutôt que du jeune-entrepreneur-dynamique du mois.

Pour les journalistes indépendants, qui se découvraient plus de débouchés que jamais, pour les photographes et les illustrateurs, c'était la manne. Et pour les éditeurs aussi. Chaque numéro de *The Industry Standard*, un hebdomadaire, avait désormais la taille d'un petit annuaire téléphonique: l'afflux publicitaire l'ayant obligé à augmenter son nombre de pages de 500%! Les éditions mensuelles de *Red Herring* comptaient plus de 400 pages, voire 628 pages pour celle de juin 2000! *Business 2.0*, de mensuel, était passé au début de l'an 2000 à un rythme bimensuel.

Et puis, au printemps 2000, il y eut la débandade de la bourse. Les investisseurs retirèrent leurs billes des jeunes compagnies nées d'Internet (celles qu'on appelait aux États-Unis et en France les *start-up*), lesquelles se révélaient soudain pour ce qu'elles étaient: plus riches de promesses que de réalisations concrètes. Et ces compagnies, parce qu'elles n'avaient plus les moyens d'acheter des tonnes de publicités, obligèrent du coup ces magazines à une cure de minceur aussi soudaine que douloureuse.

Né en avril 1998, *The Industry Standard* ferma boutique en août 2001. Au même moment, au bord de la faillite, *Business 2.0* était racheté par le groupe Time (en fait, celui-ci était davantage intéressé par sa liste de 350000 abonnés) et cessait temporairement de paraître.

En septembre, *Upside* fermait son site Web, «faute de fonds». En décembre, un vétéran, l'ex-*Time Digital*, supplément encarté du magazine *Time*, était envoyé au cimetière. Né en 1995, rebaptisé *On* au printemps 2001, il était devenu, de par son ancienneté et sa renommée, le symbole de la coopération soi-disant «réussie» entre les empires récemment fusionnés, Time et America on Line...

En juillet 2002, *Yahoo! Internet Life* cessait lui aussi de publier.

Un vétéran, *Internet Week*, né en 1983 sous le nom de *Communication Week*, est mort en janvier 2002. *Branchez-vous*, le magazine imprimé, était déjà décédé quelques années plus tôt, laissant son éditeur concentrer ses billes sur ses activités exclusivement Internet. Et, en France, l'excellent *Transfert* a passé l'arme à gauche en mai 2002.

Au second trimestre 2001, les ventes en kiosque de *Wired* étaient en baisse de 31%, celles de *Fast Company* de 42%. La dégringolade des revenus publicitaires était illustrée, chez *Wired*, par les 2300 pages de publicités imprimées en 2000... comparativement à 1266 pages en 2001.

Bien d'autres magazines, il faut le dire, se sortaient également très mal de la récession en cours: le mensuel du journalisme *Brill's Content* avait mis fin à ses activités l'automne précédent, le nouveau chouchou de la société huppée new-yorkaise, *Talk*, avait également été interrompu... Insulte suprême lancée à la face de l'utopie des internautes: les magazines qui s'en sortaient bien, en ce début d'année 2002, étaient plutôt ces magazines féminins nouvellement arrivés sur le marché, comme *Oprah Magazine* et *Martha Stewart Living*, héraut de la nouvelle femme-au-foyer-mais-tout-de-même-libérée.

Interrogé par le *San Francisco Chronicle*, l'éditeur de l'*Industry Standard*, après avoir annoncé la mauvaise nouvelle à son personnel, déclara qu'il ne regrettait nullement l'optimisme affiché haut et fort par sa revue pendant ces années. Les 160 employés mis à pied ne se firent pas demander leur avis.

## La révolution (peut-être) des médias

L'une des affirmations les plus grotesques des premiers gourous du cyberespace fut: «Internet va tuer les médias». Chaque citoyen ayant désormais le loisir d'aller lui-même chercher son information à la source, il n'y aurait en effet plus besoin ni de journaux ni de bulletins de nouvelles.

C'était de l'aveuglement, similaire à celui qui a entouré le *push*: car qui diable serait intéressé à se taper 25 communiqués de presse, 17 nouvelles sur un même événement et 2458 courriers électroniques, quand il pourrait avoir tout cela, ramassé, résumé et synthétisé, dans un seul journal ou un seul bulletin qui ne prendra que 20 minutes de son temps[9]? Cet aveuglement, qu'on aurait cru réservé à des gens qui ne connaissaient rien aux médias, a pourtant réussi à s'incruster, surprise, jusque chez des journalistes.

L'affirmation entrait de plus en contradiction avec tout ce que l'histoire nous a appris. Car aucun média n'a tué ses prédécesseurs. La télé n'a pas fait disparaître la radio, et celle-ci n'a pas fait disparaître les journaux... en dépit de ce qu'affirmait en éditorial le très sérieux magazine *Editor and Publisher*, en 1927: «Si les nouvelles en viennent à être connues du public à travers les émissions de radio, alors il ne restera aucun incitatif à acheter un journal[10].»

Par contre, chaque média a obligé ses prédécesseurs à s'adapter, à réévaluer leur rôle, voire à se trouver une niche qui lui permettrait de compléter ce que les autres faisaient mieux que lui.

Dans cet esprit, sans tuer les «vieux» médias, Internet ne pourrait-il pas suffisamment rebrasser les cartes pour amener une petite révolution?

Quoi qu'en disent les gourous autoproclamés, Internet est encore trop jeune pour qu'on puisse répondre à cette question. Mais on a déjà des indices d'un début de rebrassage: dès le milieu des années 1990, les sondages ont par exemple révélé que le temps passé sur Internet est du temps d'abord et avant tout grugé sur l'écoute de la télé. Le phénomène n'a fait que s'amplifier depuis. Si la tendance se

9. Les internautes sont de plus en plus à la recherche d'exactitude, de faits vérifiés, alors qu'ils se rendent compte qu'ils sont submergés par des rumeurs et des informations non fiables, constatait le mensuel *American Journalism Review* en novembre 1996: http://ajr.org/Article.asp?id=2217

10. Cité par David Shaw, «The Media.com. Revolution in Cyberspace», 2e partie, *Los Angeles Times*, 16 juin 1997.

maintient, cela ne pourra donc qu'ébranler l'économie des chaînes de télé spécialisées (sans parler des futures chaînes numériques), de même que celle des câblodistributeurs: les jeunes adultes, en mal de revenus stables, placés devant la nécessité de choisir entre un abonnement à Internet et un abonnement au câble, ont de plus en plus de chances de choisir Internet.

Autre rebrassage, qui aura moins d'impacts sur l'économie, mais peut-être plus sur la dissémination de l'information : des journalistes ont pu profiter, grâce au cyberespace, d'une liberté nouvelle, qui leur a permis de créer leur propre journal, de faire circuler leurs idées, voire d'offrir des éclairages inédits sur l'actualité, qu'elle soit générale ou spécialisée. Certains sont devenus des vedettes dans des secteurs pointus, comme l'Américain Brock Meeks. D'autres ont marqué leur époque, comme le cyber-quotidien *The American Reporter*[11], né en 1995, sans doute le premier cyber-média à pouvoir se vanter d'avoir eu de véritables scoops journalistiques... et des reportages d'enquête à l'étranger. Il se vantait aussi, en 1999, de ce que ses quatre premières années... «aient servi à convaincre les gens que nous serons encore là l'année suivante»!

D'autres célébrités de cette période: les irrévérencieux *Suck*, *Word* et *Feed* (tous décédés depuis); et surtout les deux plus célèbres, qui allaient servir de modèles: *Slate*, créé par Microsoft, et *Salon*, média totalement indépendant pendant ses premières années (de 1996 jusqu'à son entrée en bourse, en avril 1999)[12].

«L'Internet, se réjouissait naïvement le magazine *Internet World* en 1995, est peut-être le plus démocratique des médias de toute l'histoire. Des éditeurs sérieux, même de grandes compagnies, ne pèsent pas plus lourd sur le Web que le collégien blasé qui publie pendant son temps libre[13]. » Aujourd'hui, on se contente de sourire d'une pareille affirmation: lorsque des groupes multi-milliardaires comme Time, Quebecor ou Vivendi mettent toutes leurs forces dans la bataille, le petit entrepreneur isolé dans son sous-sol se retrouve

11. http://www.american-reporter.com
12. Sur *Salon*, tel qu'il était encore à l'époque où il était indépendant: Rachel Lehmann-Haupt, «Salon's Reality Check», *Brill's Content*, août 1998, p. 74-75.
13. Paul Ferguson, «On the Cyber Racks», *Internet World*, septembre 1995, p. 37.

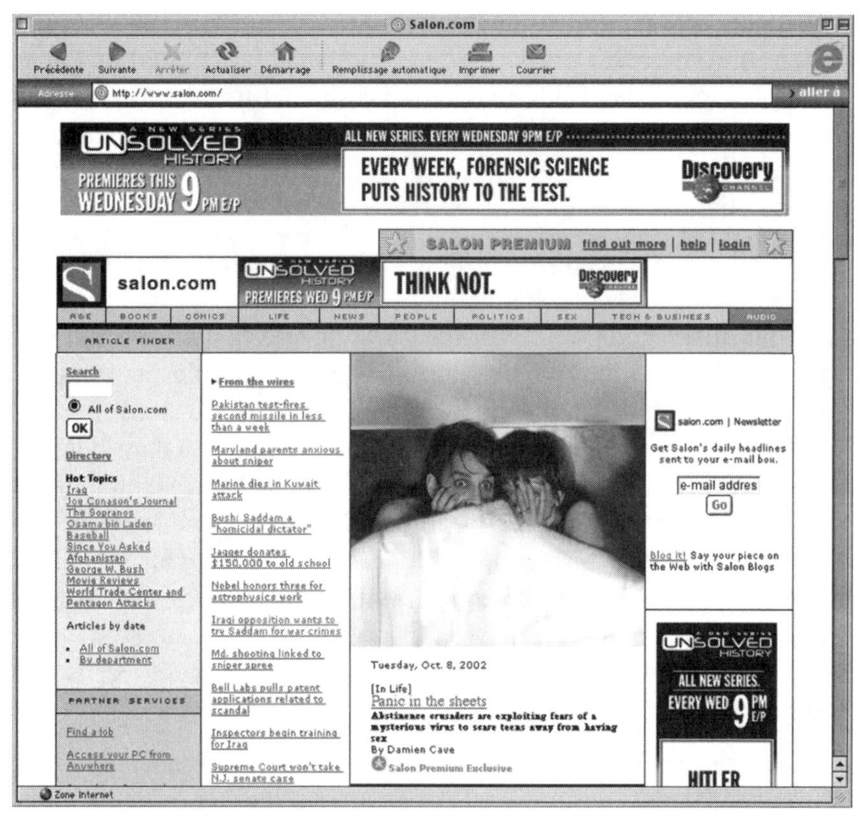


http://www.salonmagazine.com

singulièrement marginalisé[14]. Mais, à l'inverse, tout n'a pas été perdu dans ce débarquement des géants : ce pouvoir de s'exprimer, dévolu à n'importe qui, Internet l'a effectivement porté à de nouveaux sommets. Nul ne peut désormais le faire disparaître. On l'a vu précédemment avec, entre autres, les mouvements anti-mondialisation. Le citoyen a maintenant un outil de plus à sa disposition pour contester, s'indigner et critiquer – y compris, bien sûr, critiquer... les médias[15].

En revanche, dans ce rebrassage, il y a une chose qui a singulièrement nui aux médias dans leur ensemble, petits et grands : le

14. « Can the paperless magazine make it? », *Columbia Journalism Review*, janvier 1996, p. 14-16.

15. Carol Pogash, « Cyberspace Journalism », *American Journalism Review*, juin 1996, p. 26-31 : http://ajr.org/Article.asp?id=684

manque de culture médiatique des cyber-créateurs. Combien ont par exemple lancé un site, lui ont collé le mot «journal», et ont mélangé sans vergogne publicités et reportages, sans même se rendre compte qu'il y avait là un problème[16]?

Déjà, en dehors du cyberespace, les frontières étaient en voie de devenir de plus en plus floues, au grand dam des vétérans du journalisme. Mais, avec Internet, les experts en marketing ont pu s'en donner à cœur joie. L'industrie naissante des cyber-médias avait beau essayer de mettre en place des règles, elle se heurtait autant à la résistance des libertaires, pour qui toute règle est synonyme de censure, qu'à celle des dinosaures, pour qui le Web n'est de toute façon pas un vrai média. Le *Los Angeles Times* révélait ainsi, en novembre 1998, qu'un nombre effarant de cyber-médias plaçaient la bannière publicitaire d'une compagnie X directement au-dessus ou à côté d'un article sur la même compagnie X – une pratique inacceptable dans un quotidien «sérieux». À la même époque, de plus en plus de chroniques littéraires étaient accompagnées de la bannière du libraire Amazon.com, conçue de telle façon que quiconque clique dessus puisse acheter le livre dont traite la chronique... moyennant quoi Amazon renvoie un pourcentage de la vente au journal. Qui oserait dès lors faire une critique négative? Ailleurs sur le Web, des journaux et des magazines, comme *Wired*, permettaient que s'affiche une publicité, pendant une trentaine de secondes... en lieu et place de leur page d'accueil. Transposez une telle pratique dans votre quotidien du matin, et vous déclenchez un scandale.

Dans le même esprit, cet autre dilemme: les moteurs de recherche qui affichent, en sus des sites contenant les mots clés que vous avez demandés, d'autres sites, pour lesquels leurs concepteurs ont payé afin qu'ils s'affichent chaque fois que quelqu'un fait une recherche s'approchant un tant soit peu de leur thématique[17]. Un peu comme si l'*Encyclopaedia Britannica* affichait en haut des pages les définitions pour lesquelles elle a vendu une publicité...

---

16. Fred Mann, «Do Journalism Ethics and Values Apply to New Media?», conférence, 22 février 1997: http://www.poynter.org/dj/Projects/newmedethics/jvmann.htm
17. Lire entre autres Fred Mann, *op. cit.*, et Noah Robinson, «Browser Beware», *Brill's Content*, août 1998, p. 40-44.

Tous ces rebrassages, les bons comme les mauvais, sont toujours en cours au moment où vous lisez ces lignes : les réflexions sur l'avenir du Web et sur la façon de retenir l'attention de l'internaute, sont loin d'être terminées. Et certaines tendances font craindre le pire pour l'avenir d'une information éclairée, sérieuse et fiable.

À l'inverse, les rebrassages qui étaient les plus appréhendés sont justement ceux qui n'ont pas du tout eu lieu.

On a par exemple prétendu qu'un média sur Internet se devait de devenir « multimédia » : un texte auquel se mêlent images, sons, animations... Et pourtant, les sites de nouvelles les plus populaires restent, encore et toujours, ceux qui offrent du texte, d'abord et avant tout. Du *Time* au *Daily Telegraph* en passant par *Libération* ou *La Presse* – ou même Radio-Canada ! – les internautes viennent sur leur site d'information préféré pour chercher, justement, de l'information, et non des joujoux informatiques. Sans compter que, dans l'état actuel de la « tuyauterie » d'Internet – la bande passante, en langage d'expert –, télécharger une vidéo, ça prend du temps.

On a également prétendu qu'une nouvelle forme d'écriture naîtrait d'Internet : l'hypertexte. Sachant que, grâce à la magie des hyperliens, il suffit désormais de cliquer sur un mot ou une phrase pour se retrouver catapulté dans un autre texte, à l'autre bout de la planète, dans l'esprit même des créateurs de l'hypertexte, ce qui s'annonçait, c'était donc la possibilité de nouer bout à bout tous les textes qu'a produits l'humanité depuis 6000 ans. Une méga-toile d'araignée à l'intérieur de laquelle on peut perpétuellement sauter d'une partie à l'autre[18]. Conséquence : vous ne lirez plus jamais un texte du début à la fin. Vous réorganiserez perpétuellement votre lecture, en fonction de vos choix et de vos goûts.

Séduisant, mais trompeur. Jusqu'à preuve du contraire, le lecteur a toujours besoin de lire un texte du début à la fin, si son intention est de suivre la pensée de l'auteur. Ou, plus simplement, s'il a envie de se faire raconter une histoire ! Ne confondons en effet pas *celui*

---

18. Kurt Kleiner, « What a Tangled Web They Wove... », *The New Scientist*, 30 juillet 1994.

*qui lit* avec *celui qui cherche*: ce dernier va, lui, butiner. Mais *celui qui lit* a toujours besoin d'un fil conducteur[19].

L'hypertexte ouvre indéniablement des possibilités nouvelles au journaliste: se libérer des citations lourdes et encombrantes en dirigeant le lecteur qui le souhaite vers le discours complet du politicien, ou le projet de loi, ou l'étude universitaire. L'article journalistique sur le Web peut donc, dans cette perspective, être écrit d'une façon subtilement différente de l'article qui, parce qu'il est sur papier, ne peut pas être complété par des hyperliens. Mais c'est bien là la seule concession à la mythique «hypertextualité» que l'on peut sentir dans les médias.

***

Bref, si chaque média a obligé ses prédécesseurs à s'adapter, à réévaluer leur rôle, voire à se trouver une niche, où en est Internet en la matière?

Pas très loin de la presse écrite, en vérité.

On a beaucoup dit et répété, depuis 1994, que les journaux sont dans l'erreur s'ils se contentent de répéter sur le Web ce qu'ils font dans l'imprimé – autant que le producteur de nouvelles télé des années 1950 était dans l'erreur s'il se contentait d'offrir un bulletin calqué sur la radio[20]. On a traité de dinosaures ces médias qui se contentent de repiquer leur contenu «papier» pour l'envoyer sur le Web[21].

---

19. Un cyber-magazine, lancé en 1998, s'est donné pour vocation de promouvoir spécifiquement la qualité de l'écriture sur le Web: *Contentious*. http://www.contentious.com

20. Le texte-pionnier, celui qui résume tous les autres par son attitude provocatrice, est de Jon Katz, «Online or Not, Newspapers Suck», *Wired*, septembre 1994, p. 50-58: http://www.wired.com/wired/archive/2.09/news.suck.html Lire aussi, dans le même esprit, Barry Diller, «Don't Repackage – Redefine!», *Wired*, février 1995, p. 82-84. Moins polémique, quoique plus étoffé, est le dossier de J.D. Lasica, «NetGain. Journalism's Challenges in an Interactive Age», *American Journalism Review*, novembre 1996. Enfin, un rapport gouvernemental français a répété la même chose: Jean-Charles Bourdier, *La Presse et le multimédia*, février 1997: http://www.ladocumentationfrancaise.fr/brp/notices/974055500. shtml

21. «Changez dès maintenant votre culture de l'information, ou devenez des fossiles», écrivait Michael «Parc Jurassique» Crichton, dans «Mediasaurus», *Wired*, vol. 1, nº 4, septembre 1993: http://www.wired.com/wired/archive/1.04/mediasaurus.html. Six ans plus tard, ils n'étaient pas encore fossilisés, mais

On a dit et répété qu'il fallait «faire différent». Les uns ont alors vanté l'expérience «différente» du quotidien *The Boston Globe* qui, plutôt que de gérer un site, tout seul dans son coin (autre erreur magistrale, compte tenu de l'absence de revenus), en a fait un portail regroupant une quinzaine d'autres médias régionaux, doublé d'informations fournies par les services publics. Les autres ont vanté les médias qui ont su profiter de l'espace illimité offert par le Web pour y déposer de volumineux documents complétant le reportage spécial du jour ou du mois[22]. Les autres encore ont vanté les médias – parfois les mêmes – qui ont eu le réflexe de se servir du Web pour expliquer plus en détail, analyser, commenter, bref, faire mieux comprendre à leur public la fameuse nouvelle du jour ou du mois. Ou, dans le même esprit, ceux qui, comme l'émission scientifique *Nova*, ont transformé leur site en une véritable encyclopédie thématique – chaque «chapitre» étant évidemment lié à une émission.

Peut-être serait-ce là, en définitive, le rôle d'Internet, sa niche, sa façon de compléter les autres: il est un média offrant suffisamment d'espace (au contraire du journal) pour expliquer. Pour fournir à celui qui est intéressé à *chercher* (au contraire du téléspectateur) toute la documentation possible et imaginable. En même temps, il est un média sur lequel la lecture sera toujours difficile, tant que la technologie ne se sera pas améliorée (tout simplement parce qu'un ordinateur est pour l'instant moins maniable qu'un magazine!), limitant par le fait même le temps consacré à la lecture des nouvelles du jour[23]. En conséquence, pourquoi ne pas produire moins de petites nouvelles, qu'on peut de toute façon avoir à la radio ou à la télé, et plus de documents étoffés? Les internautes viendront moins nombreux. Mais tant qu'à les voir défiler en masse pour

---

(suite de la note 21)

ils étaient encore nombreux à ne pas avoir changé leurs attitudes, à en juger par la chronique de Steve Outing, «Original Content Status Report», *Editor and Publisher*, 20 janvier 1999.

22. John V. Pavlik *et al.*, «The Future of Online Journalism. Bonanza or Black Hole», *Columbia Journalism Review*, juillet 1997, p. 30-37.

23. Il a été écrit beaucoup de choses sur l'électronique qui détrônerait soi-disant le papier, mais on retiendra l'étude de fond suivante: Edward J. Valauskas, *First Monday and the Evolution of Electronic Journals*, octobre 1997: http://www.press.umich.edu/jep/03-01/FirstMonday.html

http://www.boston.com

passer quelques secondes par page, comme c'est souvent le cas à l'heure actuelle, y perdra-t-on vraiment au change ?

Hélas, seule une minorité de médias ont tenté d'expérimenter l'une ou l'autre de ces pistes, de se démarquer. Parfois en raison d'un manque de volonté, de temps ou d'argent; parfois à cause de cette crainte surfaite que, si on investit trop sur Internet, « l'édition en ligne va bouffer l'édition papier[24] »; mais, plus souvent, en raison d'un manque désolant de vision à long terme, au sein du média.

---

24. Une crainte qui continue de circuler, en dépit du fait que rien n'ait permis de l'étayer en près d'une décennie. Lire entre autres Jeffrey A. Perlman, « Online Newspapers as Cyber Cannibals? », *Online Journalism Review*, 30 novembre 1998, modifié le 4 avril 2002 : http://www.ojr.org/ojr/business/1017967451.php. Aussi : Steve Outing, « The Print Cannibalization Issue Revisited », *Editor and Publisher Interactive*, 6 mai 1996.

Et pourtant, la nécessité d'entreprendre de tels efforts en vue de se démarquer devrait relever de l'évidence : *Internet est un média différent, tout comme la télé était différente de la radio.*

## Un fantôme appelé publicité

Les fumistes enfin, on les a vus à l'œuvre avec la publicité sur Internet. Alors là, qu'est-ce qu'ils s'en sont donné à cœur joie.

La prémisse, pourtant, était là aussi imparable. Internet, c'est le royaume de l'information libre ; tout y est offert gratuitement. Par conséquent, la seule façon de rentabiliser les efforts, c'est de vendre de la publicité. Et ce sera facile : avec la croissance fulgurante de la population « branchée », les annonceurs vont rapidement y voir leur intérêt.

Qui plus est, le modèle du média payant s'étant révélé jusqu'ici un bide, la publicité ne pouvait faire autrement que d'être vue comme une voie privilégiée. La plupart des tentatives pour obliger les internautes à payer ont en effet échoué avant même d'avoir commencé[25] ; dès lors que l'internaute savait qu'il pouvait trouver l'équivalent ailleurs, il allait *évidemment* ailleurs (je parle ici du paiement pour avoir accès à *l'ensemble* d'un média, et non du paiement pour des services très particuliers qui peuvent, eux, aller chercher des publics précis, comme la recherche dans les archives... ou les mots croisés !)[26].

Anecdote au passage : selon la firme Advanced Interactive Media Group, en juin 2001, bien que 80 % des journaux américains possédant un site Web y vendaient une partie de leur contenu (générale-

---

25. Le cyber-magazine *Slate*, de Microsoft, est devenu payant en mars 1998 ; le tarif était raisonnable : 19,95 $ pour un an. Mais l'expérience s'est avérée un échec, et il a dû redevenir gratuit en février 1999. Le quotidien français *Le Monde* a lui aussi, pendant un temps, expérimenté la formule payante, en vain.

26. Le cas des mots croisés est un succès au *New York Times*, qui a récolté en 2001 quelque 700 000 $ grâce à ce « service » sur le Web (35 000 cruciverbistes à 19,95 $ chacun). Quant aux archives, la compagnie New York Times Digital (qui regroupe le *Times* et le *Boston Globe*) tirait, en 2001, 38 % de ses revenus de la vente d'archives, incluant les redevances payées par le géant des banques de données, Lexis-Nexis.

ment les archives), 60 % de ces journaux en retiraient des revenus d'en moyenne... 493 $ par mois.

La poignée de médias qui réussissent à faire payer pour un abonnement sur le Net, car il y en a, sont ceux qui offrent un service indispensable à leur public : les revues de chercheurs comme *Science*, *Nature* ou le *New England Journal of Medicine*, et le *Wall Street Journal* pour les financiers. Contrairement à la croyance populaire toutefois, le site Web de ce dernier ne faisait toujours pas ses frais en 2002, malgré ses 642 000 abonnés payants[27]. Par ailleurs, certains prétendent que des médias très locaux pourraient parvenir, eux, à vivre d'abonnements sur le Web, parce qu'ils ont peu de concurrents. Des expériences sont en cours à ce sujet. Les observateurs citent aussi régulièrement le cas du *Irish Times*, ce quotidien de Belfast, qui facture, avec un certain succès, 100 $ par an... mais qui dispose d'un large bassin de gens de la diaspora irlandaise, disposés à payer[28]. Enfin, il y a quelques cas particuliers, dont un certain public est convaincu de ne pouvoir se passer, comme... *Playboy*. Le sexe en effet, même si nombre de webmestres préfèrent éviter d'en parler, a été très tôt une entreprise lucrative sur Internet. Une des rares entreprises lucratives, en réalité : 230 millions de dollars de ventes en 2001, selon des chiffres fournis par l'industrie, ce qui en ferait le plus payant de tous les « contenus médias » sur Internet.

Il y avait tout de même, dès le début, des motifs d'encouragement pour les optimistes du Net, lorsqu'on leur parlait de pub. Il y avait des chiffres mirobolants, qui envoyaient comme message : patience, ce n'est qu'une question de temps avant que chaque webmestre n'obtienne sa part du gâteau. De zéro qu'ils étaient en 1993, les revenus publicitaires récoltés sur Internet étaient passés à « plusieurs millions » de dollars (américains) en 1994, à 50 millions en 1995 et à

---

27. Dominic Gates, « The Future of News », *Online Journalism Review*, juillet 2002 : http://www.ojr.org/ojr/future/

28. Une autre exception, mais dont il est trop tôt pour savoir s'il s'agira d'un exemple à suivre : *Salon* a ouvert une section payante à l'automne 2001 (ce qui signifie qu'une partie de son contenu quotidien demeure gratuite, alors que l'autre devient payante), profitant du fait que, après cinq ans d'existence, l'excellente réputation de ce cyber-magazine était enfin acquise. En juin 2002, les abonnements représentaient 30 % des revenus... mais c'était encore insuffisant, *Salon* étant perpétuellement au bord de la faillite.

http://www.nature.com

260 millions en 1996, d'après la firme Jupiter Communications[29]. De toutes les bouches, ne s'élevait plus qu'un seul cri : Wow!

Dès lors, ceux qui avaient l'outrecuidance d'essayer de tempérer les ardeurs, ceux qui osaient douter que la publicité puisse rapidement faire vivre les sites Web, se faisaient remettre à l'ordre. D'un côté, les internautes en hausse rapide ; de l'autre, les annonceurs salivants : que pouvait-on demander de plus ?

Les gouvernements sont eux aussi tombés dans le panneau. Au Québec, depuis 1994, il existait un Fonds de l'autoroute de l'informa-

29. Ces chiffres de la firme américaine Jupiter Communications sont sujets à caution, comme on le verra plus loin, mais ils ont au moins l'avantage d'être basés, année après année, sur la même méthodologie, ce qui permet de comparer des pommes avec des pommes.

http://www.playboy.com

tion. Doté, à l'origine, d'un magot de 50 millions de dollars. Celui-ci, lors de sa création, s'était concentré sur la «tuyauterie», autrement dit la technologie: notamment en distribuant des sous à UBI et au Libertel, mais aussi à Cogeco Câble et à... Hitachi[30]!

30. Il y avait pourtant, dès 1994, des pressions pour que soient donnés des sous au contenu: en juin, deux ministres du gouvernement libéral d'alors (qui serait battu aux élections, l'automne suivant) avaient convoqué «le gratin local des technologies de l'information» en leur lançant un appel à l'aide: «Donnez-nous des idées». Le problème de l'autoroute au Québec, disaient-ils, n'en est pas un de tuyauterie, mais de contenu. Cité par Yves Leclerc, «L'autoroute électronique au Québec: une affaire de contenu», *L'Agora*, juillet 1994, p. 18. Six mois plus tard, le 18 janvier 1995, le nouveau gouvernement péquiste déposait une politique sur l'autoroute de l'information, pleine de bonnes intentions, mais qui ne faisait que renvoyer tout le monde à la case départ. Lise Bissonnette, «Conduite dangereuse», *Le Devoir*, 25 janvier 1995.

En janvier 1996, échaudé par ses échecs, le Fonds annonçait que, désormais, il donnerait plutôt des sous au contenu. Et c'est là qu'il tomba dans le panneau : en se mettant à distribuer des subventions de plus de 100 000 $, voire plus de 300 000 $, à des sites qui, dans certains cas, n'existaient encore que sur papier, le gouvernement québécois ajouta une clause. Nous vous donnons de l'argent, mais dans deux ans, vous devrez avoir ramassé la moitié de cette somme en publicités ou en commandites. Une condition qui, aux yeux des fonctionnaires, était bien peu téméraire : avec la croissance fulgurante des revenus publicitaires, il paraissait évident que seuls les créateurs de sites qui dormaient sur leurs lauriers ne réussiraient pas à aller chercher des sous.

Rien de plus trompeur qu'un fait évident, aurait dit Sherlock Holmes...

Parce que, même en 1996, cette condition était complètement irréaliste. Jamais un site québécois, même avec la meilleure volonté du monde, n'aurait pu aller chercher 100 000 ou 200 000 $ en publicité dans les deux années suivantes. Jamais en deux ans, et même pas en cinq ans.

Plusieurs indices auraient permis d'en arriver à cette conclusion. D'abord, du côté des médias. Depuis le début des années 1990, l'évolution des médias québécois sur le Web, voire l'évolution de l'information tout court sur le Web, a toujours suivi d'un an à deux ans l'évolution des États-Unis. Le premier journal américain à avoir installé ses pénates sur le Web, le *San Jose Mercury News*, dans la Silicon Valley, l'a fait à l'automne 1993. Les premiers médias québécois, *Direction Informatique* et *Le Droit*, l'ont fait à l'automne 1994. Aux États-Unis, l'explosion des sites de médias (journaux, radio et télé) s'est produite à partir du printemps 1994. Au Québec, à partir de l'automne 1995. La majorité des grands médias américains avaient établi une présence en ligne avant la fin de l'année 1996. Au Québec, au début de 1998. Les quotidiens américains avaient leur chronique Internet dès 1993, *Le Soleil* et *Le Devoir* ont eu les leurs en 1995. Des questionnements sur la pratique du journalisme sur le Web ont généré des ateliers au sein des congrès professionnels américains de l'année 1994 ; le congrès de la Fédération professionnelle des journalistes du Québec s'y est ouvert en 1996. On s'est demandé si un journaliste sur le Web était un vrai journaliste, en 1997-1998; aux États-Unis, on avait réglé cette question en 1996-1997[31] (en France, on se la posait encore, en 2002). Les débats sur le droit d'auteur des pigistes sont apparus au grand jour, au pays de la National Writers Union, au cours de l'hiver 1993-1994. Au pays de l'Association des journalistes indépendants, au début de l'année 1996[32].

Or, où en était-on, côté publicité, dans les médias américains en ligne, à l'heure du virage pris par le Fonds québécois de l'autoroute de l'information? En chiffres absolus, il y avait évidemment une hausse, comme on l'a vu plus haut. Inévitable, quand vos médias en ligne passent de zéro à un millier en trois ans! Mais ceux chez qui cette publicité faisait une différence sur le bilan de fin d'année étaient inexistants. Et ce, aussi bien à la fin de l'année 1995 qu'à la fin de l'année 1996 – moment où, pourtant, ce Fonds distribuait sans s'émouvoir sa plus grosse subvention à un média, 300 000 $, au magazine *Québec Science*, et sa plus grosse subvention de l'année, 400 000 $, à un projet de site appelé Petit Monde, destiné aux parents de jeunes enfants et à la communauté des garderies.

Quand les gourous ont finalement commencé à s'apercevoir que quelque chose ne tournait pas rond[33], ils ont blâmé, air connu, la technologie. C'est le format des bannières qui ne convient pas. C'est leur position dans la page. C'est la taille trop réduite de l'écran. C'est la bande passante – lignes téléphoniques ou câble – qui ne permet pas de diffuser des publicités suffisamment dynamiques.

Et finalement: c'est la faute à l'internaute. Puisqu'il n'a pas l'intelligence de cliquer sur nos publicités (!), nous, les annonceurs, ne paierons que pour le nombre de «clics» et non le nombre de fois où la publicité a été vue.

---

31. «It's a Job, but Is It Journalism», *Columbia Journalism Review*, novembre 1996, p. 31.
32. Site de l'AJIQ: http://www.ajiq.qc.ca Site de la NWU: http://www.nwu.org
33. «Show Me the Money!», *Columbia Journalism Review*, juillet 1997, p. 32-33.

Un peu comme si un annonceur réclamait un remboursement à un magazine, parce que seulement 1% ou 2% des lecteurs, sondage à l'appui, se sont souvenus de sa publicité...

Il y avait pourtant tellement d'autres indices d'un dysfonctionnement profond. En 1995, une liste de discussion américaine par courrier électronique, encensée depuis un an comme «le meilleur groupe de discussion sur le marketing en ligne», avait sollicité des contributions de ses abonnés, afin de fournir un salaire symbolique à son créateur-modérateur-recherchiste-technicien bénévole. Tous les participants à cette liste étaient des gens qui avaient déjà un pied dans le marketing du XXIe siècle, et étaient donc sensibles à l'importance d'un tel réseau d'information. De fait, personne n'avait protesté, et les bons mots pour remercier le fondateur de la liste de ses loyaux services avaient été nombreux. Mais, au bout de deux mois, le nombre de contributions (10 dollars ou moins) s'était élevé à... 20. Sur 4500 abonnés[34].

En mai de cette même année, trois firmes de recherche et de consultation, dont Nielsen – ce même Nielsen auquel on doit les chiffres sur les cotes d'écoute de la télé –, avaient formé une alliance destinée à enquêter sur l'efficacité du marketing et de la publicité en ligne. «D'ici quelques mois», déclarèrent-ils, cette enquête permettra d'annoncer «une nouvelle façon d'aller au-delà du décompte des visites» des pages Web. On l'attend toujours...

En juin 1996, le géant américain des télécommunications MCI (qui serait racheté en 1999, pour son plus grand malheur, par WorldCom) annonçait qu'il mettait fin à son expérience de «centre commercial virtuel», admettant que les résultats avaient été très décevants. Il ne serait que le premier d'une longue liste.

En novembre 1995, le géant des médias Knight Ridder annonçait que le site de son *Mercury News*, pionnier des journaux sur le Web, ferait des profits en 1996. À la fin de 1996, les profits n'ayant toujours pas pointé le bout de leur nez, Knight Ridder se refusait à

---

34. Andrew Leonard, «Banking with First Virtual», *Wired*, octobre 1995, p. 51: http://www.wired.com/wired/archive/3.10/scans.html

répéter sa prédiction. À l'été 1998, le *Mercury News* traçait un noir portrait de l'ensemble des médias sur le Web, alléguant que dans la plupart des cas – y compris le sien – les sites étaient « largement endettés » et que les revenus publicitaires étaient beaucoup moins élevés que ce que laissaient croire les totaux mirobolants de Jupiter Communications.

À l'automne 1998, une étude du commerce en ligne affirmait que 22% des sites commerciaux déclareraient un profit à la fin de l'année. On les cherche toujours...

En mai 1999, sur les 700 médias en ligne interrogés par la revue *Editor and Publisher*, le tiers déclaraient que leur site n'avait même pas... une seule pub[35] !

## Un fantôme appelé profit

En 1995, les Français Olivier Andrieu et Denis Lafont publiaient un livre intitulé *Internet et l'entreprise*, tandis que le Québécois Paul Laurent publiait *L'Internet et le monde des affaires*. Un an plus tôt, Michael Strangelove avait publié *How to Advertise on the Internet*. Dans les trois cas, ces entrepreneurs affirmaient sans rire avoir trouvé la recette pour faire de l'argent sur Internet. Recette qui se révélerait, au bout du compte... être la publication d'un livre sur comment faire de l'argent sur Internet[36] !

Faire de l'argent ? D'autres audacieux affirmaient eux aussi avoir trouvé la formule. En 1997, un sondage de la Newspapers Association of America lançait que 32% des journaux en ligne avaient fait un profit. Mais, en janvier 1999, une autre étude (Veronis, Suhler et associés) concluait que les journaux américains faisaient au contraire face à « d'énormes déficits » sur le Web. Comment expliquer cette contradiction ? Très simplement : personne ne calculait la même

35. Peter Zollman, « Confusion Reigns », *mediainfo.com* (supplément à *Editor & Publisher*), mai 1999, p. 22-24.

36. Michael Strangelove, poursuivant sur sa lancée, avait fondé la firme Strangelove Internet Enterprises, qui publia *The Internet Business Journal* (né en 1993, mort en 1996). Voir http://www.strangelove.com. Michael Strangelove, qui était, en 1992, attaché au Département d'études religieuses de l'Université d'Ottawa, est devenu en 2001 professeur de communications à cette même université.

chose d'un sondage à l'autre; et la plupart des journaux n'étaient pas enclins à dévoiler leurs chiffres[37].

D'autres gourous persistaient pourtant à affirmer qu'ils avaient trouvé la recette, comme Peter Zollman qui, dans un article au titre limpide, «Faire de l'argent en ligne» (février 1999), écrivait sans rire que le commerce électronique fournirait bientôt la moitié des revenus des journaux[38].

C'était le même Peter Zollman – mais qui s'en souciait? – qui avait été directeur de l'information du défunt Full Service Network, ce service de télévision interactive de Time Warner, qui avait été un bide en 1994-1995. Ce qui n'avait pas empêché Zollman de continuer à le défendre bec et ongles: «Les gens veulent de la télévision interactive, et ils vont payer pour de la télévision interactive», affirmait-il péremptoirement en novembre 1997[39].

Mais le principal signe d'un dysfonctionnement profond était ailleurs. Plus visible, plus spectaculaire et, pour ajouter l'insulte à l'injure, il revenait chaque trimestre, tout en haut des statistiques publiées par les firmes telles que Jupiter Communications.

Chaque trimestre, les 10 compagnies qui avaient acheté le plus de publicités sur le Web étaient essentiellement... les mêmes 10 compagnies qui avaient vendu le plus de publicités sur le Web.

Et plutôt que de s'en émouvoir, ou de tirer la sonnette d'alarme, la majorité des internautes... en riaient.

Ainsi, à la fin de l'année 1996, quatre répertoires ou moteurs de recherche (Yahoo, Infoseek, Lycos, Excite) figuraient parmi les cinq principaux vendeurs d'espace publicitaire... et parmi les dix principaux acheteurs de ces mêmes espaces publicitaires. Netscape était le plus gros vendeur (27,7 millions de dollars) et le cinquième acheteur (5,7 millions). Yahoo était le deuxième (20,6 millions de dollars) et le

37. Dominic Gates, «Dubious Accounting?», *Online Journalism Review*, 10 juillet 2002: http://www.ojr.org/ojr/future/1026348767.php
38. Peter Zollman, «Making Money Online», *mediainfo.com*, février 1999, p. 6-10.
39. «Re: Do TV watchers really want an interactive experience?», message envoyé à la liste électronique Online-News, 7 novembre 1997.

huitième acheteur (3,9 millions de dollars). Le média spécialisé CNet était le sixième vendeur (11,4 millions de dollars) et le dixième acheteur (2,7 millions de dollars).

Qu'est-ce que cela signifiait? Que beaucoup de ces revenus publicitaires n'existaient tout simplement pas. C'étaient des échanges de services : je place une pub sur ton site, et tu en places une sur le mien. Et on s'arrange pour que ce que tu m'achètes ait la même valeur marchande que ce que je t'ai vendu, de sorte que, dans toute cette opération, pas un seul sou n'a changé de main. Par contre, dans les rapports financiers de fin de trimestre, chacun de nous pourra comptabiliser la «vente» de milliers de dollars en publicités. Ce qui fait plus sérieux, si on veut attirer des investisseurs...

C'est ainsi qu'en cette fin de l'année 1996 CNet pouvait rapporter une perte nette d'une quinzaine de millions de dollars... mais continuer d'attirer des investisseurs, fiers de participer à cette «entreprise d'avenir». Que Yahoo, en cette année 1996 où elle était entrée en bourse – quelques mois après Netscape, première d'une longue liste d'entreprises nées d'Internet –, pouvait afficher une perte d'une dizaine de millions... sans pour autant empêcher ses actions de grimper dans la stratosphère! Que la chaîne américaine de librairies Barnes & Noble pouvait, au printemps 1997, ouvrir une première boutique dans le cyberespace et s'apprêter à y dépenser des millions (une paille, tout de même, sur des revenus annuels de près de deux milliards et demi!), à seule fin de contrer Amazon.com, premier libraire à n'exister que sur Internet, et d'ores et déjà devenu le plus gros vendeur du monde virtuel.

Amazon.com continuerait pourtant d'afficher des pertes trimestre après trimestre : 45 millions de dollars à l'été 1998 par exemple... ce qui n'empêchait toujours pas ses investisseurs d'investir et ses actions de grimper. Au printemps 1998, elles avaient fait un bond spectaculaire de 15%... le jour où Amazon avait publié un communiqué annonçant qu'au dernier trimestre ses pertes avaient été... légèrement moins élevées que d'habitude!

En matière de publicité, les compagnies Internet elles-mêmes ne donnaient pas l'exemple. À la fin des années 1990, au plus fort de la «bulle Internet», alors que la valeur de leurs actions était devenue proprement indécente, ces firmes se mirent à acheter des milliards de dollars en publicité... en dehors d'Internet! Le site Web Priceline.com par exemple, spécialisé en finances, dépensa, en 1999, 5 millions de dollars américains en pub dans les journaux... et pas un sou sur le Web! La compagnie Alta Vista, créatrice du moteur de recherche du même nom, pourtant dépourvue du moindre département de marketing, dépensa soudainement 120 millions de dollars en publicités en 1999 – contre pratiquement rien en 1998 – dont la majeure partie dans les journaux et à la télé. Le réseau de télé ABC rapporta à la fin de cette année-là avoir vendu près de 200 millions de dollars en annonces reliées exclusivement à Internet.

Le comble du ridicule fut atteint le 7 janvier 1999, lorsqu'une petite compagnie américaine appelée Zapata, récemment reconvertie en firme de services Internet, expédia à tous vents un communiqué de presse. Elle y annonçait fièrement avoir conclu une entente avec Amazon.com. En vertu de cette entente, Zapata expliquait pouvoir désormais vendre des livres d'Amazon à partir de son site, Zap.com, en échange d'un pourcentage des recettes.

Sitôt le communiqué expédié, les actions de Zapata firent un bond en avant de 18%, passant à 14,75 $.

Où était le problème? Eh bien, ce type «d'entente» n'a absolument rien d'exceptionnel. Quiconque le désire peut en signer une à la minute: il y a un formulaire d'inscription automatique sur le site d'Amazon.com! Des dizaines de milliers de sites s'en étaient déjà prévalus avant Zap, et n'en avaient pas fait tout un plat.

Pire encore: en ce 7 janvier 1999, le site Web de Zap.com n'existait même pas! «Un porte-parole de la compagnie, signalait une dépêche de l'agence Reuters, a déclaré que Zap.com serait lancé «dans quelques semaines», mais qu'il ignorait quels services ou quel type d'information le site contiendrait».

Et c'est sur ce type «d'informations» que des investisseurs ont perdu leur chemise lorsque la bourse s'est effondrée au printemps 2000. N'y a-t-il pas de quoi s'indigner?

Au Québec, le cas le plus célèbre – ou le plus pathétique – fut Netgraphe. Partie de rien, cette compagnie créée par deux pionniers de l'Internet québécois dans la foulée de leur site à succès, la Toile du Québec, entra en bourse le 30 septembre 1999 avec des actions d'une valeur d'un peu plus de 2 $. Profitant de la folie furieuse des Amazon.com et autres, elle vit ses actions décupler en moins de six mois, jusqu'à atteindre 21 dollars.

En janvier 2000, sa valeur en bourse dépassait un milliard de dollars ! Pour un chiffre d'affaires qui n'était que de... 10 millions[40].

« Netgraphe est partie pour la gloire » titraient les quotidiens, au début de mars 2000. Le nombre d'employés était passé de 40 à 100 en seulement quatre mois et, « d'ici deux ans, ce nombre grimpera à plus de 1000 ! » assurait-on[41].

À peine 10 jours plus tard, la bourse commençait à dégringoler, et Netgraphe, comme tant d'autres compagnies, dégringolait. En quelques mois, elle atteignait... 50 cents, seuil en dessous duquel elle réussirait même à descendre en 2001-2002.

« Pour nous, déclarait en juillet 2000, pas encore repentant, le président de Netgraphe, Normand Drolet, c'était important d'arriver les premiers (en bourse) et, ça, l'histoire nous a prouvé que nous avons eu raison. » Et d'ajouter : « Si t'es coté en bourse, t'es dans la famille des grands, les Bell, les Power. Ça te donne beaucoup plus de moyens pour te développer[42]. »

En novembre 2000, Normand Drolet quittait Netgraphe, sous la pression de son nouveau propriétaire, Quebecor. Au cours des années 2001 et 2002, les principales activités de Netgraphe – et ses moins lucratives – étaient démantelées morceau par morceau, et intégrées aux autres activités de Quebecor.

---

40. L'histoire de Netgraphe est racontée par un de ses ex-journalistes, Jean-Sébastien Marsan, « Netgraphe : Vie et mort d'un coup de vent », Agence Science-Presse, 21 mai 2001 : http://www.sciencepresse.qc.ca/trucs/netgraphe.html
41. *La Presse*, 1er mars 2000.
42. Hélène Baril, « Les millionnaires instantanés », *Le Devoir*, 8 juillet 2000.

En un seul mois, de la mi-mars à la mi-avril 2000, les 15 entreprises les plus touchées à la bourse électronique Nasdaq ont perdu de 41% à 66% de leur valeur; en une seule semaine d'avril, l'indice Nasdaq a perdu 25% de sa valeur. Avant la débandade, la plus célèbre des compagnies Internet, Yahoo, avait vu ses actions atteindre la valeur mirobolante de 160$, en mars 2000. En juin, elles étaient descendues à 120$; en octobre, à 70$; en février 2001, à 40$; en juin 2001, à 20$; en octobre, à 10$.

Les petites sociétés Internet, puis les petites sociétés de nouvelles technologies, puis les grandes, puis les géants des télécommunications: au cours des années 2000, 2001 et 2002, personne n'a été épargné.

Commentateurs et journalistes avaient souvent écrit, au cours de cette folie furieuse 1995-2000, combien tout cela reposait sur du vent, des leurres, des trompe-l'œil, sur un ballon démesurément gonflé. Une compagnie crie victoire pour son nouveau produit; elle ramasse le magot... et c'est seulement ensuite qu'elle essaie de créer le produit!

Comment a-t-il été possible de ne pas voir clair dans ce jeu qui a pris, sur la fin, l'apparence de ce que l'on appelle un système pyramidal, où seuls les premiers investisseurs décrochent le gros lot après avoir fait les poches aux autres?

«Comment les grandes entreprises financières ont récolté des millions du grand "boum" d'Internet, tandis que les petits investisseurs se faisaient plumer.» C'est le sous-titre d'un article que publiait le d'ordinaire plus austère *Business Week*, en avril 2001. Le portrait tracé n'est pas flatteur pour ceux qui, au cours de la période 1995-2000, ont fait mousser la bulle Internet sans jamais se poser de questions. L'auteur commence par rappeler une publicité de la célèbre firme d'investissements Merrill Lynch, où est vantée la perspicacité de ses analystes financiers, et ajoute aussitôt que, sur les 20 compagnies Internet dont Merrill Lynch a organisé le lancement en bourse depuis 1997, 15 voyaient, en avril 2001, leurs actions s'échanger à un prix inférieur à celui de leur lancement. Et pas qu'un peu : dans huit de ces cas, le prix des actions était de 90% inférieur à celui de leur lancement ! Deux étaient déjà en faillite, dont

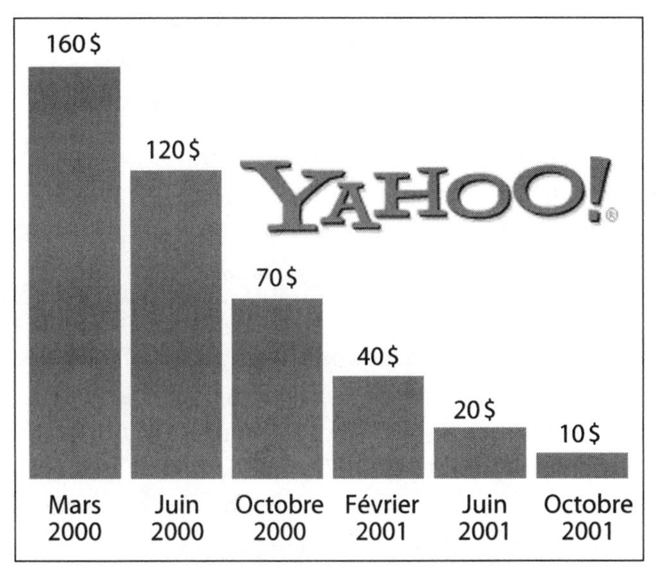


La dégringolade de la valeur des actions de Yahoo.

Pets.com, un vendeur d'aliments pour animaux né en mars 1999 et entré à la bourse en février 2000 avec une collecte de fonds initiale de 66 millions de dollars. Dix mois plus tard, il fermait boutique ! Que quiconque ayant le culot de vanter la perspicacité de ses analystes financiers ait pu voir du potentiel là-dedans dépasse l'entendement, concluait *Business Week*[43] : après tout, Pets.com n'avait-il pas terminé l'année 1999 avec des revenus de 5,8 millions de dollars... et des pertes de 62 millions ?

Mais ce n'est peut-être pas le plus grave. Car ceux qui ont le plus souffert de cette débandade, ce ne sont pas les habitués de la bourse qui, eux, ont su – dans beaucoup de cas – retirer leurs billes à temps. Ceux qui se sont fait avoir à ce point, ce sont les profanes, les petits investisseurs. Dès 1999, l'auteur Michael Perkins (et cofondateur du magazine *The Red Herring*) rappelait dans son livre *The Internet Bubble-Inside the Overvalued World of High-Tech Stocks*, à quel point les grands investisseurs, eux, ont accès à des informations privilégiées, qui leur donnent une bonne marge de sécurité. Deux ans

43. Peter Elstrom, « The Great Internet Money Game », *Business Week*, 16 avril 2001 : http://www.businessweek.com/magazine/content/01_16/b3728602.htm

plus tard, l'auteur renchérissait: la bulle Internet qui vient d'éclater constitue «le plus grand transfert légal de richesses des petits investisseurs vers les grands, qu'on n'ait jamais connu[44]».

«La vérité est que la plupart des petits investisseurs n'ont jamais eu la moindre chance de s'en tirer, simplement parce qu'ils n'ont pas le même accès, autant aux informations clés qu'aux ententes financières initiales, que les gros investisseurs.»

L'économiste Robert Shiller allait dans la même direction en 2000 – avant la dégringolade – dans son ouvrage *Irrational Exuberance*, comparant la bulle Internet au travail de l'escroc américain Charles Ponzi qui, dans les années 1920, avait amassé 15 millions de dollars en sept mois, en trompant 30000 investisseurs. «L'auteur de l'escroquerie promet aux épargnants de considérables profits. En fait, il n'investit qu'une petite partie des sommes avancées pour acheter de vrais éléments d'actif. Il rémunère les premiers investisseurs en réalisant la même opération avec une deuxième vague d'investisseurs, et ainsi de suite... Un moyen plus moderne de le faire consiste à multiplier les acquisitions de sociétés existantes, en échange de nouvelles actions créées chaque fois[45].»

Journaliste transformé du jour au lendemain en un propriétaire d'une compagnie Internet, Michael Wolff avait quant à lui publié dès 1998 un ouvrage dévastateur sur ce milieu où l'argent coulait comme de l'eau, mais où personne – et lui le premier – ne semblait avoir la moindre idée de la façon dont il fallait s'y prendre pour éviter, à long terme, le naufrage. La réalité, personne ne voulait en entendre parler: «Vous ne pouvez pas dire aux investisseurs, j'ai un problème... Et même si tout le monde dans cette industrie savait que c'était vrai – l'argent est consumé à un rythme et avec une absence de logique que personne ne peut expliquer – vous ne deviez jamais, jamais l'admettre[46].» America on Line, par exemple, était le royaume

44. Michael C. Perkins et Cecilia Nunez, «Why Market Insiders Don't Feel Your Pain», *The Washington Post*, 15 mars 2001: http://www.washingtonpost.com/wp-dyn/articles/A6788-2001Mar14.html

45. Robert J. Shiller, *Irrational Exuberance*, Princeton University Press, 2000, 296 p.

46. Michael Wolff, *Burn Rate. How I Survived the Gold Rush Years on the Internet*, New York, Simon & Schuster, 1998, p. 101.

de l'Absurdie : une compagnie où le bordel régnait aux plus hauts niveaux, où les directives contradictoires s'entrecroisaient, et où des chefs aux titres longs comme le bras promettaient des partenariats à tout le monde, au cas où cela leur permettrait de se mettre en valeur auprès de la direction, mais n'en signaient aucun, au cas où cela pourrait nuire à leur (très jeune) carrière...

L'ouvrage de Michael Wolff fut un succès de librairie. Mais de toute évidence, peu de petits investisseurs en ont retenu la principale leçon, qui était : tout désorganisés qu'ils soient, aussi ignorants qu'ils puissent être face à Internet, les gros investisseurs, eux, avaient établi très clairement, dès le début, qu'ils n'avaient aucune intention de poursuivre ce jeu de l'absurde trop longtemps. Leur rêve, c'était de réussir un gros coup en bourse, et puis de s'enfuir illico. « Notre mission était de se sortir de là avant d'apprendre si notre entreprise était un succès ou un échec. Nous ne voulons pas être là lorsqu'il sera temps de savoir si vous pouvez vraiment vendre de la publicité sur Internet », avait honnêtement expliqué à Wolff son principal bailleur de fonds[47].

On rétorquera qu'on peut difficilement reprocher aux spéculateurs de spéculer : s'ils veulent courir après la fortune, ils n'ont d'autre choix que de parier sur des rumeurs et sur l'air du temps. Donc, de prendre des risques. Mais on peut difficilement pardonner à ceux qui avaient les informations en main de n'avoir que rarement fait les efforts nécessaires pour remettre les pendules à l'heure. Parmi eux, les analystes financiers, dont la cote de crédibilité a été sérieusement entamée en 2001-2002, mais aussi les journalistes et tous ceux qui, dans les médias, décidaient de ce qui devait faire la une et de ce qui ne le méritait pas, et qui n'accordaient pratiquement jamais aux sceptiques l'espace qu'ils auraient pourtant dû mériter.

Il faut dire qu'un sceptique, un Michael Perkins ou un expert de l'Union internationale des télécommunications, est rarement aussi flamboyant qu'un Bill Gates ou un Nicholas Negroponte. Le pessimisme, et même la prudence, n'a jamais fait de la nouvelle intéressante...

---

47. *Ibid.*, p. 60.

La presse a failli à sa tâche, accuse un de ces nombreux groupes d'activistes qui ont eu là, après la chute de la bourse, une autre occasion de taper à cœur joie sur les journalistes, «parce qu'en bonne partie, elle a servi, comme d'habitude, de sténographe aux nouveaux riches. Les journalistes, comme la plupart des gens, sont intimidés par l'argent. Lorsque vous voyez quelqu'un qui a une grande éducation et semble intelligent, pourquoi diable iriez-vous briser cette image[48]?»

Revenons au cas de la publicité. À la fin de l'année 1997, le total «officiel» de publicités vendues sur le Web s'élevait désormais à 940 millions de dollars, soit presque quatre fois plus que l'année précédente. De ce nombre, la moitié était allée à... 18 sites. Ce qui, déjà, aurait dû être jugé passablement inquiétant. Mais surtout, de ces 940 millions, on en était maintenant pleinement conscient, seule une fraction avait été vraiment constituée de billets verts, et non d'échanges de services. Quelle était cette fraction?

Il faudrait attendre juillet 1998 pour en avoir, pour la première fois, une évaluation tangible: partant de ces 940 millions de dollars, la firme Burstmedia évalua sommairement la proportion d'échanges (je place une pub sur ton site si tu en places une sur le mien!). Et en arriva à la conclusion que les vrais revenus publicitaires de l'année 1997 s'élevaient, non pas à 940 millions de dollars, mais à... 336 millions. Une dégringolade de 60%!

Et ce n'est pas tout. Sur le Web comme ailleurs, dans toute vente de publicités, il y a un pourcentage qui reste dans les mains des intermédiaires. À moins que vous n'ayez vous-même vendu et produit vos publicités, quelque 15% iront à l'agence qui a dirigé la campagne. Entre 20% et 40% iront aux agences de représentation ou régies publicitaires. Ce à quoi vous devrez ajouter ce que vous coûte chaque mois le logiciel qui vous permet de valider votre mesure d'audience (si vous affirmez que votre site reçoit 30000 visiteurs par jour, vous avez intérêt à le prouver). Au bout de la ligne, ce ne sont donc plus 336 millions de dollars qui tombent dans les poches

48. NetSlaves, 3 janvier 2001: http://www.netslaves.com/comments/978560015.shtml

des responsables de sites, mais moins de 165 millions. On est de plus en plus loin des 940 millions...

Transposons cela au Québec. Dans l'analyse qu'il faisait en avril 1998 des sites québécois, le journaliste Jean-Pierre Cloutier, des *Chroniques de Cybérie*, arrivait, au terme de ce calcul, à un grand total de 700 000 $ en «vrais» revenus publicitaires, en 1997[49].

Ce ne serait pas mal s'il n'y avait eu que deux ou trois sites à se partager la tarte; mais il y en avait au moins 20 dont l'achalandage était suffisant pour les amener à faire une cour intense aux annonceurs. Par conséquent, si ces 20 sites devaient se partager à parts égales le 700 000 $, chacun se retrouverait avec... 35 000 $. Ce qui est fort peu de chose pour payer le loyer, le fournisseur d'accès, les logiciels, la quincaillerie informatique, les dépenses de bureau... et un salaire à une, deux, voire, dans certains cas (on pense ici aux sites ayant bénéficié d'une grosse subvention), trois personnes.

Et encore: sur ces 20 sites, il y en avait d'ores et déjà, à l'époque, trois «très gros» (la Toile du Québec, Sympatico et InfiniT), capables d'aller, à eux seuls, chercher plus de publicités que les 17 autres réunis. Résultat: la moyenne de ces 17 autres venait de tomber en dessous de 35 000 $, voire en dessous de 20 000 $. Ce qui n'est *vraiment* pas grand-chose pour quiconque a lancé avec fracas un site en s'imposant pour fardeau un magnifique loyer, des ordinateurs haut de gamme, et des salaires...

Arrivés à ce stade, les gourous n'avaient plus qu'une seule arme à leur disposition: d'accord, les revenus réels sont très inférieurs à ce que nous annoncions. Mais, pourtant, ils grossissent d'année en année. Logiquement, mathématiquement, le nombre de sites qui seront capables d'en vivre va donc grossir d'année en année, lui aussi.

Eh bien, pas du tout. C'est même le contraire qui est logique et mathématique.

---

49. Jean-Pierre Cloutier, *Contenus québécois sur le Web: artisanat ou industrie?*, Montréal, avril 1998: http://www.cyberie.qc.ca/etude

Oui, la publicité Internet continue de croître rapidement. De 1994 à 2000, sa croissance fut de loin plus rapide que celle de la télévision au début des années 1950 – même en employant les méthodes de calcul les plus prudentes.

Mais le problème, c'est que le Web croît, lui aussi. Et très vite: en 1999, une étude parue dans la revue scientifique *Nature* évaluait que le nombre de pages venait de dépasser le milliard. Et cela, quiconque a déjà créé un site Web le sait très bien: il n'y a pas de limites au nombre de pages que chacun de nous peut créer. Si on additionne les efforts de tous les webmestres de la planète, amateurs et professionnels, le nombre de pages peut tendre vers l'infini.

Or, le nombre d'internautes ne peut tout de même pas, lui, tendre vers l'infini. Conséquence: le Web, au contraire des magazines ou de la télé, se retrouve avec le potentiel unique en son genre de *diluer la publicité.* Plus vous créez des pages, et plus vous offrez à votre annonceur la possibilité de cibler son public de façon précise.

En d'autres termes, au fil du temps, les annonceurs vont avoir la capacité de payer de moins en moins cher... pour rejoindre le même nombre d'internautes.

C'est le genre de calcul dont n'aimaient pas du tout entendre parler les webmestres, et qu'ils préféraient balayer sous le tapis. Mais lorsque la bourse s'est effondrée, et que la récession leur est tombée dessus, ils ont compris que la récréation était finie[50].

---

50. Les intéressés obtiendront d'autres éléments de réflexion sur la difficulté à financer les sites Web indépendants avec le Français Arno, *Quelles solutions économiques pour les indépendants du Web?*, novembre 1997: http://www.multimania.com/uzine/idxneuf.html

# Déconnectés de la réalité

*Elle avait tellement pris l'habitude de s'attendre à des événements extraordinaires, qu'il lui parut tout à fait triste et bête que la vie pût continuer de façon banale.*

*Alice au pays des merveilles*

Ils furent fumistes parce qu'ils avaient en face d'eux de splendides machines, et qu'ils faisaient mine d'oublier qu'une machine n'est rien sans un humain pour... l'acheter.

Ils furent fumistes, parce qu'ils étaient obnubilés par la «techno», et ne voulaient pas admettre que six milliards d'humains ne peuvent pas prendre un virage brutal, juste parce qu'une petite poignée d'entre eux s'enthousiasment pour un nouveau joujou.

## Tenir compte des besoins

Un inventeur peut bien avoir une idée géniale; si elle ne répond pas à un besoin, son idée va mourir avec lui.

Si Gutenberg avait vécu en l'an 500 ou en l'an 1000, plutôt qu'en l'an 1400, quand bien même aurait-il eu à sa disposition tous les ingrédients nécessaires – caractères métalliques, encre grasse, presse à vigne et papier –, son idée géniale n'aurait jamais décollé. Parce qu'à peu près personne n'en aurait eu besoin.

C'est aussi bête que ça. Le *push* n'a pas décollé parce qu'il était inadapté à la technologie des années 1997-2000. La publicité sur le Net n'a pas encore décollé parce que le média est trop jeune et les annonceurs, trop conservateurs pour préférer une pub de 100 $ sur le Web à une pub de 10000 $ dans le journal. Les médias – journaux, radio, télé – sont tous sur le Net, mais ils se comportent encore comme des médias hors-Net, parce que leurs lecteurs, auditeurs et téléspectateurs se comportent eux aussi comme des lecteurs, auditeurs et téléspectateurs, et non des internautes.

En comparaison, dans les années 1950, la télé a pris la place de la radio au centre des résidences, parce qu'elle a répondu à au moins deux besoins : celui d'être en communion avec une société de plus en plus éclatée et impersonnelle, et celui de remplir, par un loisir facile, des soirées qui, une génération plus tôt, étaient consacrées à des tâches agricoles ou ménagères.

Mais Internet? Quels sont les besoins qu'il peut remplir? Celui de communiquer, certes; d'où l'adoption rapide et généralisée du courrier électronique. Mais, au-delà du courriel? Le commerce électronique? C'est une possibilité. Bien des produits, logiciels et livres en tout premier lieu, peuvent être achetés sans qu'il ne soit nécessaire de se rendre au magasin. En dépit de toutes les exagérations qui ont entouré Internet depuis 10 ans, certaines expériences de commerce électronique ont été de réels succès, et d'autres ont permis d'accroître les revenus de petites et grandes entreprises, sans qu'il ne leur en coûte une fortune.

Mais l'information, elle? Censée constituer le cœur de la révolution Internet, voire le cœur de la révolution numérique? Mis à part les internautes qui recherchent de-ci de-là une information pratique sur un sujet très précis, les médias en ligne, les sites d'information régulièrement remis à jour, à quel besoin répondent-ils, dans un monde qui était déjà submergé d'information, bien avant que ne débarque Internet?

Peut-être à aucun besoin, justement, sauf pour des professionnels et des passionnés de telle et telle thématique, qui vont se faire un plaisir d'avoir accès à des sources encore plus spécialisées que ce qu'ils pouvaient trouver à la télé ou dans les magazines étrangers. C'est une possibilité dérangeante, puisque, si elle est juste, alors l'impact d'Internet sur le niveau d'information de *toute* la population – et non pas un petit noyau à l'intérieur du petit noyau – ne se fera sentir que dans deux, trois, voire quatre générations – c'est-à-dire pas avant que les habitudes et les attitudes n'aient beaucoup évolué.

À moins que nous n'ayons posé la question à l'envers. Et si le besoin à combler, c'était plutôt celui de justement mettre de l'ordre dans ce submergement d'information?

Car, tout le monde en convient, on ne sait plus où donner de la tête. Il y a véritablement un besoin d'obtenir de l'aide, un genre d'assistant personnel, qui ferait, pour nous, un tri dans ces informations qui nous arrivent de partout. Trop de sources divergentes, trop de nouvelles qui se répètent ou, au contraire, se contredisent les unes les autres. D'où le rêve ultime : une seule source d'information, pour moi et moi seul, qui saurait ce dont j'ai besoin quand j'en ai besoin, et ne m'enverrait donc que ce qui est susceptible de m'intéresser.

Peut-être le besoin auquel Internet peut-il répondre se trouve-t-il là. Mais peut-être aussi arrivons-nous trop tôt dans l'histoire pour qu'il ait déjà pu répondre à ce besoin – ou, même, pour que la population soit suffisamment consciente de ce problème.

Car, si elle l'était, elle prendrait les mesures qui s'imposent. Comme avec l'imprimerie, jadis.

## Le rêve du *Daily Me*

Le *push* était l'ébauche d'une solution, mais il était encore beaucoup trop chaotique. L'étape suivante, logique, c'est celle du journal personnalisé. Le *Daily Me.*

Avec lui aussi, les fumistes s'en sont donné à cœur joie : dès maintenant, ont-ils proclamé, vous pouvez programmer votre propre journal, dont la une ne parlera que de ce qui vous intéresse, vous et vous seul.

Tous les méga-sites nord-américains et européens, de Yahoo à Sympatico en passant par Nomade, ont tôt ou tard fini par offrir cette option : elle consiste grosso modo à permettre à l'usager de se confectionner sa propre page d'accueil, en fonction de ses préférences. Il préfère les nouvelles du sport ? Sa page d'accueil de Yahoo ou de Sympatico les présentera en priorité. D'autres services gratuits, comme CRAYON, apparu aussi tôt que 1994, ou Net2One (un service français, comme son nom ne l'indique pas) permettent d'aller un cran plus loin en fouillant dans plusieurs dizaines de sources, puis plusieurs centaines.

Mais, dans tous les cas, l'offre est soit trop limitée (on n'a le choix que des médias qui ont bien voulu passer une entente avec ces portails), soit trop éparpillée: s'y ramassent pêle-mêle les reportages brefs de CNN et de MSNBC, les dossiers de fond de *Libération* ou de l'Agence Science-Presse, mais aussi les communiqués de presse des compagnies canadiennes et américaines, en plus des états d'âme des chroniqueurs de *Salon* ou de l'ex-*Transfert*. Par exemple, si vous avez choisi l'actualité de l'informatique, vous pouvez vous retrouver, un beau matin, avec cinq textes d'affilée sur une information inepte comme les derniers états financiers de Microsoft: le communiqué de Microsoft en double exemplaire, parce qu'il a été publié sur le «fil» de Canadian NewsWire et sur son équivalent américain, la brève pondue par le journaliste de Reuters, la brève de Reuters publiée par MSNBC, et la brève de CNN qui s'inspire de la brève de Reuters!

Les connaisseurs objecteront que ces services sont ineptes parce qu'ils sont gratuits. Que, pour avoir un véritable journal personnalisé, il faut minimalement être prêt à payer ce qu'on paierait pour un journal «traditionnel».

Hélas, c'est faux. Gratuits ou payants, tous les services souffrent des mêmes vices de forme que le *push*: d'une part, ils passent en revue l'ensemble de la production quotidienne de tous les journaux, magazines et communiqués qui ont bien voulu signer une entente avec eux; et, d'autre part, ils sont incapables de distinguer l'essentiel de l'accessoire; en conséquence, ils vous envoient tous les textes contenant le mot clé que vous avez sélectionné.

Le seul avantage des services payants, c'est que vous pouvez raffiner votre sélection: par exemple, tous les articles sur la Formule Un, à l'exception des communiqués de presse, des lettres de lecteurs et de ce qui contient, dans le titre, le mot clé «Villeneuve». Mais, aussi raffinée que puisse être votre sélection, elle finit toujours par se heurter au même piège: l'absence de classification normalisée. Tous les magazines ne catégorisent pas leurs articles suivant des mots clés propres aux bibliothécaires, et ceux qui le font ne vont pas au-delà de quelques mots clés très généraux. Le robot n'aura donc d'autre choix que de vous envoyer tout ce qu'il aura trouvé, sans vous fournir le moindre indice sur les qualités respectives des textes qu'il a trouvés.

Et plus il a de sources à sa disposition, plus il vous envoie des trucs ineptes.

Ce n'est pas tout, il y a un autre problème : ces robots sont évidemment incapables de prévoir ce qui *pourrait* vous intéresser, *si vous n'y avez pas vous-même pensé*. Un peu comme un majordome à qui vous auriez donné instruction de refuser tous les appels et de renvoyer tous les visiteurs qui ne se trouvent pas sur votre liste. Vous atteindriez certes votre but : ne recevoir que de l'information qui vous concerne. Mais à quel prix : plus jamais de nouvelles rencontres, plus jamais de nouveaux horizons, plus jamais de découvertes inattendues. Plus jamais de surprises.

Et que dire de l'information « non solvable[1] » ? Le sans-abri mort gelé par une nuit d'hiver, la répression au Timor oriental, la jeune fille menacée d'exécution au Nigéria parce qu'elle est enceinte... Peu de chance que ces nouvelles correspondent à un quelconque mot clé, en tout cas dans la majorité de la population... Ce qui ne veut pas dire que ces nouvelles ne mériteraient pas votre attention ! « Les lecteurs ne savent pas toujours à l'avance ce qui va les intéresser, ils espèrent et s'attendent à être surpris », protestait, avec raison, la Fédération internationale des journalistes, lors d'un des nombreux débats sur le mythique *Daily Me*[2].

Heureusement pour les journalistes – et pour l'information non solvable –, l'échec du journal personnalisé, c'est justement de cette vision étroite des vendeurs de *Daily Me* qu'il est venu : pour eux, le monde s'arrêtait à l'information facilement accessible, celle qui fait la une, bref, le plus petit dénominateur commun.

Par ailleurs, malheureusement pour eux, il y a de la concurrence entre les médias. Leurs beaux plans se sont effondrés lorsqu'ils se sont aperçus que le journal d'une localité n'est pas nécessairement intéressé à ce que ses articles se retrouvent côte à côte avec ceux de son concurrent direct. On peut arriver à l'en convaincre, mais alors il faut y mettre le gros prix. Pire encore, si le service de journal

1. L'expression est du quotidien français *Le Monde*, dans un article qui, en octobre 1995, s'inquiétait des effets néfastes de ces éventuels journaux personnalisés.
2. Mémoire de la Fédération internationale des journalistes, 1995.

personnalisé est géré, comme cela s'est souvent vu, par le premier journal, tous les reportages publiés par le second journal tombent dans un trou noir.

Dans une logique bêtement capitaliste, cela se tient. Mais dans la logique d'un journal qui se prétend unique, donc rassembleur, cela n'a plus aucun sens. La valeur de ce journal unique se réduit soudain comme peau de chagrin.

La solution saute donc aux yeux: il faut un vrai journal unique. Et, pour cela, quoi de mieux que de rassembler tous les médias sous un même chapeau – en d'autres termes, chez un même propriétaire?

## Le rêve ultime: la convergence

On en arrive là au rêve ultime de Bill Gates. Au rêve ultime des Time Warner, Disney et autres Vivendi. Au rêve ultime des investisseurs pour qui la presse et Internet ne sont que des éléments interchangeables du vaste univers du divertissement. Là où l'argent coule à flots...

Ce rêve ultime, c'est celui de la *convergence*. La convergence des médias. La concentration de la presse entre les mains d'un minimum de propriétaires qui fait si peur, non sans raison, aux défenseurs de la liberté de presse. Et la convergence de la télé, de la radio et de la presse écrite, sous un même toit. Idéalement, dans une même salle de rédaction, qui serait occupée par les mêmes journalistes, lesquels pourraient dès lors, indifféremment, travailler pour la télé, la radio ou l'écrit. Quelles belles économies on ferait, se sont dit les comptables.

On en arrive effectivement, ici, au rêve ultime des gens d'affaires. Mais pas seulement d'eux.

Car on en arrive également, ici, au paradoxe des paradoxes. *Ce rêve ultime, cette utopie des utopies a été partagée par les deux frères ennemis : les gens d'affaires et les pionniers d'Internet.*

Le village global. La communauté planétaire. Un Internet, un journal. Une planète, un journal. La même information, envoyée du même émetteur, entre dans toutes les oreilles et passe par tous les yeux en même temps. La mondialisation à l'état pur.

Bien sûr, les internautes de la première heure s'indigneraient devant pareille vision: ils répliqueront qu'ils ont toujours été, eux, opposés à la concentration de la presse et qu'au contraire Internet a donné l'occasion aux petits médias de concurrencer les grands sur leur propre terrain.

C'est vrai. Mais, en même temps, ce rêve d'un journal personnalisé, que *ces mêmes internautes* ont monté aux nues, ne peut ultimement se réaliser que si tout le monde accepte de jouer sur le même terrain – accepter les mêmes règles.

Même lorsqu'ils dénoncent la convergence, les activistes du Net sont, bien malgré eux, les premiers à l'encenser: un site Web devrait idéalement être connecté à son journal, ont-ils dit et répété alors qu'ils critiquaient ces «ignares» qui créaient un site sans l'intégrer aux activités du journal. Un site Web devrait donc partager ses ressources avec le journal. Les journalistes du «vieux» journal devraient travailler à la fois pour la version imprimée et pour la version Web.

Pour ce faire, a-t-on prétendu, le journaliste du futur devra apprendre à «écrire Web», à parler HTML, à prendre des photos numériques et à filmer des séquences vidéo qu'il pourra bien sûr mettre lui-même en ligne... tout en sachant écrire, faire des recherches, mener des entrevues, chasser le *scoop*...

Ce rêve-là n'est pas sorti de la tête de Bill Gates. Il a été exprimé par ceux-là même qui dénonçaient les médias traditionnels dans les forums de discussion d'Internet, au milieu des années 1990, et sur le WELL, dès les années 1980. On l'a plus tard retrouvé dans les *weblogs* de la fin des années 1990 et dans le réseau Indymedia d'après 1999, ce réseau de «médias indépendants» né à Seattle.

Ce rêve d'un journaliste polyvalent, ce rêve d'un journaliste «plurimédia», ou multimédia, ils l'ont vu comme le symbole de ce qui permettrait à la «vieille» presse de se défaire de ses carcans et d'entrer enfin dans le XXIe siècle.

Eh bien, ce rêve, ils l'ont presque eu. On le leur a offert sur un plateau d'argent. Juste avant que l'effondrement de la bourse ne le reporte à une date indéterminée.

Ainsi, le Centre des nouveaux médias de l'école de journalisme de l'Université Columbia, à New York, a-t-il décrit avec fierté, en 1999, son nouveau bébé : la Station mobile de travail pour journaliste (Mobile Journalist Workstation)[3]. Le journaliste porte des lunettes abritant un mini-écran d'ordinateur ; accroché à un casque ou à sa ceinture, se trouvent aussi un mini-modem, une mini-caméra, des écouteurs et un micro lui permettant de dialoguer avec sa salle de rédaction, ou d'écouter et de lire des documents transmis par Internet. Et il est relié à un satellite grâce au système GPS, ce qui permet de le localiser en tout temps. Les créateurs de cette station la décrivent, allez savoir pourquoi, comme un outil de « réalité augmentée » (comment peut-on « augmenter » la réalité ?). On peut grâce à ce joujou réaliser des reportages sur place. Et en direct, cela va sans dire. Seul inconvénient : l'attirail est pour l'instant cher : près de 20 000 $CA. Et encombrant : 20 kg. Mais ce n'est que le premier prototype...

Ainsi encore, ces trois médias de Tampa, en Floride, souvent mentionnés dans les congrès de journalistes, parce qu'ils sont devenus les premiers à amener le concept de convergence au niveau ultime décrit quelques paragraphes plus haut : trois médias, une seule salle de rédaction[4].

Depuis mars 2000, le quotidien *Tampa Tribune*, la station de télé WFLA (affiliée au réseau NBC) et le site Web Tampa Bay Online (TBO.com) regroupent en effet une partie de leurs activités autour du Media General's Newscenter. Dans les faits, il s'agit davantage d'un pupitre commun que d'une véritable salle de nouvelles commune, puisque celle-ci est répartie sur trois étages : les trois équipes demeurent indépendantes et continuent de prendre leurs propres décisions pour la couverture de l'actualité. Mais toutes trois échangent suffisamment d'informations et partagent suffisamment d'idées – et d'employés – pour que l'on parle de travail commun.

On peut voir par exemple, un beau matin, Doug Anderson, responsable des assignations à WFLA, envoyer un journaliste sur les lieux d'une rupture d'égout, en même temps qu'il prévient Todd

---

3. Description du projet : http://www.cs.columbia.edu/graphics/projects/mjw/
4. Joe Strupp, « Three-Point Play », *Editor and Publisher*, 21 août 2000, p. 18-23.

Chappel, directeur des photographes du *Tribune*, dont le bureau est juste en dessous du sien. Chappel envoie à son tour son photographe, pendant que son voisin, Steve De Gregorio, rédige une note à ce sujet en vue de la réunion de production du quotidien, à 10h30. De Gregorio est l'éditeur multimédia du journal et «l'agent de liaison» entre les trois médias. De cette façon, TBO.com prend connaissance de l'incident et peut aussitôt l'annoncer sur le Web.

Ce Newscenter «est la salle de nouvelles du futur», s'est empressée d'écrire la *Columbia Journalism Review* dans son édition de mai 2000 – un magazine qui, lui aussi, comme la Station mobile ci-dessus, est issu de l'Université Columbia de New York[5].

Si cette affirmation devait se révéler vraie, cela signifierait de sérieux changements dans le futur métier de journaliste.

Parce que, si cette évolution est poussée jusqu'à sa limite, ce ne sont pas seulement les responsables des assignations et les directeurs photos qui verront leur train-train bouleversé. En théorie, un journaliste de l'écrit pourrait désormais se voir assigné à couvrir un événement, tout en ayant l'obligation d'en prendre des images vidéo et de faire une recherche d'hyperliens adéquats. Dès le printemps 2000, on a commencé à voir des journalistes du *Tribune* sur les ondes de WFLA tandis que des journalistes de WFLA signaient des reportages dans le *Tribune*.

Mais il y a des obstacles. Tout d'abord, tout le monde ne peut pas être bon en tout. Il est illusoire de croire qu'un journaliste de l'écrit puisse, à tous les coups, savoir comment il faut se comporter devant une caméra. Et il est tout aussi illusoire, eh oui, d'imaginer que tous les journalistes de la télé savent écrire convenablement. Il y a même des journalistes de l'écrit qui perdront toute crédibilité à la télé, tout simplement parce qu'ils ne sont pas... beaux. Ou parce qu'ils sont trop timides. Comme le résumait avec humour un journaliste d'un hebdomadaire de Phoenix (Arizona), qui se qualifiait lui-même de «laid et muet»: «La convergence est formidable pour les nouvelles télévisées, formidable pour le marketing d'un journal,

5. Neil Hickey, «Converge Me Up, Scottie!», *Columbia Journalism Review*, mai 2000: http://www.cjr.org/year/00/2/hickey.asp

mais affreuse pour le marché aux idées et la carrière de *nerds* talentueux qui, si j'en crois mon expérience, constituent les fondements même du journalisme écrit de qualité... Des affligés du syndrome de Gilles de la Tourette qui couvrent l'hôtel de ville. Des amateurs de *Donjons et Dragons* aux sports. Ils sont les meilleurs en ville dans ce qu'ils font, et ils sont trop timorés pour faire quoi que ce soit d'autre[6]. »

Rapidement, certains des scribes de Tampa ont commencé à grincer des dents, quand ils ont pris conscience des contraintes qu'on cherchait à leur imposer, et les beaux plans d'avenir du trio médiatique ont été repensés de mois en mois, à mesure que les patrons prenaient eux aussi conscience que ce qui avait du sens sur papier n'en avait pas nécessairement dans la réalité.

Ensuite, il y a des cultures d'entreprises différentes. Ne serait-ce que le désir d'un TBO.com de voir un reportage mis en ligne à la minute même où un journaliste arrive sur les lieux d'un événement, désir qui se heurte à la volonté du *Tribune* de voir au contraire ce texte d'abord relu et vérifié.

Enfin, la relation entre les trois médias est tout sauf égalitaire. Lorsque le projet a été imaginé et l'immeuble spécialement réaménagé pour accommoder ces trois médias, en 1998-1999, le Web était dans sa phase euphorique, de sorte que tout permettait de croire que TBO.com et la *Tribune* seraient un jour des partenaires en parts égales. Mais, quelques semaines après l'inauguration officielle, la bourse s'effondrait et les investisseurs retiraient leurs billes. Conséquence : celui des trois qui s'est mis à profiter le plus de l'alliance, et de loin, c'est justement TBO.com : lui qui se voyait jusque-là condamné au simple repiquage de nouvelles publiées chez ses confrères peut désormais bénéficier de reportages de qualité et d'une abondante banque d'images. Il n'a même plus besoin d'embaucher des journalistes – ce qui tombe bien, ses revenus publicitaires ayant fondu comme neige au soleil !

6. Robert Nelson, « Strange Bedfellows », *New Times* (Phoenix), 7 février 2002 : http://www.phoenixnewtimes.com/issues/2002-02-07/nelson.html/1/index. html

Un autre qui profite bien de l'alliance, c'est le quotidien *Tampa Tribune*, puisqu'il gagne soudain des tonnes de publicités gratuites, par l'accès inespéré à la télé qu'on lui offre.

Seule cette dernière, WFLA, se retrouve du coup avec deux partenaires dont il lui arrive de ne trop savoir à quoi ils servent. L'un, le journal, ne publie que plusieurs heures après ses téléjournaux, et l'autre, le site Web, ne fait que lui repiquer ses images...

Même la rentabilité de l'expérience – la raison d'être de tout ce chambardement – est mise en cause. Économiser des sous? On en cherche encore des preuves.

Les cotes d'écoute ont-elles augmenté? Et le lectorat? Parfois oui, parfois non, sans qu'on puisse dire si la convergence a quoi que ce soit à y voir. Les économies ont-elles permis d'offrir aux actionnaires un plus gros profit? Pas encore: les réaménagements considérables de l'édifice ont coûté, à eux seuls, 42 millions de dollars. Et manque de chance, dans la foulée de la débandade boursière de l'année 2000, les revenus publicitaires de l'ensemble du groupe Media General ont dégringolé d'un trimestre à l'autre, au cours des deux années suivantes.

Quant aux 3200 employés de Media General, ils ont vécu les premières répercussions financières en décembre 2000, lorsque leur patron annonça que, pour la première fois en 30 ans... il n'y aurait pas de primes de Noël.

Les gourous d'Internet n'avaient pas prévu ça.

## Les sirènes de la convergence

Tout comme ils n'avaient pas prévu que l'explosion de leur média libre, égalitaire et universel, se traduirait par une exploitation encore plus grande des artistes, écrivains, chanteurs, créateurs, journalistes pigistes et autres travailleurs à statut précaire.

Le droit d'auteur est ainsi un de ces beaux cas où, sans même s'en rendre compte, les activistes les plus à gauche, les plus violemment anticapitalistes, ont parlé le même langage que Bill Gates: si l'information doit être libre, alors elle doit être gratuite. Si Internet permet un accès gratuit à tout ce qui existe et à tout ce qui a existé, alors tout doit pouvoir être diffusé, partout, sans restriction. En conséquence, le droit d'auteur à l'heure d'Internet, c'est un anachronisme, ont dit les militants d'Internet, y compris la célèbre Electronic Frontier Foundation (ses membres les plus radicaux prônaient l'abolition pure et simple du système de copyright).

Et même *Wired*, magazine de créateurs, a pris parti... contre les créateurs : « L'idée que la propriété intellectuelle dans une économie basée sur le Net puisse perdre de sa valeur horrifie la plupart des propriétaires et créateurs. Vaut mieux qu'ils s'habituent à l'idée. » Aucune solution proposée, pas d'autres possibilités, sinon un vague vœu pieux : le concept de propriété intellectuelle sera remplacé par celui de « valeur intellectuelle », laquelle valeur, allez savoir pourquoi, « ne peut pas être copiée aussi facilement sur le Net[7] ».

Thèse aussitôt appuyée par une floppée de petits entrepreneurs qui ont vu qu'il y avait des sous à faire dans la copie sans restriction d'œuvres musicales : ce fut l'ère des Napster et autres, grâce à cette technologie appelée le MP3. Et dans le domaine de la presse écrite, ce fut l'époque, moins connue, des éditeurs qui ont cherché à s'approprier tous les droits sur les œuvres parues et à paraître dans leurs pages, au détriment d'artistes, illustrateurs et auteurs dont les revenus frisaient déjà l'indigence.

Imaginez : un futur pas si lointain, où chacun peut lire son journal à toute heure du jour ou de la nuit, grâce à des appareils électroniques portables, faciles à lire. Un monde où les médias, grâce aux jeux des fusions et acquisitions, s'entremêlent. Dans ce futur, on ne lit plus un journal : on zappe. Dans ce futur, un journaliste ne voit plus son article publié une fois, puis oublié. Il le voit rediffusé chez le journal-cousin de la localité voisine, archivé, re-publié, illustré, réutilisé encore sous d'autres formats, etc.

Mais, dans tout ce processus, il n'aura été payé qu'une et seulement une fois, parce qu'on a jadis tordu le bras à l'auteur afin qu'il

---

7. Esther Dyson, « Intellectual Value », *Wired*, juillet 1995 : http://www.wired.com/wired/archive/3.07/dyson.html

signe un contrat par lequel il abandonne tous ses droits sur tous ses articles, maintenant et pour les siècles à venir.

De tels contrats circulent aux États-Unis depuis 1992, au Canada anglais depuis 1995, au Québec depuis 1996, et en France depuis 1997. Une deuxième vague est apparue au Canada en 2000-2001, dans la foulée d'un jugement américain favorable aux pigistes. Des contrats qui ont été rédigés, non pas dans les salles de rédaction, mais dans des bureaux d'avocats, ce qui leur donne une allure aussi sèche que: «Je soussigné, par la présente, cède définitivement au magazine Y tous mes droits sur tous mes articles parus et à paraître, afin qu'ils puissent être réutilisés sur tout support, connu ou à inventer[8].»

Et tout particulièrement à partir de la deuxième vague, le contrat a été systématiquement accompagné d'une menace implicite: si tu ne signes pas, tu ne travailles plus pour nous. Ce qui, lorsqu'on est un travailleur pigiste, c'est-à-dire payé au contrat, est l'équivalent d'un fusil sur la tempe.

Un mouvement d'indignation a commencé à émerger, par exemple aux États-Unis à l'été 1995, lorsque le prestigieux *New York Times* s'est ajouté à la liste des éditeurs honnis qui faisaient circuler de tels contrats. En quelques semaines, tout ce qui bouge en journalisme et en littérature s'est ligué pour dénoncer le quotidien et le tort qu'il risquait ainsi de causer à des pigistes dont le salaire n'était déjà pas très élevé. Devant la pression – et la mauvaise publicité – le *Times* a discrètement retiré le contrat[9].

Sur tous les continents, des négociations ont été entreprises et des ententes, signées: des centaines de médias paient désormais à leurs journalistes des «droits de reproduction électronique», souvent modestes, mais symboliquement importants. Et là où les deux parties sont restées campées sur leurs positions assez longtemps pour que la cause se rende jusqu'en cour, partout, sur tous

8. Pour le Québec, on trouvera des exemples de tels contrats sur le site de l'Association des journalistes indépendants du Québec, à: http://www.ajiq.qc.ca/cession.htm
9. «Les droits d'auteur : l'heure du Québec», *L'Indépendant*, printemps 1996, p. 1, 5-6: http://www.ajiq.qc.ca/droits_aut/droit7.htm

les fronts, dans tous les pays, les pigistes ont gagné. En Belgique, en octobre 1996, le tribunal de première instance de Bruxelles a donné raison aux journalistes, dans leur bataille engagée contre les principaux éditeurs de quotidiens, qui venaient alors de créer un site payant, *Central Station*, sur lequel chaque journal versait les articles de sa dernière édition. En France, le 3 février 1998, le tribunal de grande instance de Strasbourg a donné raison aux journalistes qui alléguaient que le quotidien *Dernières nouvelles d'Alsace* n'avait pas leur autorisation pour publier et archiver leurs textes sur Internet.

Au Canada, 17 pigistes du quotidien montréalais *The Gazette* ont déposé, en avril 1997, un recours collectif de 33 millions de dollars contre la chaîne Southam et Cedrom-Sni, principale firme d'archivage électronique d'ici. Au Québec, l'Association des journalistes indépendants a déposé en juin 1999, à la Cour supérieure de Montréal, une requête en recours collectif de 30 millions de dollars contre 13 quotidiens et périodiques québécois, et la firme Cedrom-Sni. Aux États-Unis enfin, la mère de toutes les causes, celle qui a été déposée dès 1993 par la National Writers Union au nom de six pigistes contre six multinationales des communications et de l'archivage électronique (New York Times Co., Time Inc., Mead Data Central Corp., etc.), a franchi, à la vitesse d'une tortue, toutes les étapes du processus judiciaire, pour se rendre jusqu'en Cour suprême. En juin 2001, la Cour suprême des États-Unis donnait à son tour raison aux pigistes : éditeurs et firmes d'archivage n'ont pas le droit de réutiliser ces textes sans leur autorisation[10].

Et si les pigistes ont gagné un peu partout, c'est parce que la loi est très clairement de leur côté : aux États-Unis, comme au Canada ou en France, un auteur qui vend un article à un journal ou à un magazine ne cède que ce qu'on appelle « le droit de première publication ». Rien d'autre. Toute réutilisation – sur un cédérom, par exemple, ou un site Web – doit donc faire l'objet d'une négociation.

Simple, en théorie. Sauf que lorsqu'un pigiste, ou même une association de pigistes, se retrouvait devant des empires médiatiques dont la taille, à la fin des années 1990, dépassait l'imagination,

---

10. Tour d'horizon de la poursuite, documents d'archives et dernières nouvelles : http://www.nwu.org/tvt/tvthome.htm

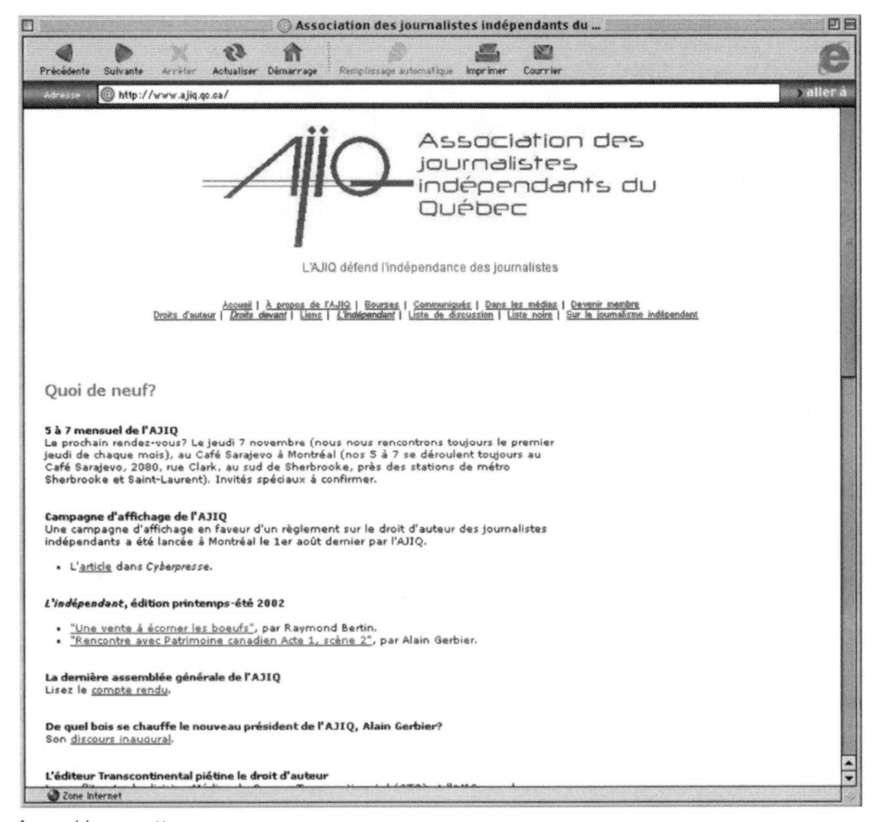

http://www.ajiq.qc.ca

aucune loi ne permettait de créer comme par magie une relation égalitaire. La convergence tant souhaitée par les internautes, et favorisée par Internet, a rendu la vie encore plus dure à tous les sans-grade, les «petits», eux à qui l'utopie Internet s'adressait pourtant.

Les gourous d'Internet n'avaient pas prévu ça non plus...

Encore un exemple: les tarifs pratiqués dans la presse écrite. Non pas les salaires gagnés par les syndiqués jouissant de bonnes conditions de travail grâce à des luttes syndicales durement menées, mais les montants versés aux pigistes.

Les salariés ont souvent du mal à comprendre pourquoi les pigistes contestent autant ce droit que réclament les éditeurs de réutiliser leurs textes sur Internet ou sur des cédéroms. «Dans le temps, disent traditionnellement les vétérans du journalisme, je considérais ça comme un honneur d'apprendre qu'on voulait réutiliser mes textes ailleurs!» Poussés dans leurs derniers retranchements, les salariés admettent certes que le revenu moyen d'un pigiste ne doit «probablement» pas être très élevé, et que la possibilité que ses textes soient republiés deux ou trois fois, cela fait autant de contrats potentiels en moins pour lui.

Mais, concrètement, ça veut dire quoi, des revenus pas très élevés?

Cela veut dire ceci. La situation des journalistes pigistes est souvent décrite comme dramatique, mais une étude a révélé en 2001 qu'elle est devenue carrément aberrante. Pendant que la télé offre de plus en plus d'ouvertures aux jeunes journalistes, grâce à l'explosion des chaînes spécialisées, qui signifie davantage d'émissions d'information et d'affaires publiques, la presse écrite, elle, stagne.

Selon cette étude, réalisée aux États-Unis par la National Writers Union (NWU), les tarifs versés aux pigistes, lorsqu'on les calcule en dollars de 1960... ont diminué de moitié depuis 40 ans! Et pour agrémenter la sauce, les éditeurs en demandent plus qu'il y a 40 ans pour le même montant – par exemple, cette fameuse réutilisation des textes[11].

Il faut savoir que, dans la presse écrite, un pigiste est habituellement payé au feuillet ou au mot (un feuillet équivaut à 1 500 caractères, soit environ 300 mots). Au Québec, une poignée de publications paient plus de 100 $ le feuillet, mais la grande majorité se situent en dessous de cette barre, voire en dessous de la barre des 50 $ le feuillet (*Le Soleil, 7 Jours, Dernière Heure*, etc.).

Aux États-Unis, révèle l'étude, le magazine *Cosmopolitan* (pourtant considéré comme un bon client) payait 60 cents du mot en 1966 (soit 180 $ du feuillet), comparativement à un dollar du mot en 2000 (soit 300 $ du feuillet). Une augmentation enviable? Pas tout à fait: compte tenu de l'inflation depuis 1966, cette «augmentation» se transforme en réalité, pour l'auteur, en une baisse de revenus de 33%.

---

11. National Writers Union, *Report on Pay Rates for Freelance Journalists*: http://www.nwu.org/journ/minrate.htm

Il y a pire: *Good Housekeeping* payait un dollar le mot en 1966... et paie un dollar le mot aujourd'hui!

Le rapport est plus précisément l'œuvre d'un comité mandaté par la NWU, la principale association de pigistes là-bas, pour déterminer ce que devrait être «un tarif minimum acceptable» pour un pigiste. C'est ainsi que, sur la base de son expérience du milieu, le comité évalue la production d'un journaliste salarié au sein d'un magazine: entre 20000 et 30000 mots par an. Compte tenu des salaires du milieu, cela équivaut donc à 1,60$ du mot, avantages sociaux non inclus. Le tarif des pigistes, conclut le comité, pourrait donc être largement réévalué à la hausse.

Une autre façon d'en arriver à cette conclusion est de calculer les revenus que tire une publication pour chaque mot: en d'autres termes, ses revenus totaux de publicité et d'abonnements, divisés par le nombre de mots publiés. Un mensuel comme *Discover* par exemple, avec ses 25 millions de dollars américains de revenus publicitaires l'année précédente (estimation conservatrice) et ses 25 millions en abonnements (sans compter les ventes en kiosque), récolte par conséquent en revenus plus de 125$ «du mot» (500 pages de texte par an multiplié par une moyenne de 800 mots par page). Étant payés un dollar du mot, ses pigistes reçoivent donc moins de 1% de ce montant (un dollar sur 125).

Ce qui n'est *vraiment* pas grand-chose: en comparaison, les éditeurs de livres versent 10% de leurs revenus aux auteurs.

Le calcul de la NWU a d'autant plus de sens que non seulement les tarifs n'augmentent pas depuis des décennies, mais, en plus, les contrats risquent de se faire moins nombreux, si se produit le «recyclage» des textes évoqué plus haut, ce recyclage que nous promet la société de l'Internet... et de la convergence.

Imaginons, en effet, une fois encore, un scénario d'avenir. Un futur pas si lointain où, dans le but d'économiser de plus en plus de sous, les formules que nous voyons déjà apparaître deviennent la norme: le magazine A, publié en français, donne gratuitement ses textes au magazine B, publié en anglais, puisque tous deux appartiennent au même propriétaire (appelons-le Z). Le texte de A se retrouve l'année suivante sur un cédérom (appelons-le C) rassemblant les meilleurs textes de l'année publiés par A et B. Et sur un site Web. L'éditeur D, lui aussi propriété de Z, publie un livre, *Guide pratique sur les trucs et les machins*, qui rassemble des textes tirés de A et B. Le livre ayant un grand succès, il est réédité l'année suivante.

Au bout de la ligne, un texte publié dans A s'est donc retrouvé republié cinq fois, sans que nul n'ait jamais daigné payer le moindre sou supplémentaire à l'auteur – bien que, dans tout ce processus, des revenus nouveaux soient entrés de tous les côtés chez Z : par l'entremise du magazine anglophone, par le cédérom, le livre, sa réédition, et peut-être même le site Web (on peut rêver).

Il n'y a pas si longtemps, cela se serait passé ainsi : le pigiste spécialisé (science, technologie, habitation, plein air, etc.) se serait fait passer une commande par l'éditeur D pour pondre un article pour ce guide pratique. Et il aurait pu revendre ses textes en traduction au marché anglophone.

Mais, dans ce futur où A prête à B qui est réédité sur C qui alimente D, il voit toutes ces portes se refermer.

Les gourous d'Internet n'avaient pas prévu cela non plus...

## Le naufrage de la convergence

Or donc, ce rêve ultime : la convergence. Les conglomérats de journaux qui avalent des conglomérats télé qui avalent des conglomérats de la câblodistribution qui avalent des distributeurs de vidéocassettes qui fusionnent avec des conglomérats de magazines qui sont avalés par des conglomérats du divertissement.

Au bout du compte, c'est le rêve d'un média unique qui prend forme : la chaîne de salles de cinéma peut annoncer dans « ses » journaux qui obtiendront une plus grande visibilité sur « leurs » chaînes de télé qui feront mousser « leurs » disquaires et « leurs » magazines, lesquels obtiendront la primeur de « leurs » vedettes qui jouent dans « leurs » films...

Après l'acquisition, en janvier 2000, du géant Time Warner par le géant de l'inforoute America on Line, l'univers AOL-Time Warner, c'était désormais, sous un seul et unique chapeau : la chaîne d'information CNN, la chaîne payante de cinéma HBO, les magazines *Time*, *Sports Illustrated*, *Fortune*, *People*, et bien d'autres, la chaîne CourtTV, Warner Brothers pour le cinéma, Hanna Barbera pour les dessins animés, EMI pour la musique, Netscape pour Internet, une centaine de grandes entreprises dans le cinéma, l'édition de livres, la télédiffusion et le câble, en plus d'une participation à une vingtaine d'autres dont le Turner Network[12]... Et les 22 millions d'internautes d'AOL, les 13 millions de câblés de Time Warner et les 150 millions de lecteurs de magazines...

Au milieu et à la fin des années 1990, tout cela semblait implacablement logique. La croissance des micro-ordinateurs et des inforoutes mettait en place le décor idéal: toute la population branchée sur un même canal, par lequel il serait tellement facile de la gaver. Celui qui détiendrait le pipeline détiendrait le monde. Mettre en doute cette évidence vous faisait qualifier de dinosaure: qui pouvait en effet nier qu'en reliant entre eux un maximum de médias et de sources d'alimentation on économiserait des sous? Alors, on achetait compagnies après compagnies, on fusionnait une souris (comme AOL) avec un éléphant (comme Time Warner), juste parce que les actions de la souris valaient tout à coup davantage que celles de l'éléphant.

Même la débandade boursière du printemps 2000 n'a pas suffi à ralentir les ardeurs: «Cette débandade concerne les petites compagnies Internet, donc des amateurs», expliquèrent dédaigneusement les PDG. Nous, géants de la téléphonie, des télécommunications, du câble, du divertissement ou de la presse écrite, nous appartenons à une race différente. Supérieure.

Or, la débâcle, on le sait, a fini par les atteindre eux aussi. Et la raclée fut magistrale. Dégringolade des actions de Nortel, passé en quelques semaines de fleuron de l'économie canadienne à honte nationale. Faillite de l'américain Global Crossing, vedette des télécommunications transformée en janvier 2002 en quatrième faillite en importance de toute l'histoire des États-Unis. Pertes se calculant en milliards de dollars chez des Lucent Technologies, PSINet et autres Qwest Communications. Dérapage magistral du géant WorldCom,

12. Liste partielle mais néanmoins imposante à: http://www.cjr.org/owners

accusé d'avoir «camouflé» des pertes de pas moins de 7 milliards de dollars.

Entre le printemps 2000 et le printemps 2002, le vaste secteur des télécommunications – incluant Internet – aurait vu partir, en Amérique du Nord, près de 400 000 emplois, selon certaines estimations[13]. Parfois, en moins d'une semaine, comme ce fut le cas à la fin d'avril 2002, on assistait en cascade à une série d'événements marquants, sans liens entre eux, sinon par ce qu'ils révélaient de la débandade: la démission fracassante du grand patron de BCE, géant de la téléphonie canadienne, envoyé dans les choux pour des acquisitions dont la valeur avait fondu comme neige au soleil; la débandade du grand patron de Vivendi, talonné par des actionnaires pour les mêmes raisons (il démissionnerait deux mois plus tard); et l'annonce par AOL-Time Warner de pertes de 54,2 milliards de dollars au trimestre précédent. La plus importante perte de toute l'histoire des États-Unis[14]!

Certes, rien n'est jamais terminé. L'économie est une grande roue qui tourne, et, à l'heure où vous lirez ces lignes, AOL-Time Warner pourrait aussi bien avoir repris du poil de la bête... ou avoir été avalé par un plus gros et démantelé !

Mais la plus importante perte de toute l'histoire des États-Unis? Pour une fusion qui, deux ans plus tôt, avait été décrite par la grande majorité des médias... comme un modèle à suivre???

Les gourous d'Internet auraient pu, et auraient dû, prévoir cela. Ils avaient en main toutes les données pour, sans aller jusqu'à jouer aux devins, à tout le moins prévenir leurs lecteurs et téléspectateurs que rien ne garantissait que les choses tourneraient aussi rond que les PDG voulaient bien le prétendre. S'ils avaient eu un peu de jugeotte, ils l'auraient dit. Un peu d'esprit critique. Un peu de recul. Et un peu de courage.

S'ils avaient eu un poil de courage. Le courage d'affronter la réalité.

---

13. Gretchen Morgenson, «Telecom, Tangled in Its Own Web», *The New York Times*, 24 mars 2002, p. III-1 et III-7.
14. «The Engine Stalls at AOL», *Time*, 22 avril 2002, p. 33-36

# Deuxième partie
# Affronter la réalité

*Tout ce qui est or ne brille pas;*
*Tous ceux qui errent ne sont pas perdus;*
*Le vieux qui est fort ne dépérit point;*
*Les racines profondes ne sont pas atteintes par le gel;*
*Des cendres, un feu s'éveillera;*
*Des ombres, une lumière jaillira...*

J.R.R. Tolkien, *Le Seigneur des anneaux*

Pendant qu'on débattait sur le sexe des anges et sur le choix douloureux à faire entre la ligne téléphonique à haute vitesse et le câble, pendant qu'on ergotait à pleines pages dans les journaux, des nouvelles normes HTML, de «CorelDraw vs. Canvas 5» ou du nouveau joujou de la semaine, pendant qu'on se laissait hypnotiser par les sirères de la publicité et de la convergence, le nouveau monde se mettait en place, avec ses forces et ses faiblesses. À 100000 lieues de ce qui préoccupait aussi bien les activistes du Net que les futurs millionnaires. À 100000 lieues de ce qui faisait la une des magazines Internet.

Il n'est pourtant pas compliqué, ce nouveau monde. Mais on a tellement parlé de la technologie au détriment de tout le reste, qu'on a fini par enfoncer dans le crâne d'une majorité de gens qu'il vaut mieux, pour leur santé mentale, ne pas trop penser aux futurs développements d'Internet: c'est trop savant pour eux. C'est une affaire de «technos».

Or, qu'Internet roule dans 50 ans sur le téléphone, le câble, la fibre optique, le satellite ou une technologie encore à inventer, on s'en fout. Cela ne changera absolument rien à nos vies: ce qui les changera, ce sera la présence d'Internet lui-même.

La présence d'Internet et des réseaux informatiques entraîne dans son sillage trois gros problèmes, qui seront omniprésents au cours des prochaines décennies. Trois problèmes qui font l'objet de la deuxième partie de ce livre, trois problèmes dont on a tout intérêt à se préoccuper, avant qu'ils ne nous dévorent: la *désintégration de la vie privée*, la *dilution d'une information fiable* et, paradoxalement, *l'overdose d'information.*

Nul besoin d'être expert en technologie pour se pencher là-dessus: au contraire, si on attend que seuls les informaticiens s'en préoccupent, le problème ne fera que continuer à empirer – puisque, pour eux, il n'y a pas de problèmes.

Tout comme, à lire la plupart des chroniqueurs Internet des années 1994-2000, il n'y avait pas de problèmes. Autre que « quel modèle d'ordinateur vais-je m'acheter cette année, et devrais-je remettre à jour ma version d'*Office*».

# Désintégration de la vie privée

*Il n'est point de secrets que le temps ne révèle.*
Jean Racine, poète (1639-1699)

Oh, il est vrai qu'en matière de vie privée et de technologies les journaux n'ont pas été avares d'articles. Mais, plus souvent qu'autrement, c'était pour associer la croissance d'Internet aux menaces qui pèsent sur votre intimité. Alors qu'Internet n'est pas, et de loin, l'ennemi.

## La vie privée n'est pas sur Internet

Par exemple : on a beaucoup parlé, à l'époque pas si lointaine (1994-1996) où les *newsgroups* (forums de discussion) étaient encore populaires, du fait que n'importe qui pouvait retracer vos écrits – pour autant, bien sûr, que vous ayez déjà participé à un de ces forums.

Rappelons qu'on parle ici de ces dizaines de milliers de forums de discussion regroupés sous cette partie d'Internet appelée Usenet. C'est donc un espace public et, en tant que tel, quiconque y écrit voit sa prose répercutée chez quiconque a accès à Internet (ce qui ne veut pas dire que tous ceux qui *peuvent* lire votre prose la liront, mais ceci est une autre histoire). On ne s'étonnera pas d'apprendre que les messages envoyés sur ces forums soient archivés : il en est ainsi depuis le début des années 1990, ce qui, au moment où vous lisez ces lignes, fait une sacrée montagne de textes.

Que le contenu actuel d'Usenet soit largement composé d'insanités (voir chapitre 1) importe peu : il subsiste, dans le lot, des forums de discussion plus sérieux que d'autres. Mais, surtout, il existe des gens plus sérieux… qui n'écrivent pas toujours des choses sérieuses. Et c'est là que ça devient intéressant : grâce au moteur de recherche

DejaNews[1], vous pouvez retrouver tout cela: il suffit de faire une recherche, en utilisant pour mot clé le nom de la personne recherchée.

Ce type de recherche est par exemple recommandé aux journalistes qui effectuent un reportage sur une question controversée – l'avortement, par exemple – et qui désirent savoir ce que l'auteur d'un message donné a écrit dans le passé. En tant que journaliste, c'est une manière comme une autre d'en apprendre plus sur une personne avant de la rencontrer. «Quelqu'un qui écrit un commentaire intéressant dans un forum sur l'environnement pourrait être pas mal moins crédible si vous découvrez qu'il a aussi expédié 953 messages dans alt.alien.abduction!» (le forum consacré aux récits d'enlèvements... par des extraterrestres!), écrivait Julian Sher, un des premiers spécialistes canadiens de ce qu'on appelle le journalisme assisté par ordinateur. Il donnait ce conseil dans un article au titre évocateur: «Espionner les gens[2]».

Sauf qu'encore faut-il que cette personne ait déjà participé aux forums: des millions d'internautes n'y ont jamais mis les pieds! La même remarque vaut pour les sites Web: en théorie, une vedette montante de la politique, dans 10 ou 20 ans, pourrait être déstabilisée par la découverte d'un site pornographique qu'elle aurait mis au point dans sa folle jeunesse. Nul doute, en fait, que de telles révélations vont se produire, au cours des décennies 2010 ou 2020, à mesure que les adolescents et jeunes adultes qui furent les premiers à parcourir Internet se retrouveront dans des postes d'autorité.

Mais est-ce vraiment cela, «espionner les gens»? Sont-ce là les fameuses menaces à la vie privée que fait peser Internet sur nos vies? Certainement pas. Face aux vrais problèmes qui se pointent à l'horizon, Internet, c'est de la petite bière. Un jouet pour enfants... ou pour journalistes en manque de *scoops* faciles.

Et si Internet, c'est de la petite bière, alors toutes les récriminations des internautes des dernières années ont bien peu de poids, face aux géants du marketing ou de l'assurance, aux gouvernements,

1. http://www.dejanews.com. D'autres moteurs permettent de faire une recherche dans les forums. Il suffit, sur leur page d'accueil, de cocher l'option «news», en remplacement de l'option «Web», inscrite par défaut.
2. Julian Sher, «Spying on People», *Media*, été 1998, p. 6.

aux services hospitaliers et aux services policiers, qui s'engagent à fond de train dans le sentier que les nouvelles technologies sont en train de leur ouvrir: cartes à puces, banques de données, caméras miniaturisées, systèmes de positionnement par satellites...

## La vie privée est ailleurs

D'une part, cela ne sera une découverte pour personne, les violations de la vie privée liées à la technologie n'ont pas attendu Internet pour grimper en flèche: les caméras de surveillance, de plus en plus petites et de moins en moins coûteuses, se sont multipliées, le champion en la matière étant, depuis des années, non pas un État totalitaire du golfe Persique, mais l'une des plus vieilles démocraties d'Occident: le Royaume-Uni. Il existe même un organisme spécialement créé, au début des années 1990, pour suivre à la trace l'évolution des technologies de surveillance: Privacy International[3].

Les balayeurs d'ondes permettant d'écouter les téléphones cellulaires sont à la portée du premier venu disposant d'un minimum de connaissances techniques, comme peut en témoigner ce duo de hauts-fonctionnaires québécois qui, il y a près une décennie, avait mis dans l'embarras le premier ministre d'alors, Robert Bourassa, par le jugement peu édifiant qu'ils avaient porté sur lui. Et il est difficile d'habiter dans une grande ville d'Amérique du Nord ou d'Europe sans avoir reçu des courriers non sollicités qui témoignent que, avec l'informatisation des listes de numéros de téléphone ou d'adresses d'abonnés, il n'y a rien de plus facile que de s'échanger de telles listes, en théorie confidentielles, ou de les vendre à la première firme de marketing venue.

Si, en plus, la technologie s'en mêle, alors on est vraiment dans la mélasse. À l'été 1999, Microsoft, penaud, fut forcé d'admettre qu'une «brèche de sécurité» – un euphémisme – avait laissé à découvert l'ensemble de son service de courrier électronique Hotmail. Conséquence: 40 millions d'usagers avaient vu leurs boîtes de courriels accessibles, en théorie, à n'importe qui ayant les connaissances nécessaires en informatique.

---

3. http://www.privacy.org

Et ça n'est rien à côté de ce qui s'en vient: que diriez-vous d'une puce électronique implantée sous votre bras, et permettant ainsi de vous suivre à la trace, où que vous alliez? La technologie existe d'ores et déjà: en mai 2002, une famille de Floride a même accepté de se faire implanter ladite puce. Papa, maman et enfants compris[4]. Big Brother, qui vous surveille avec votre propre assentiment? Pas du tout, assurait sans sourciller les porte-parole: cette expérience n'a lieu qu'à des fins purement médicales. Cette puce électronique contient en effet le dossier médical de chacun de ses «propriétaires», de sorte qu'en cas d'urgence un hôpital pourra lire ce dossier et savoir tout de suite si cette personne souffre d'une allergie à la pénicilline, si celui-là a déjà été opéré, etc.

De fait, c'était vrai: le prétexte par lequel cette compagnie était parvenue à «vendre» aux autorités américaines l'idée d'une pareille puce électronique, c'était bel et bien le prétexte médical. Cette puce peut effectivement servir à emmagasiner votre dossier médical, ce qui faciliterait grandement la gestion de vos données, si une situation d'urgence devait se présenter. Qui pourrait être contre une aussi généreuse idée?

Mais la puce, appelée VeriChip, pouvait aussi avoir d'autres fonctions: la compagnie Applied Digital Solutions tentait de la breveter en territoire américain depuis trois ans et s'était heurtée à beaucoup de résistances, avant de contourner l'obstacle par ce détour médical. En réalité, son premier objectif, qu'elle n'avait jamais caché, était de la commercialiser à grande échelle: une puce VeriChip dotée d'un émetteur, implantée sous la peau de chaque bébé, immédiatement après sa naissance – à un prix défiant toute concurrence, cela va sans dire – permettrait de le retrouver sans délais, en cas d'enlèvement...

Bref, un petit émetteur sous-cutané, qui permettrait de vous localiser à tout moment, grâce aux satellites qui tournent en permanence au-dessus de nos têtes... Rêve ou cauchemar?

Allons plus loin. Que diriez-vous de banques de données génétiques? On a d'ores et déjà commencé à les employer dans la lutte

---

4. Agence Science-Presse, «Humains sur puce informatique: premiers pas», 13 mai 2002: http://www.sciencepresse.qc.ca/archives/2002/man130502.html

contre les criminels, ce qui leur donne une allure vaguement honorable : dans certains pays comme le Royaume-Uni, toute personne reconnue coupable d'un crime violent voit son échantillon de sang – ou de salive – soigneusement conservé, au cas où cet ADN se retrouverait, qui sait, sur les lieux d'un autre crime, des années plus tard... Mais pourquoi s'arrêter à la lutte contre le crime? Avec les progrès fulgurants de la génétique, un futur employeur – ou, pourquoi pas, votre compagnie d'assurances – sera certainement prêt à mettre le gros prix pour savoir que vous êtes porteur d'un gène augmentant vos chances de mourir du cancer du poumon.

Et c'est déjà commencé : ou du moins, c'était commencé, en Angleterre là encore. Jusqu'à l'automne 2001, on pouvait y rencontrer des assureurs qui obligeaient leurs clients à passer un test génétique. Entre autres, pour détecter un gène qui signifie que vous êtes davantage prédisposé à développer la maladie de Huntington. La pratique a provoqué les hauts cris, si bien que le gouvernement britannique s'est empressé de la déclarer illégale[5]. Mais les assureurs ne s'avouent sûrement pas vaincus...

Toutes ces banques de données éparpillées ne sont rien, sans l'explosion des réseaux informatiques. Car, dès lors qu'on peut s'échanger ces listes, et en croiser les informations qu'elles contiennent – une autre opération à la portée du premier venu possédant un minimum de connaissances techniques – on multiplie les risques de violations de la vie privée: depuis 1997, le ministère du Revenu du Québec peut jeter un œil sur vos fichiers de renseignements personnels détenus par tous les autres ministères – question de savoir, par exemple, si celui qui reçoit des chèques d'aide sociale ne serait pas un vilain fraudeur qui aurait passé la frontière pour aller voir sa tante au Vermont, ce qui est interdit puisqu'il aurait dû consacrer ce temps à se chercher un emploi.

Que dire d'une firme comme Equifax, dont la spécialité est de vendre des informations sur votre crédit? Un genre de détective

5. Agence Science-Presse, *Hebdo-Science*, 25 décembre 2001, p. 2. Signalons également à ce sujet une page d'histoire : «Réponse du Commissaire à la protection de la vie privée du Canada au document de consultation du ministère de la Justice intitulé *Collecte et entreposage de preuves médico-légales à caractère génétique*», 9 janvier 1995 : http://infoWeb.magi.com/~privcan/pubs/fadnjus.txt

privé du crédit, qui n'a évidemment pas manqué de prendre le virage informatique.

Et qui n'a aucun problème de conscience; au contraire, il a sa conception toute personnelle de ce qu'est la vie privée, comme on pouvait jadis le lire sur son site Web. Equifax «croit que les individus devraient avoir les droits suivants: le droit d'être pris en considération pour du crédit, des assurances, un emploi et autres bénéfices, en fonction de leurs propres mérites, lesquels sont basés sur leur registre d'actions et d'accomplissements. Le droit d'avoir leurs demandes pour des bénéfices ou des opportunités, évaluées sur la base d'informations exactes et pertinentes.»

*Sur la base d'informations exactes et pertinentes. Registre d'actions et d'accomplissements.* Si ce type de credo devenait répandu, tout ce que vous avez accompli depuis votre naissance deviendrait dès lors un grand livre ouvert: tel serait en effet le prix à payer pour avoir du crédit – c'est déjà en partie le cas – des assurances – c'est de plus en plus le cas – ou même un emploi ou un appartement.

Certes, il y a des chiens de garde, comme la Commission d'accès à l'information, pour prévenir ce type d'abus. Mais leur culture informatique a souvent été en retard de quelques années sur la réalité.

Des études soulignent régulièrement l'inquiétude des citoyens: dès 1994, un sondage Harris commandé par, eh bien oui, Equifax, révélait que 84% des Américains étaient «préoccupés» par les menaces que les technologies faisaient peser sur leur vie privée.

Dans son rapport 1994-1995, le commissaire canadien à la protection de la vie privée écrivait: «Tout se jouera d'ici un ou deux ans, et nous saurons alors si notre société tient suffisamment à l'autonomie personnelle et à l'individualité de chacun pour le défendre contre les pressions incessantes des bilans financiers, ou si nous accepterons de n'être que des numéros informatisés.»

Plus d'une demi-décennie s'est maintenant écoulée, et à en juger par la faible importance du débat, effectivement, notre société tient moins à l'autonomie personnelle et à l'individualité qu'à tout savoir sur la nouvelle version de Windows.

Car, aussi étonnant que cela paraisse, rien de tout cela – Equifax, individualité, fichiers du ministère du Revenu, etc. – n'a quoi que ce soit à voir avec Internet – ou si peu. Les renseignements sur votre carte de crédit ne sont pas sur le réseau, à la portée du premier venu. Votre dossier médical ne se retrouvera pas non plus en accès libre sur Internet. Le risque – infinitésimal – qu'un pirate informatique ne mette la main dessus, n'est qu'un épiphénomène, marginal, à côté du risque que votre assureur ou votre banquier, votre employeur ou le propriétaire de votre logement, obtienne le droit *légal* de jeter un œil sur ce type de dossier.

La vraie préoccupation du XXIe siècle, elle sera là.

## Un dossier médical unique

Le dossier médical est un beau cas d'espèce. Les médecins rêvent depuis maintenant un quart de siècle de l'hypothétique «dossier médical unique» attribué à chaque patient. Dès les débuts de la micro-informatique, vers 1980, cette possibilité est apparue très clairement aux gestionnaires d'hôpitaux et aux ministères de la Santé de la planète. Et cette possibilité repose sur une certaine logique: à l'heure actuelle, il existe à votre sujet autant de dossiers médicaux qu'il y a d'hôpitaux où vous êtes passé depuis votre enfance. La situation était à ce point absurde que, jusqu'au milieu des années 1990, un médecin montréalais travaillant dans un hôpital divisé en plusieurs bâtiments séparés par plusieurs pâtés de maisons devait souvent faire venir le dossier de son patient... par taxi!

Aujourd'hui, entre les bâtiments d'un même hôpital, il y a désormais un réseau informatique – ce que les experts appellent un intranet. Entre des hôpitaux indépendants les uns des autres en revanche, il n'y a souvent rien – seule l'arrivée du courrier électronique a facilité quelque peu l'échange des dossiers... et retiré des revenus aux taxis!

Un dossier médical unique pour chaque patient permettrait de savoir instantanément quel traitement a déjà été essayé, quels médicaments ont été prescrits, bref, de retracer tout le passé médical – plutôt que les seules bribes contenues dans l'hôpital du moment. Pour des médecins, cela fait la différence entre un médicament nécessaire et un inutile, entre un traitement préventif et un traitement de choc, entre une hospitalisation urgente ou un renvoi à la maison.

Et, on n'ose pas l'imaginer, mais, dans certains cas, connaître instantanément le passé médical d'un patient, cela peut faire la différence entre la vie et la mort.

Bien sûr, au-delà de ces avantages indéniables, la peur, c'est que *quelqu'un d'autre* que le médecin ne vienne mettre son nez là-dedans. La compagnie d'assurances, par exemple. Elle trouverait, dans un dossier médical unique, la réponse à une bonne partie des questions qu'elle pose à ses clients – et même la réponse à des questions qu'elle n'a jamais eu le droit de poser. On s'indigne déjà des cas patents de discrimination qui ressortent de temps en temps dans l'actualité, telles des pointes d'iceberg: homosexuels qui voient leur prime d'assurance vie augmentée en raison des risques «statistiquement plus élevés» de sida, par exemple. On ose donc à peine imaginer la masse d'informations qui serait soudainement à leur disposition, avec un dossier médical unique...

Face à tout cela, le premier réflexe du citoyen moyen a généralement été de baisser les bras. Les progrès technologiques sont tels, et la machine bureaucratique est si lourde, qu'il est vain d'essayer de protéger ses renseignements personnels. C'est trop gros. C'est une lutte perdue.

Or, c'est faux. Rien de tout ceci n'est inévitable. Le gouvernement pourrait fort bien légiférer pour interdire la lecture, par-dessus votre épaule, de votre dossier médical.

Ça n'a absolument rien d'utopique: ça s'est déjà fait dans des cas similaires. Plusieurs gouvernements occidentaux sont en effet déjà intervenus, au cours des années 1990, lorsqu'il y a eu des pressions suffisantes pour crier à une violation de la vie privée en raison des nouvelles technologies.

Il est vrai que ces interventions des années 1990 ont essentiellement eu lieu autour du... télémarketing. Mais qui peut-on blâmer? Certainement pas les gouvernements, qui n'ont fait qu'aller là où soufflait le vent des citoyens mécontents. On a les priorités qu'on veut bien se donner...

## Le marketing de la vie privée

Le télémarketing, par téléphone ou par télécopieur, et son glorieux successeur par courriel, a en effet été réglementé. Au Canada, la Loi sur les télécommunications de 1993 autorise le Conseil de la radiodiffusion et des télécommunications canadiennes (CRTC) à interdire que l'on utilise les «installations de télécommunications» – le réseau téléphonique, par exemple – à des fins de marketing non sollicité: dans cette foulée, le CRTC a donc commencé par interdire les entrepreneurs ingénieux qui avaient saisi au vol l'occasion de faire un tel démarchage par l'intermédiaire de composeurs de messages automatiques (1994); par la suite, le Conseil a obligé les compagnies à retirer votre numéro de télécopieur de leur liste, dès le moment où vous en faites la demande; et, enfin, il a appliqué les mêmes règles au courrier électronique. De telles démarches n'auraient jamais été entreprises si des gens n'avaient pas protesté contre ces intrusions dans ce qu'ils considéraient leur intimité.

L'important dossier des banques de données, en revanche, semble beaucoup plus difficile à faire comprendre au citoyen.

Passons-le en revue, et commençons par un élément positif: les juristes s'entendent pour dire que chaque citoyen a pleine autorité sur les renseignements personnels accumulés à son sujet par les institutions publiques (ministère du Revenu, de la Sécurité publique, de la Santé, etc.). Il peut y avoir accès, aussitôt qu'il en fait la demande. Ce qui lui permet notamment de contrôler l'exactitude des données inscrites à son sujet, voire de faire modifier ces données s'il y a lieu.

Il y a un bémol: ce droit n'est pas absolu. Un organisme public peut refuser de donner accès aux données en question, auquel cas une instance judiciaire devra trancher. Au Québec, cela relève de la *Loi sur l'accès aux documents des organismes publics et sur la protection des renseignements personnels*[6] et de la *Loi sur la protection des renseignements personnels dans le secteur privé*. Au fédéral, existait

6. Texte disponible à: http://www.cai.gouv.qc.ca/fr/1_1.pdf

déjà, de champ de compétence plus large, la *Loi sur la protection des renseignements personnels*[7].

S'y est ajoutée, le 1er janvier 2001, la *Loi sur la protection des renseignements personnels et les documents électroniques* qui traite, entre autres, de commerce électronique: prenant acte de l'évolution technologique, cette loi limite la divulgation des renseignements personnels «électroniques» de la part non seulement des organismes qui relèvent du fédéral (par exemple, les banques), mais aussi de la part des compagnies privées[8]. En vertu de cette loi (qui mettra toutefois trois ans (2001-2004) à couvrir l'ensemble de son champ de compétence), les citoyens qui en font la demande peuvent donc savoir quelles données une compagnie a recueillies sur eux – et quel usage elle en a fait.

Là aussi, l'adoption de cette loi était la réponse à des pressions de groupes de citoyens. Là aussi, aucun gouvernement n'aurait jugé bon d'intervenir s'il n'avait pas senti le vent tourner.

Mais dans ce cas-ci, au contraire du télémarketing, le terrain est un peu plus vaseux. Où logent ces banques de données? Que contiennent-elles? Peuvent-elles être croisées entre elles? Et, surtout, qui, à part nous, y a accès?

En théorie, grâce à des lois comme celles qui ont été citées ci-dessus, on peut tout savoir sur ce que ces banques de données disent de nous. Même les firmes d'enquête comme Equifax s'y sont adaptées, et vous permettent aujourd'hui de fouiller dans votre propre dossier. On peut également savoir qui a créé ces banques, et pour quel usage – en autant qu'on ait le temps et l'énergie nécessaires pour faire toutes ces recherches, ce qui est loin d'être évident.

Mais c'est plus compliqué que ça. Car, quand bien même le citoyen aurait-il pleinement accès à toutes ces données – ce sera de plus en plus le cas –, cela ne résoudrait pas l'ultime question, de plus en plus lancinante à mesure que s'améliore la technologie: *qui d'autre que vous* peut avoir accès à ces renseignements?

---

7. Texte disponible à: http://lois.justice.gc.ca/fr/P-21/
8. Texte disponible à: http://www.privcom.gc.ca/francais/02_06_01_f.htm

C'est en effet une chose que de donner au citoyen le plein accès, voire le droit de modifier les données incorrectes. C'en est une autre que d'interdire à certains groupes, au cas par cas, l'accès à vos données personnelles: ainsi, il n'y a pas que les citoyens qui puissent faire du lobbying. Les compagnies le peuvent aussi. Et qui sait, un lobbying efficace mené par les assureurs pourrait peut-être bien convaincre les gouvernements que, «dans certaines conditions», il est «envisageable» pour «enrayer la fraude» que votre dossier personnel leur soit ouvert.

Et quand bien même en arriverait-on à fermer l'accès de ces dossiers aux assureurs, arriverait-on à le fermer aux banques? Aux propriétaires de logements? Aux policiers? Imaginer que *personne d'autre* que vous et votre médecin ne puisse *jamais* avoir accès à ce fameux dossier médical, c'est en effet une autre paire de manches.

C'est arrivé à ce stade qu'on mesure à quel point la vie privée est chose fragile. De plus en plus fragile, à mesure que la technologie s'insinue dans tous les secteurs de nos vies. C'est en temps de crise que cela éclate au grand jour, lorsque les gouvernements s'empressent immanquablement d'ouvrir les vannes aux pouvoirs policiers.

Ainsi, après les attentats du 11 septembre 2001 à New York et à Washington, les autorités américaines ont fait voter à toute vapeur une loi qui, en plus d'accroître la sécurité autour des centrales nucléaires et des bureaux de poste (la crainte de l'anthrax, pour ceux qui l'auraient déjà oublié), en a profité pour mettre les internautes en liberté surveillée: dans une première version de cette loi, le simple fait d'être entré sans autorisation dans un système informatique (ce que font couramment les pirates informatiques, souvent pour leur propre plaisir) aurait pu valoir à un internaute le statut de criminel fédéral, ce qui est passible de la prison à vie ! Cet aspect du projet de loi a fait tant de bruit qu'il a été retiré, mais un autre aspect, lui, fut adopté sans provoquer les hauts cris: l'autorisation d'épier toute conversation téléphonique et échange de courriels, pour autant que son auteur soit décrété «soupçonné d'activités terroristes», et ce, sans même avoir à demander l'autorisation à un juge[9].

Qui décidera de ce qu'est un «suspect d'activités terroristes»? On est en droit de s'inquiéter, quand on se rappelle qu'au Québec, au moment de la crise d'octobre 1970, les policiers arrêtèrent au moins une personne, qu'ils soupçonnaient d'activités terroristes parce qu'ils avaient trouvé chez elle des livres sur le cubisme. Pourquoi le cubisme? Parce que, conclurent quelques policiers dans leur grande culture, cubisme, ça ressemble étrangement à... Cuba!

En France, pays des droits et libertés, c'est un processus similaire avec des amendements à la Loi de la sécurité quotidienne qui, «étudiés» en un temps record – comme aux États-Unis, trop rapidement pour que les opposants aient le temps de se mobiliser – furent adoptés le 31 octobre 2001. Entre autres choses, ils obligent désormais les fournisseurs d'accès à Internet à conserver la trace des connexions de leurs clients pendant un an: on ne pourra pas nécessairement obtenir une liste de tous les sites que vous avez visités, mais on pourra savoir de quelle heure à quelle heure vous avez été branchés chaque jour.

En Allemagne, des «boîtes noires» pourraient être posées chez ces mêmes fournisseurs, si la police en fait la demande, permettant cette fois de véritablement suivre à la trace le cyber-parcours de chaque internaute. La perspective de ces boîtes noires provoquait là-bas un débat houleux depuis des mois: après le 11 septembre, la proposition est passée comme dans du beurre.

Qu'en est-il de l'encodage des courriels – afin de garantir leur confidentialité – tant vanté par les internautes de la première heure et les défenseurs du droit à la vie privée? Il est devenu singulièrement plus difficile en France avec ces amendements, puisque l'un d'eux rend illégaux les plus perfectionnés de ces systèmes d'encodage – ceux dont nul autre que vous ne possède la clé.

9. «Je t'échange un pirate informatique contre trois écoutes téléphoniques», Agence Science-Presse, 8 octobre 2001: http://www.sciencepresse.qc.ca/archives/2000/cap0810013.html

Et au passage, retour au cauchemar génétique: un autre des amendements annonce la création de fichiers d'ADN des auteurs de crimes et délits «avec violence».

Dans la plupart des pays, ces mesures dites «antiterroristes» furent décrites comme «temporaires»: ainsi, en France, elles sont applicables jusqu'au 31 décembre 2003, après quoi le Parlement pourra décider d'en prolonger certaines, et d'en supprimer d'autres. Ce qui promet bien du plaisir à ceux qui voudront alors lancer un débat: le 31 octobre 2001, à l'unique exception des Verts, aucun parti politique français, ni de gauche ni de droite, ne s'est opposé à ces amendements[10].

À partir du moment où une société juge normal d'épier conversations téléphoniques et courriels, ou de suivre à la trace vos pérégrinations sur le Web, on imagine bien que, si votre dossier médical unique contient des renseignements qui – s'empresseront de dire les policiers – seraient pertinents à une enquête, il passera lui aussi dans le tordeur.

## Le faux mythe de Big Brother

Toutes ces inquiétudes sur la vie privée seraient tellement simples, s'il n'y avait qu'un seul méchant, le vilain gouvernement qui veut centraliser toutes les données sur chacun de nous. Big Brother, en somme. Toutes ces inquiétudes sur la vie privée seraient tellement simples, si nous vivions dans un monde à la *X-Files*: des forces de l'ombre, intangibles certes, mais néanmoins monolithiques. Un et un seul ennemi.

Mais la réalité n'est pas ainsi. Ce qui rend ce dossier si difficile à appréhender, et qui explique que les militants aient trouvé plus facile de se concentrer sur le télémarketing, c'est qu'il n'y a pas un grand Big Brother: il y a plusieurs petits Big Brothers qui, chacun, ont des intérêts divergents. Les uns, comme les compagnies d'assurances, veulent tout savoir sur votre santé et vos antécédents

10. «Lois antiterroristes: le bruit des bottes se rapproche», Interdits.net, 31 décembre 2001: http://www.insite.fr/interdit/2001dec/terreur.htm

http://www.xfiles.com

médicaux; les autres, comme les banques, veulent tout savoir sur vos finances.

En ce sens, il n'est même pas nécessaire que toutes les données à votre sujet soient rassemblées en un lieu unique. Il suffit que toutes les données *pertinentes à un groupe d'intérêt*, les données médicales, par exemple, le soient.

Daniel J. Solove, professeur de droit à l'École de loi Seton Hall (New Jersey), a résumé cela en 2001 dans un article intitulé «Privacy and Power: Computer Databases and Metaphors for Information Privacy». Il y écrit que la métaphore Big Brother est inadéquate, au point qu'elle nous a entraînés depuis des années sur une fausse piste: la métaphore qui conviendrait serait plutôt celle de Joseph K.[11]

11. Paru dans la *Stanford Law Review*, vol. 53, p. 1393. Disponible à: http://law.shu.edu/faculty/fulltime_faculty/soloveda/Database-Privacy %20FINAL %20VERSION.doc

Joseph K., c'est ce personnage qui, dans le roman de Franz Kafka, *Le Procès*, se réveille un bon matin en état d'arrestation. À ceci près qu'il ne saura jamais de quoi on l'accuse. Ceux qui l'arrêtent sont courtois, mais nul ne sait pour qui ils travaillent; le dossier à son sujet est volumineux, mais il lui est impossible de le lire. Et Joseph K. n'est pas emprisonné: il conserve même son emploi.

À la différence du roman *1984* de George Orwell, d'où provient la métaphore Big Brother, à la différence du *Meilleur des mondes* d'Aldous Huxley, à la différence de la télésérie *X-Files*, à la différence du mythe du Grand Complot, la menace est donc, dans *Le Procès*, insaisissable. Et par conséquent moins spectaculaire. Moins médiatique. Il est plus difficile d'écrire sur elle un reportage qui fera la manchette, puisqu'on ne sait trop par quel bout la prendre[12].

Mais la menace n'en est pas moins réelle. Elle est, en un sens, bien plus réelle que le mythe de Big Brother.

## Conclusion provisoire

Un groupe français propose la création d'une *Journée internationale de la vidéosurveillance*. L'activité viserait à dénoncer aussi bien les caméras mises en place par les pouvoirs policiers que celles que les compagnies placent jusque dans les toilettes, afin de s'assurer que leurs employés ne se livrent pas à des actes aussi barbares que de fumer en cachette[13].

Un autre groupe français produit un journal d'actualité sur le Net, qui permet de se tenir à jour sur les amendements aux «lois sur la sécurité», en particulier dans la foulée des lois anti-terroristes de l'après-11 septembre 2001[14].

Dans les deux cas, voilà des exemples d'interventions de citoyens qui valent leur pesant d'or, parce qu'elles permettent de rassembler des gens qui, avant Internet, auraient été éparpillés aux quatre coins du pays, sinon de la planète. Ensemble, ils peuvent

---

12. Merci à Jean-Pierre Cloutier pour avoir signalé cet article dans *Les Chroniques de Cybérie*, 14 février 2001: http://www.cyberie.qc.ca/chronik/20010214.html
13. Pour en savoir plus, voir le site *Souriez, vous êtes filmés*, à http://svef.free.fr
14. LSIJolie: http://www.lsijolie.net

parler plus fort – et aucun gouvernement n'aime quand on parle trop fort. C'est mauvais pour la réélection.

Ce genre d'initiative est d'autant plus nécessaire que, pour l'instant, où qu'on se promène sur Internet, autant sur les sites de médias que les activistes dénoncent comme «traditionnels» que sur les sites des médias dits alternatifs, on ne retrouve que très peu de réflexions sur l'avenir de la vie privée – et encore moins de pistes de solutions. On réagit au cas par cas, on dénonce un abus survenu ici ou là, on s'excite une fois par deux ans sur le programme international d'espionnage industriel *Echelon*, mais c'est à peu près tout.

Non sans raison: c'est indéniablement une lutte difficile, complexe, sans doute la plus ardue des trois évoquées dans cette dernière partie du livre. La plus difficile, parce que personne n'a et n'aura, avant longtemps, une idée très claire sur la façon de s'y prendre pour protéger son intimité.

Mais chaque contestation constitue une façon de gruger une partie de l'os.

L'histoire peut nous fournir un dernier motif d'espoir, mais il est à long terme. C'est que le concept de vie privée est, d'un point de vue historique, étonnamment récent. Par conséquent, sans doute pas aussi ancré dans nos mœurs qu'on le voudrait.

La démocratie, elle, est un concept qui a d'anciennes racines. On en parlait déjà chez les Grecs, il y a 2500 ans. Sous la forme qu'on lui connaît aujourd'hui, elle a connu ses premiers balbutiements avec la Grande Charte (*Magna Carta*) du roi d'Angleterre Jean sans Terre, en l'an 1215.

Mais la vie privée, elle, n'apparaît qu'au XIXe siècle dans les textes de lois occidentaux, et n'est reconnue qu'en 1948 comme un droit de l'homme, dans la *Déclaration universelle des droits de l'homme* des Nations unies.

Autant dire que les philosophes n'ont pas eu beaucoup de temps pour s'y habituer, avant que l'univers informatique ne leur tombe dessus comme une tonne de briques... Qui sait si, avec le temps, nous ne deviendrons pas tous de fervents défenseurs de la vie privée. Qui sait si, un jour, il ne sera pas aussi naturel de la défendre qu'il l'est aujourd'hui de défendre notre droit à un logis et à un repas convenables...

Je ne suis pas utopiste à mon tour. Je ne crois pas que la Terre entière, comme par enchantement, se mettra à se battre, sur Internet, pour la défense de la vie privée. Mais, si un petit noyau de gens à l'intérieur du petit noyau de gens a réussi la percée dont il a été question plus haut sur le front anti-mondialisation, il suffirait qu'une volonté semblable et une masse critique comparable émergent autour de ce nouveau dossier. La protection de la vie privée vaut bien quelques efforts, non?

# Dilution d'une information fiable

*Journal: institution incapable de faire une différence entre un accident de bicyclette et l'effondrement de la civilisation.*

George Bernard Shaw, écrivain (1856-1950)

Le 17 juillet 1996, le vol TWA 800 s'écrasait dans l'Atlantique, au large de Long Island, entraînant dans la mort ses 230 passagers et membres d'équipage. La tragédie allait bouleverser les États-Unis et donner lieu à une longue série de spéculations sur les causes de l'accident, spéculations qui seraient abondamment relayées par Internet.

Quatre mois plus tard, le journaliste à la retraite Pierre Salinger, une vedette de 20 ans du journalisme télévisé, notamment comme correspondant en Europe du réseau américain ABC, annonçait avoir mis la main sur un scoop. Au cours d'une conférence donnée devant des dirigeants de compagnies aériennes, il déclarait avoir obtenu «d'une personne liée au gouvernement» un document ultra secret révélant que l'appareil de la TWA avait été abattu par erreur par un missile de la marine américaine.

La nouvelle était juteuse. Sauf qu'il allait suffire d'une demi-journée à des centaines d'internautes pour pointer du doigt le site Web d'un amateur de théories du complot, sur lequel ce «document» dormait depuis des mois.

Une nouvelle expression était née. Le «syndrome Salinger», caractérisé par l'étrange tendance à croire à tout ce qu'on trouve sur Internet.

## Publier sans vérifier

Les cyber-journalistes ne sont pas tous de grands journalistes, comme l'imaginaient naïvement les internautes de la première heure.

Ils n'ont pas tous été portés par de nobles principes de liberté et de démocratie. Ils n'ont pas tous eu l'ambition de changer le monde, comme le créateur de *La Rafale*, cité plus tôt.

Ils n'ont pas tous eu le talent d'un Brock Meeks, pionnier parmi les pionniers : de 1994 à 1997, cet Américain qui n'avait pas encore 30 ans a marqué toute une « génération » d'internautes. À travers ses chroniques, baptisées *Cyberwire Dispatch*, au style mordant, incisif, c'est toute l'actualité d'Internet qui a été découpée en fines lamelles, tous les errements des politiciens face à ce nouveau joujou, tous les clichés, tous les poncifs, toutes les exagérations[1]. Du journalisme engagé, subjectif et fier de l'être, mais basé sur des recherches impeccables, sur des faits dûment vérifiés, d'où se dégageait une meilleure *compréhension* des phénomènes, dans la meilleure tradition du journalisme à l'américaine.

Mais 1994-1997, c'était l'époque propice à un Brock Meeks, parce que c'était encore l'époque des pionniers et des rêveurs. Plus la population des internautes se diversifiait, et plus celle des journalistes « branchés » se diversifiait elle aussi, entraînant dans son sillage le meilleur de la profession... et le pire. Après les faits impeccablement vérifiés, les faits un peu moins bien vérifiés. Puis, les potins. Puis, les rumeurs. Un internaute français fut ainsi fier, en 1999, de lancer un « journal » appelé *Rumeursdunet.com.* Toutes les nouvelles qui ne méritent pas d'être diffusées, nous les diffusons !

Aux États-Unis, ce fut le débarquement du tristement célèbre Matt Drudge qui marqua de la plus spectaculaire des façons ce changement d'époque.

À 31 ans, cet individu – qui n'avait ni formation en journalisme ni expérience – aurait pu rester un webmestre anonyme parmi tant d'autres, s'il n'avait eu un excellent sens du marketing. En janvier 1998, il passa subitement du statut de quasi-inconnu à celui de vedette nationale, grâce à une histoire de cul impliquant une stagiaire de la Maison-Blanche et un certain président américain.

1. Cyberwire Dispatch : http://cyberwerks.com:70/cyberwire/cwd

Contrairement à ce que laisse toutefois croire la rumeur publique – et que Matt Drudge se garde bien de démentir –, Matt Drudge n'a mis la main sur aucun scoop. En fait, il était fier de dire, bien avant ce mois de janvier 1998, qu'il ne faisait aucune recherche : assis devant ses deux ordinateurs et sa télé dans son modeste logement de Californie, il passait en revue sites Web, journaux et émissions de télé et mettait en ligne ce qu'il y trouvait. Si, d'aventure, on lui envoyait une information par téléphone, il la mettait aussi en ligne, sans se préoccuper de la vérifier. En particulier les informations concernant la faune politique de Washington. Et tout particulièrement les informations permettant d'ébranler les démocrates, l'homme n'ayant jamais non plus caché ses opinions politiques[2].

En janvier 1998, quelques journalistes de Washington étaient depuis un bout de temps sur la piste d'une relation intime entre le président Bill Clinton et la stagiaire en question, Monica Lewinsky. L'un d'eux en particulier, Michael Isikoff, du magazine *Newsweek*, y travaillait depuis des semaines. Le samedi 10 janvier, il avait presque en main de quoi publier un article, dans l'édition de cet hebdo qui devait partir à l'imprimerie ce soir-là.

Presque, mais pas tout à fait. Pas de photo compromettante, pas de preuves matérielles, juste des témoignages de seconde et troisième main – bref, c'était plutôt mince pour accuser un président. Trop mince aux yeux de la direction de *Newsweek*, qui décida, à 18 h, de retarder la parution de l'article jusqu'à la semaine suivante.

Quelqu'un chez *Newsweek* en fut manifestement frustré. Suffisamment pour appeler Matt Drudge, dont certains journalistes-internautes connaissaient déjà la réputation sulfureuse. Drudge sauta sur l'hameçon, et avala tout – l'appât, la ligne et le pêcheur. Dès minuit, il publiait l'information sur son site, *The Drudge Report*... et s'en attribuait subtilement la paternité !

« À la dernière minute, à six heures du soir samedi, *Newsweek* a tué une histoire qui était destinée à faire trembler Washington sur ses bases », commençait Matt Drudge. « Son » scoop, officiellement, ce n'était donc plus le scandale sexuel. C'était l'histoire du soi-disant

2. The Drudge Report : http://www.drudgereport.com

refus de *Newsweek* de publier l'histoire du scandale sexuel. Mais l'article n'en racontait pas moins l'enquête sur Bill et Monica, comme si Matt Drudge lui-même l'avait menée – alors qu'il ne faisait que reprendre, point par point, l'article avorté de *Newsweek*.

Autrement dit, Drudge n'avait fait aucune vérification et n'avait interrogé aucune source à la Maison-Blanche. Son scoop a consisté à rapporter ce qu'une personne X lui a dit à propos de ce que des personnes Y auraient raconté à *Newsweek*. L'homme qui a vu l'homme qui a vu l'homme qui a vu l'homme qui a parlé à l'ours.

Le lendemain, dimanche, et le jour suivant, des allusions commencèrent à circuler dans les émissions de radio et de télé. Sentant qu'il ne pourrait plus longtemps demeurer assis sur cette nouvelle, le *Washington Post* – appartenant au même propriétaire que *Newsweek* – publia, à la une le mercredi 14 janvier, les allégations selon lesquelles le président des États-Unis aurait eu une relation sexuelle avec une stagiaire de la Maison-Blanche. Et on connaît la suite.

## Les journaux–CNN

Ce n'était pas la première fois qu'un scoop était publié sur Internet. Le 28 février 1997, le *Dallas Morning News* avait expédié sur son site, à 15 h 15, soit une demi-journée avant la sortie de son édition « papier », une nouvelle exclusive sur l'auteur de l'attentat d'Oklahoma City. Dès lors, les journaux commencèrent tout doucement à profiter de leur site Web pour « sortir » un scoop, plusieurs heures avant l'arrivée en kiosques de leur édition imprimée, afin de s'assurer de coiffer la concurrence.

Ce n'était pas la première fois qu'un scoop était publié sur Internet. Mais c'était la première fois qu'une nouvelle aussi juteuse était mise sur orbite *grâce à un média n'existant que sur Internet.*

Ces deux faits nouveaux – les journaux qui se « scoopent » eux-mêmes et les cyber-médias capables de « scooper » les journaux – propulsaient soudain la presse écrite dans une nouvelle ère : l'ère de l'instantanéité.

Jusque-là, seules la radio et la télé avaient le monopole de l'information en direct – et encore, pour la télé, c'était plus récent, à peine

15 ans. À elles seules reconnaissait-on le «droit» de diffuser des informations sans les avoir vérifiées au préalable – du moins, jusqu'à une certaine limite. Si le journal décidait d'entrer à son tour dans cette ronde infernale, c'était une bonne partie de la crédibilité de l'information – celle que l'on prête, justement, à un journal – qui volait en éclat.

Cette pression aura nécessairement des conséquences néfastes, ont aussitôt écrit les analystes des médias : à trop vouloir aller vite, on augmente le risque de se planter.

Peut-être sommes-nous engagés dans un engrenage dangereux, a par exemple écrit le cyber-magazine *Slate*. «Les policiers de l'éthique ne peuvent pas contrôler les rumeurs et les histoires sans substance que les gens placent sur le Web... Si le Web le diffuse et que la télévision le répète, le journal sera obligé de suivre[3].»

Matt Drudge lui-même s'était déjà planté. L'été précédent, en août 1997, il avait publié un autre article-choc, affirmant qu'un adjoint du président, Sidney Blumenthal, avait été accusé de violences conjugales. Constatant, mais un peu tard, que ses sources l'avaient manipulé, Drudge avait dû s'excuser – ce qui n'allait pas empêcher Blumenthal de lui coller une poursuite de 30 millions de dollars.

Avec l'affaire Clinton-Lewinsky toutefois, il était en terrain plus solide. Cette nouvelle, pour les Américains, resterait, pendant des mois, plus importante que les massacres en Algérie, la famine en Corée et les organismes génétiquement modifiés. Elle lui vaudrait de multiples invitations à la radio et à la télé – y compris à la très huppée émission *Meet the Press*, où l'on n'invitait généralement que des chroniqueurs politiques de la presse écrite et autres pontes du milieu. En septembre 1998, il était embauché par le réseau de télé Fox pour animer une émission d'affaires publiques – axée, cela va sans dire, sur la recherche de la controverse, de quelque nature que ce soit.

Bien sûr, Matt Drudge fut abondamment critiqué pour ce qu'il avait fait. Mais chacune des critiques ne fit qu'accroître sa popularité. Certains lecteurs, et pas que de simples lecteurs, se mirent à

3. Seth Stevenson, «Invisible Ink», *Slate*, 28 février 1998 : http://slate.msn.com/?id=2587

brandir Drudge comme un héros: le défenseur de la liberté de presse face au vilain establishment. *Newsweek*, en effet, n'avait-il pas voulu «étouffer» l'affaire? Heureusement qu'il y a Internet pour *vraiment* nous informer!

Drôle d'establishment, sachant que tous les journaux, du *Los Angeles Times* à *Libération*, ont dès les premiers jours créé une page Web spéciale sur «l'affaire» Clinton-Lewinsky... en sachant très bien que cela leur profiterait: le site Web de MSNBC a vu son achalandage plus que doubler aussitôt après; celui de CNN a atteint un sommet inégalé; jusqu'au très sérieux *New York Times*, qui a rapporté une croissance de plus de 30% en janvier-février 1998.

«J'aime les reportages en ligne, résuma une lectrice du cyber-magazine *ZDNet*, parce qu'une bonne histoire controversée peut voir la lumière, même sans l'approbation de ceux qui sont "au pouvoir".»

«Les médias vivent une révolution... comparable à la Guerre civile américaine», renchérit, sur la liste de discussion Online-News (peuplée de journalistes et de professionnels de la communication!), Michael McPherson, consultant en marketing.

Même un journaliste d'expérience, l'éditeur de *Slate*, Michael Kinsley, en rajouta, dans le *Time*: cette histoire «est à Internet ce que l'assassinat de Kennedy fut aux nouvelles télévisées: l'arrivée à l'âge adulte d'une puissance médiatique».

Cette perception tordue en fit bondir plus d'un. «Drudge est brandi comme un symbole de liberté, explosa Joe Conason, du *New York Observer*. Ce que [ses partisans] suggèrent, c'est une chute des standards... Internet deviendrait un marché libre de la diffamation, entraînant les autres médias vers le même plancher. Les journalistes qui joueraient le jeu de la véracité et de l'équité deviendraient des dinosaures.»

Dinosaures, *indeed*. L'avenir serait donc à l'information de plus en plus rapide, donc de moins en moins vérifiée, donc de moins en moins fiable. De plus en plus courte. Instantanée. L'information *fast-food*, quoi. La vérification, la recherche, l'analyse, bref, le souci de livrer au public une meilleure compréhension du phénomène: ce seraient là des concepts d'un autre âge.

Vrai ou faux? On a beau trouver cela abominable comme perspective, il n'en demeure pas moins qu'il suffit de regarder la tendance générale des dernières décennies pour conclure que, si rien n'est fait pour renverser la vapeur, cette théorie du dinosaure va se vérifier. Et plus tôt qu'on ne le croit...

## De moins en moins fiable

Appelons cela l'*accélération de l'information*. Internet ne l'a pas inventée. Au début des années 1990, une expression s'est mise à circuler dans les milieux journalistiques: «l'effet CNN». On désignait ainsi cette tendance malsaine, adoptée par de plus en plus de télés: faire de plus en plus de direct et de moins en moins d'analyses, couvrir l'événement sans fournir au téléspectateur les éléments pour réussir à comprendre.

L'événement brut. L'image, et rien d'autre. L'explication, on laissera ça aux journaux.

La raison, donc: CNN et ses disciples.

Le succès de CNN, on a aujourd'hui tendance à l'oublier, en a d'abord pris plus d'un par surprise. Née en 1980, cette chaîne d'information continue basée à Atlanta, accessible uniquement aux câblés, et de surcroît uniquement à ceux qui payaient un abonnement, ne faisait pas peur, au début, aux grands réseaux de télé: qui serait intéressé, rigolaient-ils, à écouter des nouvelles 24 heures sur 24?

Ils ont commencé à rire jaune lorsque CNN s'est mise à accumuler les succès: elle était devenue la seule télévision à continuer de diffuser les lancements des navettes spatiales, lorsque l'une d'elles, Challenger, explosa en plein vol, en 1986. Elle était en Roumanie et à Berlin en 1989, lors de la chute des régimes communistes. Mais surtout, en 1991, CNN sur-multiplia son auditoire à la faveur de la guerre du Golfe: pendant des jours, seule télévision à jouir d'un correspondant à Bagdad, elle en profita pour rendre ses programmes accessibles gratuitement. Toutes les télés du monde s'habituèrent à voir le logo «CNN» s'afficher au bas de leurs propres écrans, dès lors qu'il s'agissait d'illustrer une nouvelle internationale.

À cette occasion, CNN fit également beaucoup parler d'elle, en mal, pour son absence de recul critique face au régime de Saddam Hussein... et aux conférences de presse de l'armée américaine. Mais le téléspectateur, rivé à son écran, n'en avait cure. Il en redemandait.

Toutes les télévisions qui hésitaient encore se mirent dès lors à imiter la formule: des informations saccadées; des caméras davantage mobiles; et, surtout, des directs, de plus en plus de directs, même si le prétexte n'en valait absolument pas la peine; le mot anglais «live» (direct) acheva de se transformer en une expression consacrée en français. La petite télé d'Atlanta n'était plus seulement devenue une célébrité: elle s'était transformée en modèle.

Aujourd'hui, les États-Unis comptent au moins quatre réseaux nationaux d'information continue (CNN, MSNBC, CNBC et Fox: cette dernière, privilégiant l'information populiste et sensationnaliste, a détrôné CNN en matière de cotes d'écoute, en 2001), en plus des réseaux d'informations spécialisées (finances, sports, etc.). Et plusieurs grandes villes abritent même une chaîne télé d'information continue 100% locale. En Grande-Bretagne, BBC World est né en mars 1991, et diffuse sur quatre continents. Dans le monde arabe, al-Jazira («la Péninsule»), qui a fait beaucoup parler d'elle en Occident lors de la campagne d'Afghanistan de l'automne 2001, a été lancée en 1996 à partir d'un noyau de journalistes formés par la BBC. Au Canada, Newsworld de Radio-Canada et son pendant francophone, RDI, ont été conçus en parfaite inspiration de CNN, tandis que le petit frère du réseau privé, LCN, s'inspire du petit frère de CNN, *Headline News*: non plus des nouvelles, mais uniquement les manchettes. De plus en plus court, de plus en plus rapide...

Internet est arrivé en plein milieu de cette vague, et s'est laissé porter par elle: des nouvelles, encore plus de nouvelles, toujours plus de nouvelles, courtes, rapides. Au diable l'explication, l'analyse, la mise en contexte.

À partir de là, les journaux qui ont créé des sites Web ont immédiatement conclu, à tort ou à raison – à tort, à mon avis – qu'ils n'avaient pas le choix que d'enfourcher eux aussi la vague.

C'est d'ailleurs pourquoi, une fois la colère à l'égard de Matt Drudge retombée, on a fini par se rendre compte, dans les écoles et les associations de journalisme, que le couple Drudge-Internet constituait un bouc-émissaire un peu trop facile. Certes, c'était la publication par le vilain Drudge qui avait déclenché l'affaire Clinton-Lewinsky. Mais, si ça n'avait pas été Drudge, ça en aurait été un autre. Tôt ou tard, un «vrai» journaliste aurait levé le scandale, par exemple dans une feuille à scandales comme le *National Enquirer*. Ou chez CNN. «Avec la multiplication, écrivait la *Columbia Journalism Review*, des chaînes de nouvelles continues, il existe une pression pour rapporter de la nouvelle. Même quand il n'y en a aucune[4].»

*Une pression pour rapporter de la nouvelle, même quand il n'y a pas de nouvelle.* Dur, dur…

L'éditeur Michael Kinsley, du cyber-magazine *Slate*, a eu une expression savante pour définir cette situation: «l'entropie journalistique».

*Entropie (n.f.) – Fonction définissant l'état de désordre d'un système, croissante lorsque celui-ci évolue vers un autre état de désordre accru.*

## De plus en plus rapide

Remontons plus loin. Même CNN n'a rien inventé. La télévision en général, quand on la considère avec l'œil de l'historien, constitue une parfaite illustration du glissement vers une information plus rapide et plus saccadée, pour peu qu'on la compare aux journaux. Et les magazines illustrés du début et du milieu du XXe siècle, dont le modèle fut le célèbre *Life* (né en 1936), constituent à leur tour une parfaite illustration du même glissement : de l'information axée sur la photo, sur l'image, avec un minimum de texte.

À ce sujet, on ne peut s'empêcher de souligner que l'auditoire des journaux, partout en Occident, connaît une baisse lente mais régulière depuis un demi-siècle. En chiffres absolus, le tirage est plus

4. Jules Witcover, «Where We Went Wrong», *Columbia Journalism Review*, mars 1998: http://www.cjr.org/year/98/2/witcover.asp

fort aujourd'hui qu'en 1945, mais comme la population a elle aussi augmenté depuis 1945, en pourcentage, c'est un désastre: environ 40% de la population américaine lisait un quotidien il y a un demi-siècle. Aujourd'hui, c'est moins de 25%. Est-ce parce que la télévision comble davantage le besoin *réel* d'information des gens, ou parce que ceux-ci ont moins de temps qu'avant pour lire les journaux ? Ou un mélange des deux?

Remontons plus loin encore. Le croiriez-vous, il fut un temps où un auditoire était tout à fait disposé à écouter un débat politique de *sept heures*?

On en retrouve des traces, aux États-Unis du moins, jusqu'au milieu du XIXe siècle. Là-bas, les plus célèbres de ces débats mettent en scène Abraham Lincoln et Stephen Douglas. Candidats pressentis à la présidence, en 1858, ils acceptèrent le principe de sept débats publics, modèles de nos débats politiques télévisés.

Modèles étonnants, quand on les regarde avec nos yeux du XXIe siècle: Douglas avait d'abord un droit de parole d'une heure; après quoi, Lincoln avait une heure et demie pour lui répondre; et Douglas terminait avec une autre demi-heure.

Épouvantablement long? Il se trouva des gens, dans l'entourage des deux politiciens, pour regretter l'époque où on leur laissait plus de temps pour s'exprimer! Le 16 octobre 1854, à Peoria, Illinois, Douglas avait eu droit à trois heures; venait alors le tour de Lincoln, qui avait quatre heures pour lui répondre. Bon prince, comme il était déjà 5 heures de l'après-midi, Lincoln proposa aux spectateurs de rentrer chez eux, de prendre un bon repas, après quoi tout le monde serait en pleine forme pour la suite. Ce qui fut fait: selon les journaux de l'époque, l'auditoire accepta aimablement, et revint bel et bien sur les lieux, après le dîner, pour quatre autres heures de conférence!

Qui diable étaient ces gens? Qui donc avait la patience d'écouter une joute oratoire de sept heures ? Et de surcroît, entre deux politiciens qui, en 1854, n'étaient même pas candidats à la présidence... ni même officiellement, candidats au Sénat!!!

Eh bien, ces gens étaient tout simplement des citoyens – scolarisés, certes, pour la plupart – de leur époque. Une époque où un journal pouvait tout aussi bien choisir de publier intégralement ces sept heures de discours... et avoir des gens qui le liraient, de la première à la dernière ligne.

Neil Postman, professeur de communications à l'Université de New York, appelle cela «l'ère typographique», par opposition à notre ère de l'image[5]. Une époque où la communication se faisait exclusivement par voie écrite, sous la forme de textes que nous qualifierions aujourd'hui de «littéraires», plutôt que «journalistiques»; personne ne se préoccupait de faire «bref». Ce qui, en retour, marquait la façon de rédiger ces fameux discours politiques: ils se révèlent, à la lecture, farcis de subordonnées, de parenthèses et de figures de styles travaillées; personne n'a senti le besoin d'y entrer des formules-chocs de 7 secondes pour le bulletin télévisé.

Quel fut le premier facteur de glissement vers l'information saccadée telle que nous la connaissons aujourd'hui? Le télégraphe. Inventé dans les années 1830, répandu à travers le continent nord-américain dans les années 1850-1860, il fut le premier pas vers le village global que prédirait un siècle plus tard Marshall McLuhan: en mettant à la portée de tous les journaux les nouvelles de toute la planète, il leur offrit à la fois un début d'instantanéité de l'information, et un début de surabondance d'information.

«Nous sommes très pressés, constatait, avec beaucoup de lucidité, l'écrivain Henry David Thoreau, de construire un télégraphe magnétique du Maine jusqu'au Texas; mais le Maine et le Texas pourraient bien n'avoir rien d'important à communiquer.»

Une voix vite noyée par les milliers d'autres voix surgies du reste de la planète, au moyen du télégraphe. Milliers de voix qu'on tenait soudain à tout prix à caser dans les espaces disponibles des journaux.

Après le télégraphe viendrait le téléphone. Puis le télégraphe sans fil. Puis les photos transmises par télégraphie. Puis *Life*. Et la radio. Et la télé. Et CNN. Et Internet. Et Matt Drudge.

---

5. Neil Postman, *Amusing Ourselves to Death. Public Discourse in the Age of Show Business*. New York, Penguin Books, 1985, 184 p. Le récit des débats du XIXe siècle peut être trouvé au chapitre 4, «The Typographic Mind» (L'esprit typographique).

## De plus en plus rapide et de moins en moins fiable

Dans ces conditions, pas étonnant que les dérapages, les erreurs, les bourdes monumentales causées par ce désir de publier trop vite, se soient multipliés dans les journaux, au cours des années 1990, sans qu'Internet ait eu quoi que ce soit à y voir. L'année 1998, l'année Matt Drudge, fut tout particulièrement marquée par de tels scandales, tombés à point nommé pour donner aux internautes des raisons de narguer ceux qui les avaient tant nargués.

Il y eut par exemple le cas de ce Stephen Glass, journaliste new-yorkais de la presse écrite, vedette montante, vanté pour son talent partout où il était passé, et soudain mis à la porte du magazine *The New Republic*, lorsqu'on s'aperçut qu'il avait inventé de toutes pièces les personnages d'environ 30 (!) de ses reportages[6].

Il y eut, à peu près en même temps, un scandale similaire au *Boston Globe* où pas un, mais deux chroniqueurs à la réputation tout aussi solide, furent pris la main dans le sac, pour avoir inventé de toutes pièces une série d'histoires.

Et puis, il y eut, plus alarmant encore, le cas Disney-ABC. Le réseau de télévision ABC avait une histoire solide, le genre d'histoire qui provoque en temps normal, chez l'entreprise accusée, des bouleversements. Une enquête de quatre mois, au terme de laquelle les journalistes d'*ABC News* arrivaient à la conclusion que les pratiques d'embauche dans les parcs d'attraction de Disney ouvraient toutes grandes la porte à l'entrée de pédophiles. Mais le reportage ne fut jamais diffusé. Les raisons, aujourd'hui encore, restent nébuleuses. Mais tout le monde pointa du doigt un fait choquant : les pressions étaient venues de la haute direction. Or, le réseau de télévision ABC, depuis 1996, était propriété de... Disney[7].

***

---

6. Ann Reilly Dowd, « The Great Pretender », *Columbia Journalism Review*, juillet 1998 : http://www.cjr.org/year/98/4/glass.asp
7. Elizabeth Lesly Stevens, « Mouse-Ke-Fear », *Brill's Content*, décembre 1998, p. 98-103.

Plus anodine mais permettant aux internautes d'enfoncer encore plus le clou, la couverture journalistique d'Internet a eu elle aussi largement de quoi donner aux internautes des raisons de désespérer de la presse «traditionnelle».

D'abord, à l'époque où Internet commençait à émerger. Ceux qui n'y connaissaient rien étaient souvent ceux à qui on confiait les reportages, avec pour résultat que les préjugés prenaient régulièrement le pas sur la réalité[8].

Plusieurs citoyens inquiets affirmaient par exemple qu'Internet était un repaire de pornographie. Aussi, lorsque, en juin 1995, le *Time* eut vent qu'un chercheur de l'Université Carnegie Mellon, à Pittsburgh, travaillait sur une étude «confirmant» ce fait, il en fit illico sa une. Il allait suffire de 24 heures pour apprendre que l'étude était remplie de trous (le chercheur avait analysé 17 *newsgroups*... sur 12000 !), que la méthodologie et l'échantillon étaient mal foutus, et que le chercheur lui-même, un simple étudiant à la maîtrise, était sujet à caution. Le *Time* se rétracta trois semaines plus tard, fait rarissime dans l'histoire de ce magazine[9].

Plusieurs autres citoyens, sans jamais avoir mis les pieds sur le Net, s'inquiétaient du contenu «dangereux» qu'on pouvait y trouver. Aussi, en mars 1995, une nouvelle du *Calgary Sun* n'eut aucune difficulté à être reprise intégralement par la plupart des journaux canadiens: il existe, y lisait-on, un site Web offrant des «recettes de suicide». Vérification faite, le site en question, DeathNet, était la création d'un groupe de pression favorable au suicide assisté, et son contenu était composé de choses aussi passionnantes que les transcriptions des audiences du Comité du Sénat canadien sur l'euthanasie. En avril 1995, un reportage de Radio-Canada fit état d'un autre

8. Des internautes ont même entretenu, pendant une partie des années 1990, un forum intitulé alt.internet.media-coverage, consacré aux erreurs dans la couverture journalistique du Net.

9. Un compte rendu de cette histoire, réalisé par l'auteur en septembre 1995, peut être lu à http://www.sciencepresse.qc.ca/scandales/cyberporn.htm. Voir aussi l'analyse, plus étoffée, du journaliste américain Brock N. Meeks, dans son bulletin électronique *CyberWire Dispatch*, 7 juillet 1995, analyse qui donne en même temps une bonne idée du style décapant qu'avait ce cyber-journaliste: http://cyberwerks.com:70/0/cyberwire/cwd/cwd.95.07.04

site, en Colombie-Britannique, contenant un manuel d'instructions pour terroristes. Vérification faite, le manuel ne faisait que reprendre ce que tout lecteur intéressé pouvait trouver dans des manuels bien plus complets, en librairie.

La couverture prit ensuite, à l'époque où Internet décollait, une autre tangente. Le manque de connaissances fut remplacé par un manque d'esprit critique. Un coup d'encensoir après l'autre, des journalistes qui, deux mois plus tôt, ne savaient même pas qu'ils deviendraient des «gourous» du Net, devinrent soudain des courroies de transmission pour l'industrie du multimédia. Des innovations technologiques complètement irréalistes mais relayées aveuglément par ces journalistes ont ainsi permis à leurs inventeurs de faire un gros coup d'argent – aux dépens du lecteur qui, lui, aurait eu besoin d'une information bien plus fiable.

Et c'est sans compter les journalistes qui ne savaient même pas qu'ils deviendraient... journalistes! Quand un scribe s'adresse à un public non spécialisé et qu'il écrit l'incompréhensible «mon écran ne supporte que 256 couleurs, c'est du EGA... À l'époque c'était parfait pour accéder à mon compte Shell», c'est qu'il est encore très loin d'imaginer qu'il lui faudrait être critique devant son sujet[10].

«Il existe un tel manque d'esprit critique, déplorait Jean-Pierre Cloutier en mars 1997, une absence presque totale de recul par rapport à l'objet du discours, qu'à lire ou écouter cette presse, on tombe vite dans le syndrome "tout le monde il est beau, tout le monde il est gentil[11]".»

Que dire en effet d'un «reportage» qui, après avoir vanté à tour de bras les magnifiques «performances», les splendides «succès» et les admirables réussites à l'étranger de l'industrie québécoise du logiciel, termine par ce message tout ce qu'il y a de subtil: «Comme nous pouvons le constater, à tous les niveaux, l'industrie d'ici est en grande forme, elle n'attend que les acheteurs d'ici, c'est-à-dire vous[12]».

---

10. Robert Cassius de Linval, «À pied sur l'inforoute», *Voir*, 3 octobre 1996.
11. Jean-Pierre Cloutier, «Esprit critique», *Voir*, 20 mars 1997.
12. Michel Dumais, «L'industrie d'ici se porte bien», *Le Devoir*, 11 septembre 1999, p. E-6.

## Solution proposée: ouvrir les vannes

Tous ces dérapages amplifièrent le discours qu'avaient porté à bout de bras, depuis l'époque du WELL, les militants du Net: les médias sont «tous pourris», et la nouvelle technologie nous offre enfin la possibilité de créer une alternative.

Cette alternative, c'était, comme on l'a déjà dit, la possibilité pour quiconque de lancer son propre média. Mais cette alternative, c'était aussi, plus largement, la possibilité de tendre un micro vers tous ceux qui n'avaient même pas le temps de créer une page Web.

Bref, la solution toute trouvée aux médias que l'on qualifiait de «traditionnels» – presse écrite, radio, télé –, c'était d'ouvrir les vannes. Offrir *un droit de parole égalitaire et universel.* Tout le monde pouvait désormais devenir journaliste, sans avoir à passer par le filtre des grands de ce monde. Ce fut sur ces principes qu'on lança l'idée d'un réseau de «médias indépendants», Indymedia, à l'occasion des manifestations anti-mondialisation de Seattle, en décembre 1999[13].

Technologiquement, créer un tel site, c'est l'enfance de l'art: des logiciels gratuits ou peu coûteux font l'essentiel du travail. Une fois l'installation terminée, une page Indymedia permet à n'importe qui, en cliquant au bon endroit, de se retrouver devant, littéralement, une page blanche: il peut y écrire ce que bon lui semble. Pas de filtres, pas de contrôles, pas de rédacteur en chef, pas de pupitre pour corriger les textes. Ou si peu: mis à part le contenu raciste ou haineux, rien n'est filtré chez Indymédia, parce que, raisonne-t-on, toute forme de filtre équivaut à de la censure. Et comme la censure, c'est précisément ce contre quoi luttent ces artisans indépendants, puisque la censure, c'est, à leurs yeux, ce que pratiquent les grands médias, il ne saurait être question de brimer le droit de parole de qui que ce soit.

13. http://www.indymedia.org/

http://www.indymedia.org

Tout au plus se permet-on, parfois, de classer les textes qui entrent, suivant deux catégories : reportages et analyses. Pour le reste, chacun est libre de «poster» ce qu'il veut, sur le ton qu'il veut, après avoir ou non vérifié son information.

Ce «forum» étant né des manifestations anti-mondialisation, la mondialisation est, par la force des choses, le sujet de prédilection des participants. Mais ce terme a rapidement permis de ratisser large : économie, social, éducation, actualité internationale... D'autant plus qu'en moins de trois ans les sites «Indymédia» se sont multipliés, et ont ainsi permis d'ajouter à leur liste de sujets des préoccupations locales ou régionales. À l'été 2002, on en comptait environ 90 dans autant de villes, dont une quarantaine aux États-Unis et une vingtaine en Europe. Résultat : on y parle désormais aussi bien de la taxe Tobin que des affrontements israélo-palestiniens (il y a un centre des médias indépendants israéliens, et un palestinien), des attentats du 11 septembre 2001, du coup d'État manqué du Venezuela en avril 2002, de la pauvreté, des ghettos, du travail précaire et des droits de l'homme.

Ainsi que, bien sûr, des médias, institution honnie par excellence.

Est-ce du vrai journalisme? La question devait fatalement être posée, tôt ou tard. Elle l'a été, et elle a donné lieu à des débats, dans des listes de discussion sur Internet et jusque dans des congrès de «vrais» journalistes. Mais pour le public, et pour les journalistes eux-mêmes, elle est futile. Tout aussi futile que lorsqu'on l'a posée à propos de Matt Drudge.

Car la réponse, que cela plaise ou non, est simple. Oui, Drudge est un vrai journaliste, au même titre que le potineur du *National Enquirer*, aussi peu respecté qu'il puisse être de ses collègues du *New York Times*.

La question est futile, parce qu'il existera nécessairement, avec un média auquel tout le monde peut collaborer au gré de ses fantaisies, une zone grise entre celui qui a fait le travail typique du journaliste – recherche, entrevue, synthèse – et celui qui a improvisé un texte d'une qualité douteuse. Zone grise dont les limites varieront en fonction de la grille d'analyse de chacun.

En définitive, la réponse à cette question n'a aucune importance. En particulier, en Amérique du Nord, et dans tous les pays où il n'existe pas d'accréditation officielle pour désigner qui est journaliste et qui ne l'est pas. Trop se concentrer sur cette question finit au contraire par nous éloigner du véritable problème: un service comme Indymédia constitue-t-il, comme ses promoteurs le prétendent, la solution attendue aux difficultés qui assaillent les médias? Si ceux-ci sont, comme on le prétend, victimes d'une forme de censure parce qu'ils tendent toujours le micro aux mêmes personnes et dénigrent les autres, si les médias sont vraiment peuplés de reporters incompétents, opportunistes ou incultes, si les médias sont vraiment victimes de l'effet CNN qui les oblige à produire de plus en plus vite sans se préoccuper de la véracité des faits, un service comme

Indymedia permet-il de combler ces lacunes? Un service de ce genre constitue-t-il la solution au deuxième de nos trois problèmes graves répertoriés ici, la dilution d'une information fiable?

Posons la question plus simplement: *la population est-elle mieux servie avec un service comme Indymedia?*

La réponse est indubitablement oui, mais ce n'était pas difficile: la population est toujours mieux servie lorsque le nombre de médias s'accroît. Plus il y en a, plus les voix qui se font entendre sont diversifiées.

Reste par contre à savoir si cette même population saura dégager le bon grain de l'ivraie...

Ce qui nous amène à la question suivante. *L'information est-elle plus fiable parce que tous les courants d'opinion peuvent s'y exprimer?*

Et ici, nous devons répondre: certainement pas.

D'autres internautes y ont cru dur comme fer avant Indymedia, et s'y sont cassé les dents. Pensons aux *newsgroups*, ou forums de discussion, évoqués au premier chapitre. À l'usage, quand on regarde une page du site Indymedia de Montréal ou de Seattle, on se retrouve devant un modèle ressemblant en tous points aux *newsgroups*, tels qu'ils ont été imaginés dès le début des années 1980: des messages en provenance d'un peu partout, que n'importe qui peut expédier, et auxquels quiconque le souhaite peut répondre.

Le principe est exactement le même, et l'intention de départ était exactement la même – rappelons que si les internautes de jadis les ont baptisés *newsgroups*, ou groupes de *nouvelles*, c'est parce qu'ils voyaient dans cette innovation une occasion de créer un nouveau média, un média libre et indépendant. Les artisans d'Indymedia sont les héritiers directs des utopistes d'Internet du début des années 1990.

Mais la plupart des artisans d'Indymedia l'ont oublié, et c'est bien là le drame. Parce que dans ce rêve de médias libres et indépendants que représentait Usenet, dans ce rêve d'un royaume de la liberté de parole absolue, débarrassé du filtre des grands médias, il y avait une faille, qui menace aussi Indymedia: des tonnes d'imbéciles sont débarqués et ont transformé la plupart des *newsgroups* en un champ de foire où dominaient, au mieux, les insultes puériles, au pire, la littérature haineuse. Les adeptes d'une information plus solide sont allés voir ailleurs si elle y était.

Plus tard, alors que les *newsgroups* n'étaient plus que l'ombre d'eux-mêmes, quelqu'un a eu l'idée d'inventer les *weblogs*. En français, webabillard: des pages Web, sur lesquelles, grâce à un logiciel spécialement conçu, pourraient s'afficher automatiquement les contributions des visiteurs. Comme un babillard. Ou comme un journal de bord (en anglais, *log*) permanent. Les uns se sont créés des Weblogs pour parler cinéma, les autres pour échanger sur la science-fiction, les jeux vidéo, la politique. Et, bien sûr, l'actualité d'Internet. Le québécois *Pssst*, créé en août 1999, fut, pendant plus d'un an – avant de connaître un nivellement vers le bas, à l'image d'Usenet – le détour obligé des artisans québécois d'Internet.

Et c'est ainsi qu'un beau jour de l'été 1999 quelqu'un a eu l'idée de créer un tel Weblog, afin d'avoir sous la main un lieu de discussion et d'information pour tous les groupes disparates de militants qui se préparaient alors à se rendre à Seattle, manifester leur opposition aux chefs d'État des Amériques et au modèle de libre-échange que ceux-ci voulaient imposer.

Et ce Weblog hérita d'un nom original: Indymedia. Le centre des médias libres et indépendants. La boucle était bouclée.

## Les trous d'une information libre

Indymedia a réussi de bons coups d'éclat. Y a par exemple circulé, 24 heures avant la grande presse, un document de la Sûreté du Québec sur les mesures de sécurité en vue du Sommet de Québec d'avril 2001. Y ont été affichées des photos sanguinolentes d'un raid policier sur le local de ces «journalistes indépendants», à Gênes, avant le Sommet de l'été 2001 – de même que des films sur la violence policière exercée sur les manifestants de rue, toujours à Gênes. Films si compromettants qu'ils ont entraîné des sanctions contre les policiers... mais photos et films que les «grands médias», dans un premier temps, n'ont à peu près pas diffusés, leur préférant la version officielle des policiers.

Parce que ses journalistes-militants, ou journalistes tout court, ou militants tout court – encore ce problème de définition! – sont partout, un site Indymedia n'a aucun mal à obtenir des témoignages exclusifs, dès lors que des ministres des Finances ou des chefs d'État se rassemblent dans une ville pour parler ZLEA (Zone de libre-échange des Amériques), OMC (Organisation mondiale du commerce), FMI (Fonds monétaire international) ou BM (Banque mondiale). Et comme Indymedia, c'est également un réseau, le scoop juteux affiché sur un site, ou l'analyse bien sentie d'un Noam Chomsky, peuvent être relayés en quelques jours par plusieurs dizaines d'autres sites.

Mais pour *un* coup d'éclat, ou pour *une* analyse d'une grande profondeur, combien de textes mal foutus, d'analyses simplistes et de reportages trop longs et répétitifs?

On objectera que les «grands» médias contiennent eux aussi leur part d'analyses simplistes et de reportages répétitifs. C'est vrai, bien sûr. Mais l'ambition d'Indymedia n'est-elle pas, justement, de pallier les lacunes des «vieux» médias?

À combien de rumeurs lancées à la volée a-t-on eu droit? Inévitable, diront les défenseurs d'Indymedia, lorsque n'importe qui peut publier n'importe quoi. Mais le «filtre», ça a tout de même du bon. Ça aurait par exemple évité ce texte, paru sur le Indymedia britannique le 12 septembre 2001 – au lendemain des attentats de New York et de Washington – où un internaute non identifié déclarait qu'un étudiant brésilien non identifié lui avait dit qu'un professeur non identifié avait affirmé que les images de Palestiniens dansant de joie dans la rue à la suite des attentats, et diffusées la veille par CNN, avaient en réalité été tournées en 1991. La «nouvelle» fit en un clin d'œil le tour des sites Indymedia et fut répercutée par des milliers de courriels. Mais elle était complètement fausse. Le prof non identifié n'avait jamais dit pareille chose, l'étudiant brésilien reconnut s'être fourvoyé... et la machine distributrice de Coca-Cola, visible à l'arrière-plan, était un modèle 1997.

Et nous revoilà avec les dérapages de l'information instantanée...

Il va de soi qu'on a le droit – mieux, le devoir – de critiquer les journalistes des «grands» médias. Comme dans tous les métiers, on retrouve parmi eux des gens conservateurs, incultes, ou dénués de sens critique. Il leur arrive de remettre des textes bâclés et médiocres. Mais, si l'on veut critiquer, on a alors l'obligation de faire mieux.

Prenons le cas du Sommet de Québec. L'ambition des gens d'Indymedia était, comme aux autres rencontres du genre, de fournir une information différente, axée sur les revendications du peuple plutôt que sur les belles paroles des politiciens. Les médias traditionnels, se plaignaient ces journalistes et militants, allaient une fois encore braquer leurs projecteurs sur les affrontements entre les policiers et les manifestants, au détriment des discussions sérieuses et approfondies du sommet parallèle. Eh bien, pas nous. Nous vous offrirons une information différente.

Pendant les six jours que dura le Sommet de Québec – celui des 34 chefs d'État – et, surtout, le Sommet des peuples – celui des organismes non gouvernementaux, communautaires, des citoyens, de la société civile, celui des ateliers de fond sur la condition de la femme ou les droits humains, celui des manifestations artistiques et pacifiques – pendant ces six journées, il y eut quelque 70 textes postés sur le site du CMAQ, ou Centre des médias alternatifs de Québec – le Indymedia local.

Une belle performance pour des gens 100% bénévoles.

Sauf que, de ce nombre, près d'une cinquantaine de textes portaient sur... les affrontements entre les policiers et les manifestants. Seulement huit portaient sur les conférences et les colloques du Sommet des peuples – dont trois sur l'agriculteur hyper-médiatisé José Bové!

Le CMAQ avait pourtant distribué des cartes de presse à plus de 400 personnes, cette semaine-là. Que s'était-il passé pour aboutir à pareil résultat? Rien d'exceptionnel, hélas. Rien d'étonnant, même, vous dirait un journaliste scientifique qui sait combien difficile il peut être de couvrir des conférences, des colloques et des ateliers de fond, d'en dégager une synthèse qui n'aura rien de nature à faire la une – et, à côté de cela, à quel point c'est facile de se placer sur le coin d'une rue et de décrire ce qui se passe. Si, en plus, il s'agit d'un coin de rue où passent des cocktails molotov et des nuages de gaz lacrymogène, pour certains, c'est l'orgasme. Ils s'imaginent être en train de couvrir la Bosnie ou l'Afghanistan.

Ils ont critiqué abondamment les «vieux» médias pour avoir si peu couvert les fascinantes conférences et les complexes débats qui ont constitué le cœur du Sommet des peuples: des enseignants, des parents, d'ex-prisonniers politiques, des universitaires, venus des quatre coins des Amériques, et qui avaient des récits uniques à raconter, parfois tragiques. Mais, sur plus de 400 journalistes «alternatifs» ou gens qui s'étaient étiquetés tels, il n'est ressorti que huit reportages sur ces six forums-colloques d'une journée.

Bref, on touche ici du doigt à la plus grosse lacune des weblogs et autres *newsgroups*: ce n'est pas parce qu'on donne la parole aux gens ordinaires que l'information qui en ressort est nécessairement meilleure. Ni même plus complète ou plus variée – bref, plus fiable. Un *newsgroup*, comme un weblog, comme tout forum libre et indépendant, n'est constitué que de ce que ses participants peuvent bien lui donner. Et ces participants ont beau être débordants de bonne volonté et d'enthousiasme, s'ils n'ont ni le temps de fouiller et d'enquêter, ni le talent ou la volonté pour résumer des journées entières de débats, ni l'inspiration nécessaire à aller au-delà de ce qu'ils ont vu à la télé, ils n'accompliront pas de miracles.

Sans aucun doute, la solution résiderait dans un mélange de cette volonté d'indépendance et de l'expérience que quelques journalistes professionnels pourraient offrir à leur Indymedia local: plusieurs, quoi qu'on en dise, sont en effet sympathiques à l'idée d'un tel centre de médias alternatifs et seraient prêts à offrir leur aide.

Mais ça risque de faire grincer des dents. La seule idée de faire entrer là-dedans un «vrai» journaliste, à titre de professeur ou de rédacteur en chef, serait perçue par plusieurs comme une hérésie, comme une abdication de leur liberté.

Résultat: l'abondance de rumeurs non vérifiées, de textes inintéressants et de guerres de clans, risque d'entraîner les Indymedia, s'ils n'y prennent garde, sur la même pente glissante que les *newsgroups*: de plus en plus de bruit, de moins en moins d'information.

Et, ce jour-là, le citoyen aura encore perdu.

## Pour une poignée de fiabilité

Il ne faudrait pas clore ce chapitre sur une note trop noire. Internet a beau avoir accéléré cette course à une information de plus en plus rapide et de moins en moins vérifiée, il a tout de même engendré des efforts dont la profession journalistique peut être fière.

On a eu, au fil des ans, des Matt Drudge pour nous en faire douter, ou des webmestres qui se sont contentés de retranscrire les nouvelles de la radio (*Le Matinternet*) ou d'enrober avec leurs cadres (en anglais, *frame*) des nouvelles piquées ailleurs (TotalNews, à ses débuts); ce qui ne les a d'ailleurs pas empêchés de mériter un immense succès populaire. On a même eu, de la part de journalistes qui brandissaient la carte du «Web indépendant» (une initiative française pour encourager le travail de ces bénévoles), un dérapage magistral, lorsqu'un de leurs représentants, le quasi unique membre d'un «Réseau Voltaire», s'est transformé au cours de l'hiver 2001-2002, en un espace de propagande pour une théorie du complot à la *X-Files* (l'attentat contre le Pentagone n'aurait jamais eu lieu), frisant l'extrême droite. Théorie qui, là aussi, en dépit de l'absence totale de preuves, a eu un immense succès populaire.

Mais on a aussi eu des cyber-médias qui, à l'inverse, ont donné des leçons d'humilité à leurs collègues de la grande presse, ont battu cette dernière sur son propre terrain, ou ont forgé des alliances avec elle.

Le cyber-magazine américain *Salon*, par exemple, est sorti de l'ombre en avril 1998, après deux ans d'existence, lorsqu'il s'est mis à faire l'objet d'attaques en règle du *Washington Times* et, surtout, du *Wall Street Journal.* C'est que, tandis que la majorité des journalistes mordaient avec délectation les os lancés par le procureur Kenneth Star, en charge de la poursuite contre Bill Clinton, les correspondants à Washington de *Salon* préféraient s'intéresser à la crédibilité des témoins dudit procureur. Le portrait qui s'en dégagea, entre pots-de-vin et témoignages «arrangés» par des représentants du Parti républicain, ne fut pas du tout à l'avantage du procureur.

Les retombées n'ont pas tardé: «À présent, on me renvoie mes appels beaucoup plus vite», déclara à la *Online Journalism Review* l'un des journalistes de *Salon*, Jonathan Broder[14]. Le *Wall Street Journal,* qui n'apprécia pas se faire dire qu'il avait eu sous les yeux, depuis des mois, des témoins et des documents auxquels il n'avait pas accordé la moindre attention, préféra balayer du haut de sa grandeur les reportages de *Salon*: «Ce n'est qu'une publication en ligne[15]»...

Mais la cause était entendue. Trop longtemps les journalistes avaient-ils négligé leurs collègues d'Internet. Désormais, il y avait Matt Drudge, mais il y avait aussi *Salon.* Si la recherche d'une information fiable et de qualité n'était pas qu'un vœu pieux, mieux valait s'allier les *Salon* de ce monde, plutôt que de continuer à les ignorer.

Ce qui fut fait. Avant que la débandade boursière du printemps 2000 ne l'entraîne vers la faillite, *APB News*, un cyber-média spécialisé dans les affaires judiciaires, avait commencé à vendre de ses articles aux plus grands quotidiens américains, en plus de remporter des prix de journalisme pour la qualité de son travail. *TheStreet.com*, spécialisé en finances, a signé à l'automne 1999 un partenariat avec nul autre que le *New York Times.* Des journalistes du cyber-magazine québécois *Multimédium* (aujourd'hui décédé) ou du français *Transfert.net* (également décédé) ont été appelés à la rescousse, à la radio ou à la télévision. Le travail de qualité, même s'il n'était «que» sur Internet, était finalement reconnu à sa juste valeur. Surtout, le travail permettant au lecteur de faire un tri, de faire la part des choses, était reconnu comme ayant une valeur, supérieure au travail consistant à tout jeter en pâture au lecteur, en présumant qu'un esprit critique se développera chez lui comme par magie.

***

Dans la presse traditionnelle aussi, une réflexion en profondeur se poursuit du moins, chez les plus téméraires des journalistes.

Couvrant le secteur informatique depuis plus de 12 ans, le Québécois Nelson Dumais a ainsi fait preuve d'un bel esprit critique,

---

14. Matt Welch, «Salon's Coverage Commands Respect for Net Journalists, *Online Journalism Review*, 30 avril 1998: http://www.ojr.org/ojr/workplace/1017968 939. php
15. David Talbot, «The Far Right's Desperate Counterattack» (éditorial), *Salon*, 17 avril 1998: http://www.salonmagazine.com/news/1998/04/17newsd.html

lorsqu'il a commis, en décembre 1998, une réflexion courageuse sur les «cadeaux» dont tout journaliste qui couvre l'informatique finit par être inondé[16].

Les «junkets» (voyages professionnels toutes dépenses payées) sont par exemple offerts par une compagnie qui invite les journalistes à Los Angeles, à Honolulu ou en Australie, à ses frais, à l'occasion du lancement de son nouveau produit. Les codes d'éthique, dont celui de la Fédération professionnelle des journalistes du Québec, recommandent que les médias refusent tout cadeau. Mais, pour un pigiste aux revenus, par définition, précaires, cette relation trouble est vitale. «C'est que les gens de marketing ou de relations publiques me font aussi parvenir des produits et me mettent en contact avec des personnages clés. Sans ces relationnistes, mon compte d'interurbain serait beaucoup plus élevé, j'aurais plus de misère à me procurer les produits à la base de mes évaluations, je n'aurais jamais pu visiter les sièges sociaux des entreprises dont je parle et je n'aurais jamais pu arpenter des salons informatiques aussi prestigieux que le Comdex de Las Vegas ou le MacWorld de Boston.»

«Je ne suis pas dupe. Je sais que c'est risqué, que mon intégrité peut y laisser quelques plumes, qu'il me faut être des plus vigilants... Les forces du marketing mettent tout en œuvre pour faire croire en l'excellence d'un produit même s'il s'agit d'un bide pitoyable. Comment un pigiste isolé peut-il résister au spectaculaire des moyens utilisés?» Pire encore, comment un journaliste permanent qui n'a jamais couvert le secteur informatique, mais se retrouve catapulté dans un tel congrès, peut-il jouer le rôle de chien de garde que l'on attend de lui? «En cas de doute, le mieux n'est-il pas d'être neutre, à défaut d'être gentil? C'est quoi la nouvelle? ViaVoice 98 Executive est le meilleur logiciel de reconnaissance vocale au monde? Écrivons-le en utilisant le conditionnel, c'est IBM qui le dit, pas nous... Quel journaliste voyageur ne s'est pas dit, sans jamais oser l'avouer à voix haute, que, s'il était méchant dans son papier, on le placerait peut-être sur une liste de lépreux et qu'il

16. Nelson Dumais, «Quand le marketing devient un piège à con!», *PNC Média*, 18 décembre 1998: http://www.nelsondumais.com/affiche5.cgi/Chroniques?f=981218.txt

pourra toujours courir pour avoir de nouveaux billets d'avion? C'est d'ailleurs la même peur du côté des produits»: si le journaliste «passe son temps à dire que Microsoft fabrique des logiciels de merde», peut-être que Microsoft ne lui en enverra plus – ce qui, à 200 $ ou 400 $ pièce, pèse lourd sur le budget.

«Peut-on réellement faire preuve d'indépendance, demandait parallèlement *Le Nouvel Observateur* en dénonçant les magazines français d'informatique, lorsqu'on commente, à longueur de colonnes, la stratégie et les produits d'annonceurs qui génèrent de 60% à 80% de vos recettes[17]?»

La question est forcément biaisée, car ces magazines sont aussi nombreux que leurs sujets sont diversifiés. Mais elle mérite d'être posée, et le lecteur aurait tout intérêt à s'y intéresser. Parce que, comme c'était le cas avec la protection de la vie privée, ce n'est pas là un sujet de nature à faire la une. Il n'y a pas de bonnes histoires à en tirer. Mais si un petit noyau de gens, autre que les mêmes journalistes critiques, commençait à s'informer sur la façon dont les choses se passent, et à protester, cela pourrait faire une différence. Des lieux de réflexion et d'analyse comme le Freedom Forum[18] ont par exemple de quoi stimuler votre curiosité – ou votre indignation.

## Conclusion provisoire: raconte-moi une histoire

Pas nécessaire d'avoir Internet sous la main, pour offrir, de chez soi, une information fiable, vérifiée, solide... Un nommé Isidor F. Stone l'a prouvé bien avant *Salon*, Indymedia et *La Rafale*.

À la fin des années 1950, lorsqu'il était question d'essais atomiques sur le territoire américain et de leurs risques, les experts, avec à leur tête le physicien Edward Teller et la Commission de l'énergie atomique, affirmaient que les explosions atomiques souterraines menées dans le désert du Nevada ne pouvaient pas être ressenties à plus de 300 km. Certains observateurs contestaient ce chiffre, mais leurs déclarations ne leur valaient guère plus qu'un entrefilet dans la presse.

---

17. «Les virus de la presse micro», *Le Nouvel Observateur*, mars 1998.
18. http://www.freedomforum.org

Jusqu'à ce que ce journaliste, I.F. Stone, n'épluche le témoignage du négociateur du gouvernement Eisenhower sur les questions de désarmement, Harold Stassen, témoignage prononcé devant le sous-comité du Sénat – pas le genre de chose vraiment passionnante à lire. Stassen y expliquait aux élus – lors d'une séance tout à fait publique – que des séismographes situés jusqu'à 1 000 km d'une explosion survenue à l'automne 1957 avaient pu en capter les effets.

« Izzy », comme on l'appelait à Washington, se mit alors à donner des coups de fil. Rapidement, il découvrit qu'à quelques coins de rue de son bureau – et de ceux de toute la faune journalistique washingtonienne – le service des cadastres du ministère du Commerce possédait une division « séismologie ». Là, des experts fort courtois – et enchantés d'avoir la visite d'un journaliste – lui montrèrent des relevés sismographiques de 19 stations qui, toutes, avaient détecté l'explosion atomique de l'automne 1957. L'une de ces stations était en Arkansas, à plus de 2 000 km. L'autre, en Alaska, à plus de 4 000 km[19]!

C'était un *scoop*, et pas un petit.

Il fut publié dans *The Stone Weekly* et fit le tour du pays, entraînant une enquête publique. I. F. Stone fut acclamé par ses collègues pour avoir eu le réflexe de mettre son nez là où personne n'avait pensé à fouiller auparavant.

Et pourtant, *The Stone Weekly* n'était ni un journal ni un magazine : c'était un banal bulletin, un *newsletter* créé par Stone, réalisé par lui seul depuis sa résidence de Washington. Dactylographié bien sûr, puisque l'ordinateur n'existait pas. Agrafé et distribué exclusivement par courrier (puisque même le télécopieur n'existait pas !). Jusqu'à son dernier numéro, en 1971, Stone allait « scooper » à de nombreuses reprises les grands médias. Aujourd'hui, il fait partie de la légende du journalisme américain, et il est considéré comme un modèle à suivre.

---

19. Robert C. Cottrell, *Izzy: A Biography of I. F. Stone*. Rutgers, Rutgers University Press, 1992, p. 200-202.

Il n'avait évidemment pas Internet. Il n'avait pas non plus d'ordinateur. Il devait gérer lui-même les abonnements. Il devait payer ses interurbains. Mais son bulletin devint si populaire qu'à partir des années 1960 les abonnements lui permettaient d'en dégager un revenu décent pour lui, son épouse (qui s'occupait de l'administration)... et, à l'occasion, un assistant de recherche.

S'il est parvenu à réaliser ça avec des moyens qu'on qualifierait aujourd'hui – avec raison! – de primitifs, imaginez ce qu'un I.F. Stone têtu pourrait accomplir, avec l'accès à des banques de données monumentales, à des montagnes de transcriptions, à des milliers de gens par Internet, sans parler des logiciels de mise en page et du courriel...

I.F. Stone peut ainsi devenir un fameux facteur d'encouragement aux nombreux internautes qui s'échinent à produire un site Web de qualité et qui désespèrent devant la maigreur des revenus qu'ils réussissent à en tirer. Même I.F. Stone, qui ne parlait ni de sports ni des vedettes rock, qui était de surcroît un radical, comme on disait à l'époque – un homme de gauche, dans l'Amérique des années 1950, quoi de plus marginalisé! – a réussi à vivre de son bulletin... et à se ramasser un fonds de retraite !

Il n'a pas eu à s'en remettre à l'information brève et rapide. Il n'a pas eu à sacrifier les textes nécessitant un effort, comme les comptes rendus de colloques. La concurrence, la course au scoop, l'insécurité financière ne l'ont jamais obligé à rogner sur la fiabilité de l'information qu'il diffusait.

Et il avait des frais d'impression et de distribution, lui.

# La surabondance d'information

*Le journaliste doit défendre et protéger l'intelligence.*
Jacques Godbout, cinéaste, *Les Journalistes* (1980)

On prétend généralement que Léonard de Vinci fut le dernier génie universel : ce qu'on entend par là, c'est qu'il aurait été le dernier être humain capable de rassembler dans sa petite tête toutes les informations disponibles à son époque, autant en art qu'en politique ou en science.

Vrai ou faux? Léonard n'ayant jamais pu voyager ni en Asie, ni en Afrique, ni en Amérique, il y a une part d'exagération dans cette affirmation. Mais elle s'appuie sur une réalité : au tournant de l'an 1500, un intellectuel pouvait effectivement, s'il y consacrait sa vie, lire l'essentiel de ce qui était *disponible*. La presse à imprimer avait commencé à multiplier les livres, mais pas encore les titres : elle se contentait pour l'heure de copier à des milliers d'exemplaires des ouvrages en circulation depuis des siècles. L'ère de l'information instantanée n'avait pas encore commencé.

Aujourd'hui, avec Internet, le phénomène a pris une tangente carrément inquiétante : plus on reçoit de l'information, plus on a l'impression d'en manquer. Et plus Internet grossit, plus l'internaute ordinaire – celui qui n'a pas de formation en bibliothéconomie ou en recherche d'information, c'est-à-dire 99% de la population! – perd pied, aux prises qu'il est avec un chaos croissant et une absence totale d'outils pour distinguer le bon grain de l'ivraie. Même ceux qui croient disposer de ces outils, parce qu'ils maîtrisent bien les moteurs de recherche, se mettent le doigt dans l'œil.

C'est au point où un grand nombre d'internautes profitent de leurs vacances... pour poursuivre, par Internet, la quête d'information qu'ils ont le sentiment de n'avoir pas eu le temps de mener à bien. Les uns déploient des trésors d'imagination pour continuer de recevoir leur courrier électronique, même s'ils sont à des milliers de kilomètres. Les autres n'ont pas sitôt quitté la maison qu'ils sont en train de s'inquiéter à l'idée de manquer quelque chose d'important...

Certains psychologues ont tenté d'expliquer cela par une mythique « dépendance au Net», à l'image de l'accoutumance aux drogues (*Internet Addiction*, ou *drogués du Net*), mais ils sont dans les choux. Pour avancer pareille théorie, il faut qu'ils n'aient jamais été eux-mêmes passionnés par grand-chose[1].

« Aujourd'hui, écrivait dès 1995 Clifford Stoll dans *Silicon Snake Oil*, j'ai vingt lettres qui demandent réponse, trois personnes m'ont invité à discuter sur le réseau, il y a une douzaine de forums à lire, et une floppée de fichiers à télécharger. Comment puis-je garder le fil? »

« Je regarde mon reflet sur l'écran de l'ordinateur et un frisson me parcourt l'échine. Même en vacances, je ne peux pas échapper au réseau informatique[2]. »

« Ceux qui vivent à la vitesse de la lumière ne peuvent plus y renoncer », a résumé joliment Nelson Thall, président du Centre Marshall McLuhan, à l'Université de Toronto.

Beaucoup d'entrepreneurs ont senti le filon : dès 1996, ils ont lancé sur le marché des télé-avertisseurs, puis des téléphones cellulaires qui pouvaient, en plus du reste, recevoir et envoyer du courrier électronique. Ces téléphones en particulier, a constaté un anthropologue, sont rapidement devenus à leurs acheteurs ce que la queue est au paon : alors que les femmes le dissimulent dans leur sac à main, les hommes l'arborent fièrement à la ceinture, d'où ils le décrochent régulièrement pour le tâter et en palper les boutons.

Quelle autre raison en effet, que celle de jouer au paon, y a-t-il de vérifier toutes les 10 minutes si on a reçu une confirmation de la réunion du surlendemain ou un courrier publicitaire?

---

1. Le terme *Internet Addiction Disorder* est entré dans le vocabulaire médical en 1996, ce qui ne veut pas dire, par contre, qu'il soit bel et bien considéré comme une maladie.
2. Clifford Stoll, *Silicon Snake Oil*, *op. cit.*, p. 1.

## Constatation du phénomène

«L'information, c'est le pouvoir.» «Davantage d'information signifie davantage de pouvoir.» «L'accroissement de l'information entraînera une meilleure démocratie.» Ces déclarations ne sont pas nées avec Internet, mais les internautes s'en sont magistralement emparés depuis 10 ans, et en ont fait leur credo.

Eh bien, ils font fausse route.

Ce n'est pas uniquement de leur faute: c'est au cours des 50 dernières années que ces déclarations ont progressivement cessé d'être justes, et le glissement s'est fait si doucement que personne ne s'en est aperçu. Avec l'explosion d'Internet par contre, la conséquence nous saute soudain en plein visage: en ce XXIe siècle, davantage d'information n'est plus synonyme de progrès. Davantage d'information peut tout aussi bien signifier davantage de confusion, et même une démocratie plus vacillante.

Pour un internaute militant, cette affirmation a de quoi irriter, parce qu'elle va à l'encontre de tout ce qu'on lui a enseigné: Internet, a-t-on écrit et répété depuis une décennie, est l'outil d'une révolution politique; l'instrument grâce auquel tous les citoyens auront accès à toute l'information, et pourront faire des choix plus éclairés. C'est là le credo de tous les activistes du Net, sans exception: de la préhistoire du WELL jusqu'à Indymedia.

Et pourtant, ils ont tort. Davantage d'information n'est pas *toujours* synonyme de progrès. Surtout quand on ne sait pas du tout quoi faire de cette information.

«J'avais cette impression, depuis un bout de temps, de ne jamais être capable de rattraper le flot d'informations, de nouvelles et de courriers qui me sont "nécessaires" pour fonctionner», écrivait dès 1997 Steve Outing dans *Editor and Publisher.* «C'est le paradoxe quotidien de ce soi-disant Âge de l'information: tant de choses, si peu de temps», ajouta Tim Jones, du *Chicago Tribune*, en commentant un ouvrage qui, aujourd'hui encore, fait école. Si même des journalistes, pourtant habitués à nager dans l'information, s'inquiètent, imaginez le citoyen ordinaire qui, lui, est attaqué de toutes parts et ne dispose d'aucune défense...

L'ouvrage en question, qui a lancé la réflexion sur la surabondance d'information – mais une réflexion qui ne se poursuit qu'en coulisses, et qui prend un temps désespérant à émerger au grand jour –, c'est l'œuvre d'un journaliste américain, David Shenk: *Data Smog: Surviving the Information Glut*[3].

«Pendant 100000 ans, les technologies de l'information avaient été un moyen de soutenir et de développer la culture. Information et communication nous avaient rendus progressivement plus sains, plus riches, plus tolérants.» Mais, au milieu du XXe siècle, quelque chose s'est mis à changer: «Nous avons commencé à produire de l'information plus rapidement que nous ne pouvions la digérer. Jamais cela ne s'était produit auparavant.»

La conséquence: on avale de l'information, de plus en plus, et de plus en plus vite. Mais on a oublié en chemin qu'il existait une différence entre avaler de l'information et la comprendre.

Car l'information, à elle seule, ce n'est pas la même chose que la connaissance. Trop de données peuvent abrutir l'esprit, si celui-ci se contente d'absorber sans réfléchir, à la manière d'une éponge.

*Trop d'info tue l'info,* dit l'adage.

Inutile de ne s'en prendre qu'à Internet. Les animateurs de tribunes téléphoniques à la radio, ceux qui gueulent à propos de tout et de rien, ont-ils accru le niveau de conscience politique de leurs concitoyens?

Il n'y a peut-être qu'une seule raison pour laquelle ils gueulent autant: ils ont compris que c'était la seule méthode dont ils disposaient pour émerger au-dessus du flot d'information. Ils ont peut-être même compris qu'ils n'avaient pas l'intelligence nécessaire pour expliquer des choses un tant soit peu complexes. Alors ils se rabattent sur le seul talent que leur a donné la nature: leur grande gueule.

Surabondance d'information, donc. Mais pas surabondance de n'importe quelle information. *Surabondance d'informations rapides et éphémères, au détriment de l'explication et de l'analyse.*

3. David Shenk, *Data Smog: Surviving the Information Glut*, Harper Collins, 1997, 250 p.

Au XIXe siècle, disait dans la *Columbia Journalism Review* Neil Postman – encore lui – «le problème était la rareté de l'information. [Aujourd'hui], c'est devenu la surabondance. Le problème n'est pas d'avoir différents types d'informations plus vite. Le problème, c'est comment choisir ce qui est significatif[4]».

Et ça ne fait que commencer: à la fin des années 1970, le coût de l'entreposage informatique d'un mégaoctet d'information était de 250000$. À la fin des années 1990, il était de un dollar. En 2020, on peut prévoir qu'il ne dépassera guère un sou! Amenez-en, de l'info!

En 1970, l'Américain moyen était bombardé par une moyenne de 560 messages publicitaires par jour. En 1991, il y en recevait 3000! Il y a 40 ans, la télévision ne commençait à diffuser qu'à midi. Aujourd'hui, il existe des chaînes qui diffusent de l'information locale – ou de la météo! – 24 heures par jour. La consommation de papier, aux États-Unis, a triplé de 1940 à 1980... et encore triplé de 1980 à 1990! Dans les années 1980, le courrier de troisième classe (pour l'envoi de publications... y compris les circulaires publicitaires) a augmenté 13 fois plus vite que la population.

Encore une statistique? Selon David Shenk, une édition de semaine du *New York Times* contient plus d'informations que ce que l'Anglais moyen du XVIIe siècle pouvait lire... dans toute sa vie!

Internet n'est pas seul en cause. Mais Internet a considérablement amplifié le problème. Les PointCast et autres *push*, dont la tâche était d'aller quotidiennement chercher l'information aux quatre coins du Net, à la demande de l'internaute, n'ont fait qu'ajouter à la surabondance et à la confusion: *ils n'ont apporté aucune solution.* Ils ont ajouté eux aussi au flot d'information, mais rien à la compréhension, à l'explication, à la connaissance.

Exprimons cela autrement, par un bon mot d'Howard Rheingold, ce pionnier du Net. Pour distinguer le bon grain de l'ivraie, pour retrouver son chemin dans cette jungle, «la règle numéro un est de prêter attention. La règle numéro deux pourrait être: l'attention est

4. Cité par Katherine Fulton, « A Tour of our Uncertain Futur», *Columbia Journalism Review*, mars 1996: http://www.cjr.org/year/96/2/tour.asp

une ressource limitée, alors prêtez attention à ce à quoi vous prêtez attention. »

Pareil constat vient généralement accompagné d'une vision d'avenir pessimiste : si la tendance se maintient, de plus en plus de gens se révéleront incapables de suivre ce flot, et décrocheront. Ils cesseront de s'informer et, en conséquence, deviendront encore plus qu'aujourd'hui la proie des démagogues. Parce que les démagogues, eux, proposent des solutions simples, faites sur mesure pour ceux qui ne veulent pas faire l'effort de réfléchir. Les démagogues proposent systématiquement des solutions qui ne demandent aucune imagination, ni réflexion ni effort.

Et les démagogues les plus habiles ont souvent un très bon succès dans les médias... et en politique.

Cet avenir noir, David Shenk ne veut pas y croire, mais il ne peut complètement le rejeter : « Nous ne pouvons nous débarrasser de la sensation étrange d'être en train de perdre le contrôle sur ces machines qui étaient censées nous servir[5]. »

## Les retombées de la surabondance

Si nous sommes bel et bien entrés dans une ère où la quantité de données qui nous tombe dessus est telle que nous sommes en train de nous noyer, une ère où nous avalons de plus en plus d'information, en prenant de moins en moins de temps pour y réfléchir, alors il y a nécessairement des retombées malsaines. Des retombées sur la société dans laquelle nous évoluerons au cours du siècle à venir. Des retombées sur la santé. Des retombées sur la démocratie elle-même, qui s'en trouve fragilisée.

La santé, tout d'abord. Plusieurs internautes, influencés par une poignée de psychologues plus volubiles que rigoureux, invoquent une mythique « cyberdépendance » (les fameux « drogués du Net », mentionnés plus haut), mais l'explication reste incomplète, parce

5. Le sous-chapitre qui précède et le suivant sont adaptés d'une série de trois chroniques de l'auteur, parues en juillet-août 1997 dans *La Presse*. La version originale, avec hyperliens, peut être trouvée à : http://www.sciencepresse.qc.ca/abondance.html

qu'elle s'attaque à Internet comme s'il s'agissait d'une entité à part: or, le déferlement d'information, ce n'est pas que le courrier électronique et les sites Web. C'est aussi l'avalanche de magazines spécialisés, les télécopieurs, les téléphones cellulaires, la publicité envahissante, et bien sûr la multiplication des choix à la télé...

D'autres psychologues préfèrent utiliser une expression plus vague, comme *information anxiety*: «sentiment de culpabilité à la vue de nos piles de courrier et de nos magazines non lus. Frustration à l'idée de n'avoir pas le temps de comprendre, d'intégrer et d'utiliser l'information que nous avons amassée[6].» Ou encore plus vague: le technostress[7]. Stress, par exemple, lorsqu'on prend conscience de nos vaines tentatives de lutter contre le flot d'information. Et stress dû à la crainte que cette incapacité à lutter puisse nous nuire dans notre travail ou dans notre vie de tous les jours.

En bout de course, ça va plus loin que le stress: voilà que des observateurs font carrément intervenir une maladie, connue des psychologues, le «trouble déficitaire de l'attention» (TDA) ou *Attention Deficit Disorder*. On désigne sous ce nom, depuis les années 1950, le syndrome qui frappe les enfants hyperactifs et incapables de se concentrer (entre 2% et 4% des écoliers). Les psychologues admettent depuis les années 1980 qu'il frappe également les adultes, et y ajoutent un nouvel élément: une victime du TDA n'est pas nécessairement hyperactive. Elle peut être très calme, mais éprouve des difficultés à rester attentive, à travailler sans se disperser. Elle est incapable de rester en place. Elle lit beaucoup de livres mais en termine peu. Son esprit *zappe* continuellement d'une chose à l'autre.

Ça ne vous rappelle pas quelqu'un?

Aujourd'hui, on pourrait dire que son esprit *surfe* continuellement... Car, entre le fait de *zapper* d'une chaîne de télé à l'autre et celui de *surfer* d'un site Web à l'autre, il n'y a qu'une différence de degrés : dans les deux cas, on ne cherche pas vraiment à s'informer. On cherche juste à passer le temps...

---

6. Janet Fox, *Conquering Information Anxiety*, 1998: http://www.ibt-pep.com/ciar.htm
7. Proposé par les psychologues américaines Michelle M. Weil et Larry D. Rosen dans leur ouvrage intitulé, cela va sans dire, *Technostress*.

Plus surprenant: le trouble déficitaire de l'attention serait en pleine croissance. Entre 1990 et 1995, l'augmentation aurait été de 250% aux États-Unis, du moins si on en juge par les ventes de Ritalin, le principal médicament prescrit aux enfants.

Le Ritalin appartient à un tout autre débat social. Mais en est-on aussi sûr? D'un côté, l'hyperexcitation des enfants gavés d'une télévision qui leur impose un rythme saccadé inédit dans l'Histoire, au point où aucun psychologue n'a encore eu le temps d'en comparer les effets entre cette génération et la précédente. De l'autre, l'anxiété, le stress, et en bout de ligne le décrochage, de la part d'adultes pourtant habitués à être envahis de tous côtés par de l'information. Et si ce n'étaient que deux des faces d'un même cube?

Serions-nous entrés dans une forme d'épidémie du syndrome de déficit d'attention (TDA), dont Internet aurait été le catalyseur? Même *Wired* consacrait quelques pages à cette hypothèse saugrenue en juin 1994. «La personnalité typique du TDA correspond parfaitement au style de vie de l'Amérique des années 1990[8]».

De la psychologie personnelle, qui mérite qu'on s'inquiète, il n'y a qu'un pas jusqu'à la psychologie collective. La surabondance d'information peut avoir pour grave conséquence, on l'a dit plus haut, la victoire des démagogues. Pour eux – par exemple, l'animateur de radio qui crie –, la surabondance d'information n'est pas un problème, mais une occasion: pour émerger de ce flot d'information, il lui suffit de se faire remarquer et, pour ce faire, de crier plus fort que les autres.

Or, si le citoyen moyen a de moins en moins de temps pour réfléchir et faire le tri entre les myriades d'informations reçues, pire encore, s'il choisit de baisser les bras, s'il décroche, le risque qu'il soit influencé par le plus beau parleur augmente d'autant. C'est tellement plus facile de se laisser bercer par les paroles d'un politicien qui promet de régler tous nos problèmes que d'essayer soi-même de comprendre ces problèmes! Et c'est tellement plus facile que de s'engager soi-même dans la vie sociale, communautaire ou

8. Evan I. Schwartz, «Interrupt-Driven», *Wired*, juin 1994: http://www.wired.com/wired/archive/2.06/interrupt-driven.html

politique. Tous les Jean-Marie Le Pen de ce monde ont bâti leur carrière sur la démission d'un nombre désespérément élevé de leurs concitoyens face à une société qu'ils jugent trop complexe.

Avec le flot titanesque d'information transporté quotidiennement, ces démagogues et autres manipulateurs auront, si rien n'est fait, la partie encore plus facile, à mesure qu'Internet, tout au long du XXI^e^ siècle, prendra sa place dans toutes les résidences de la planète.

***

Il y a de quoi désespérer en lisant tout cela. Y a-t-il des solutions, demanderez-vous. Bien sûr qu'il y en a. Mais elles ne plairont pas à tout le monde, puisque chacune demande des efforts. Et, cette fois, des efforts de la part d'un plus grand noyau de la population. Si les deux précédents problèmes – atteinte à la vie privée et fiabilité de l'information – réclament une intervention d'un petit, mais bruyant, noyau de gens, la surabondance d'information concerne tout le monde : de celui qui écoute six heures de télévision par jour à celui qui reçoit des centaines de courriels.

Ce qui manque généralement à tous ces gens, c'est une éducation aux médias. On leur a appris à programmer un magnétoscope, on leur a appris à lire un relevé bancaire, il existe même des cours pour apprendre à gérer un budget, tâche aride s'il en est. Il devrait exister des cours pour leur apprendre à gérer de l'information.

## Solution 1 : triez

On peut contrôler cette mer d'information. Il n'y a pas 36 solutions : il faut faire diminuer le niveau de la mer. Du moins, le niveau de la mer qui arrive jusqu'à notre quai personnel.

Personne n'envisage évidemment d'ordonner aux diffuseurs de produire moins de bulletins de nouvelles ou de cesser de créer des sites Web... La solution doit venir de chacun de nous. Et cela veut dire deux choses : d'une part, faire un effort personnel pour trier l'information. Et, d'autre part, apprendre à chercher d'une façon moins bordélique que ce que les Yahoo et autres Google de ce monde vous ont enseigné.

Trier, d'abord. C'est fondamental, parce qu'il faut continuellement se rappeler, aussi évident que cela semble, que *ce n'est pas l'abondance de sources d'information qui constitue le véritable problème. C'est l'usage que chacun de nous fait de cette information qui constitue le problème.*

Si nous nous contentons de l'avaler comme une éponge, nous devenons nous-mêmes le problème: il y a un milliard d'années que les éponges ne sont plus les animaux dominants, sur cette planète.

Très tôt, des professionnels de l'information s'en sont aperçus. Le scoop du futur ne sera pas la nouvelle la plus spectaculaire, «mais la meilleure analyse, le meilleur compte rendu, celui qui vous expliquera pourquoi vous avez besoin de savoir ceci et cela», déclarait dès 1995 un vétéran du journalisme américain, Daniel Schorr, en observant l'émergence des inforoutes[9]. Sous la plume de David Shenk dans *Data Smog*, deux ans plus tard, la conclusion était la même: «*Le Dow Jones a grimpé de 13 points et demi ; le décollage de la navette spatiale a été reporté; le jury d'O.J. Simpson a été choisi; le président Clinton déclare que les élections bosniaques devront avoir lieu.* Tous ces sujets ne sont en aucun cas des sujets triviaux. Mais, présentés de cette façon, ils n'ont aucune valeur...»

«Pour comprendre véritablement un sujet, nous n'avons pas besoin de remises à jour régulières, mais d'une analyse soignée et réfléchie de la situation.»

Certains ont vu comme une solution miracle, pendant quelques années, les «agents intelligents», ces logiciels qui, justement, effectuent un tri, puisqu'ils ne vont chercher aux quatre coins du Net que les articles portant sur des sujets que vous avez définis au préalable. Sauf que ces outils, on l'a dit, ajoutent eux-mêmes au déluge: vous recevrez plus d'articles que vous n'aurez jamais le temps d'en lire! Pire encore, ils vous arrivent sans la moindre classification («le meilleur, c'est lequel?»). Résultat: ils créent... l'ignorance. Ils arrivent exactement à l'effet inverse que ce pour quoi ils ont été conçus!

---

9. Cité par Katherine Fulton, *op. cit.*

Pourquoi l'ignorance? À cause du majordome dont nous parlions plus haut: refuser toutes les informations imprévues, et n'accepter de n'entendre parler que de ce dont on sait déjà tout, ça ne fait pas beaucoup mousser l'intelligence...

Nul ne peut mieux que vous agir comme filtre pour votre propre information. Et cela veut dire: limitez votre courrier électronique; inutile, par exemple, de s'abonner à des dizaines de listes d'envoi, si la seule petite information intéressante que vous y ramassez de temps en temps se retrouve publiée ailleurs, une semaine plus tard. Apprenez à vous servir des filtres de votre logiciel de courrier, afin d'envoyer automatiquement dans des filières moins urgentes ce qui, justement, ne mérite pas de réponse urgente (les listes d'envois, par exemple): avec Outlook Express, il s'agit de la commande «Règles de la messagerie» ou «Règles du courrier» («Nouvelle règle» en l'occurrence), dans le menu «Outils». Avec Eudora, il s'agit de la commande «Filtres» (appuyez sur «Nouveau» et suivez les instructions) dans le menu «Spécial».

Résistez à la publicité, que ce soit celle qui atterrit dans votre boîte aux lettres, ou celle qui alourdit votre journal du samedi. Éteignez la télé de temps en temps. Demandez-vous s'il vous est absolument nécessaire d'être abonné au câble (ou au satellite) si Internet vous fournit déjà l'essentiel de l'information dont vous avez besoin.

En définitive, vous seul pourrez distinguer ce qui constitue, pour vous, une information essentielle d'une information superficielle. Un robot ne réussira jamais cet exploit.

Pour réussir un tel tri, le plus difficile sera par contre de se rassurer soi-même. Vous savez, cette crainte qui nous assaille de manquer quelque chose d'important si on rate pour la première fois depuis longtemps le téléjournal de fin de soirée, ou si on ne regarde pas notre courriel tout de suite. Eh bien, non, vous ne risquez pas de perdre votre emploi ni de devenir un inculte si vous vous éloignez d'Internet ou de votre courriel pendant quelques heures, ni même quelques jours.

C'est d'autant plus à l'internaute qu'il revient de faire cet effort, que, même si la «bulle» Internet s'est dégonflée, la croissance d'Internet, elle, n'est pas près de s'arrêter. La surabondance d'information ne disparaîtra pas, même si tous les WorldCom de ce monde devaient faire faillite. Au contraire, la surabondance va prendre encore plus d'ampleur, aussi effrayant que cela paraisse : les sites Web déjà en place vont continuer de grossir, et il y a une quantité inimaginable de documents, politiques, juridiques, scientifiques, littéraires, qui n'ont pas encore été mis sur Internet, mais qui le seront, au fil des années et des décennies à venir.

Un travail d'éducation s'impose donc, de façon urgente, dans les écoles. Parce que l'adulte ne peut pas apprendre du jour au lendemain à gérer son information, s'il n'y a jamais été préparé. Au moins l'enfant, lui, est-il encore en âge d'acquérir des réflexes tels que faire un tri... ou se servir de sa jugeotte.

## Solution 2 : apprenez à chercher

On perd beaucoup de temps sur Internet parce que l'information qui nous arrive n'a pas été triée. Mais l'information que l'on va nous-même chercher n'a pas été triée, elle non plus. Et, obnubilés que nous sommes par l'admirable rapidité des moteurs de recherche, nous perdons de vue le fait qu'on gaspille un temps énorme.

En science de l'information, nous explique le *Guide d'initiation à la recherche sur Internet*, on juge une recherche performante lorsqu'elle nous procure *tous* les documents recherchés et *seulement* les documents recherchés. Or, sur Internet, on en est encore très loin. « Selon ces critères, la recherche sur Internet comporte un tel taux de silence (on ne trouve pas tous les documents pertinents) et de bruit (on récolte souvent une multitude de documents non pertinents) qu'on ne peut la qualifier de performante[10]. »

Comment apprendre à moins gaspiller de temps dans une recherche Internet ? Leçon numéro un : distinguer répertoires et moteurs de recherche.

10. Sous-comité des bibliothèques de la CREPUQ, *Guide d'initiation à la recherche sur Internet*, Québec, 1996 : http://www.bibl.ulaval.ca/vitrine/giri/mod3/3ex1.htm

Je sais, cela a été dit maintes et maintes fois, mais restez avec moi un moment, ça en vaut la peine.

*Le répertoire* est un index. Ou un annuaire. C'est l'équivalent de l'index que l'on retrouve dans une bibliothèque, ou des pages jaunes du bottin téléphonique : des millions de sites, classés par catégories.

*Le moteur de recherche* est un robot. Qui ratisse jour et nuit le Web pour archiver dans sa banque toutes les nouvelles pages qu'il a pu trouver. Le moteur de recherche cherche donc dans l'ensemble du Web.

Yahoo est un répertoire. La Toile du Québec est un répertoire. Google, Alta Vista, Excite sont des moteurs de recherche.

On ne recherche donc pas la même chose avec l'un et l'autre. Le moteur de recherche a été pensé, dès l'origine du Web grand public, pour faire des recherches par mots clés. Des recherches *spécifiques.* Le répertoire, lui, a été pensé pour faire des recherches par grandes catégories. Des recherches *générales.* Ainsi, dans Yahoo, on peut chercher des sites généraux sur la médecine. Ou des sites généraux sur la tumeur du cerveau : auquel cas on part de la sous-catégorie médecine, pour cliquer sur la sous-sous-catégorie oncologie, pour aboutir dans la sous-sous-sous-catégorie *Brain tumor.*

Certes, les habitués savent bien qu'on peut aussi faire une recherche par mot clé dans un répertoire comme Yahoo. Beaucoup de gens le font. Mais *ils se fourvoient lamentablement* : parce que, ce faisant, ils ne font une recherche que dans *la liste de sites que Yahoo a bien voulu rassembler,* et non pas dans l'ensemble d'Internet.

C'est une démarche aussi erronée que d'utiliser l'index de la bibliothèque de votre quartier pour trouver une photo du président Kennedy. C'est utiliser un atlas géographique pour trouver le nom d'une étoile. C'est utiliser un dictionnaire pour trouver une règle de grammaire. Si vous êtes patient, vous allez finir par trouver ces informations, même avec ces outils. Mais vous aurez perdu un temps fou, et vous ressortirez frustré de l'expérience.

Le répertoire, insistons là-dessus, devrait être utilisé uniquement pour une recherche *générale.* Le genre de recherche que l'on fait quand on a du temps devant soi. Si on recherche des ressources centrales. Des sites de référence. Encyclopédiques. On veut en savoir plus sur le virus Ebola, mais, auparavant, on veut lire davantage sur la médecine. Puis, sur les maladies infectieuses. Le répertoire permettra, dans un tel cas, d'aller du général au particulier – ce qui constitue la base même d'une recherche de fond, comme l'ont appris tous les étudiants à la maîtrise ou au doctorat, ou tous les journalistes d'enquête.

Le moteur, lui, sert à une recherche *pointue*. Lorsqu'on est pressé, et qu'on veut uniquement des références rapides.

Admettre cette distinction, bien l'ancrer dans sa tête, et non plus se lancer sur Yahoo à la première occasion, c'est un bon point de départ. Mais on n'a pas encore séparé le bon grain de l'ivraie. Internet réserve d'autres surprises à celui qui s'est laissé gagner par l'illusion que de taper quelques mots clés permet de faire une recherche valable.

Car il manque une chose essentielle, fondamentale à Internet, pour être un outil de recherche aussi valable qu'une bibliothèque : l'humain.

Ce n'est pas de dire qu'il faudrait une armée de bibliothécaires disponibles 24 heures par jour pour aider les dizaines de millions d'internautes. C'est plutôt que tous ces répertoires, tous ces moteurs de recherche ont bien souvent été conçus par des gens qui étaient de parfaits ignorants en matière de classement... et de recherche !

Ceux qui ont conçu Yahoo, par exemple, en 1994-1995, étaient de simples internautes, dans la jeune vingtaine. Des gens débordants d'enthousiasme face au nouvel univers qui était en train de s'ouvrir, mais qui n'avaient jamais travaillé dans une bibliothèque et n'avaient qu'une idée très vague de la façon dont il convient de classer des documents. Ils ont donc inventé des noms de catégories au petit bonheur, et ces noms se révèlent aujourd'hui très imparfaits.

Yahoo offre par exemple, sur le premier niveau (la page d'accueil), une grande catégorie « science » et une grande catégorie « Environnement ». Pour le profane, cela semble logique, non ? Et pourtant. Les organismes génétiquement modifiés (OGM), eux, on les classe où ?

Dans une bibliothèque, il n'y aurait aucun risque d'une pareille confusion. Les systèmes de classification sont le fruit d'une réflexion qui dure depuis des générations, et qui ne s'arrêtera jamais. Cette classification peut paraître empesée, mais elle est irréprochable : une fois qu'on s'est entendu sur un code de classification pour la génétique par exemple, il n'y a plus qu'un et un seul endroit, dans toutes les bibliothèques du monde, où se retrouveront les livres consacrés à la génétique. Chaque catégorie est, de plus, *mutuellement exclusive* – une qualité bien difficile à trouver dans les répertoires d'Internet.

Car, sur Internet, il n'existe aucune norme, aucune règle pour la classification des documents. «Le Web est un grand *cartoon*», ironise le journaliste Claude Marcil, auteur de *Comment chercher... sur Internet*[11]. Un webmestre peut fort bien décider que les OGM relèvent de l'environnement, tandis qu'un autre les reléguera sous science, et qu'un troisième les rangera dans la catégorie santé!

Autre bon mot, du journaliste David Shaw, du *Los Angeles Times*: chercher quelque chose de spécifique sur Internet, c'est comme si on entrait «dans la plus grande bibliothèque du monde, pour y découvrir que tous les livres ont été lancés sur le sol par un enfant de trois ans en colère et hyperactif».

Sur Internet, il n'existe aucune norme, et il ne faut pas s'illusionner : il n'y en aura jamais. Il n'y aura jamais de catalogage officiel d'Internet. En tout cas, pas au sens où l'entendent les bibliothécaires[12]. Il y aura sans doute de plus en plus de codes HTML à insérer ici et là dans les pages, permettant de mieux repérer les documents, mais l'insertion de ces codes reposera sur la bonne volonté des webmestres. Bref, la pagaille est là pour rester.

Résultat de tout cela : un répertoire comme Yahoo est tout à fait bancal.

Or, Yahoo est devenu si populaire que la plupart des gens ont cessé toute réflexion critique à son sujet. «S'il est populaire, c'est

11. Un cours gratuit, en 16 leçons : http://www.sciencepresse.qc.ca/recherche/TdM.html
12. Guy Teasdale, «Métachronique XML», *La Lettre du bibliothécaire québécois*, mai 1998 : http://www.sciencepresse.qc.ca/lbq/lbq11.5.html

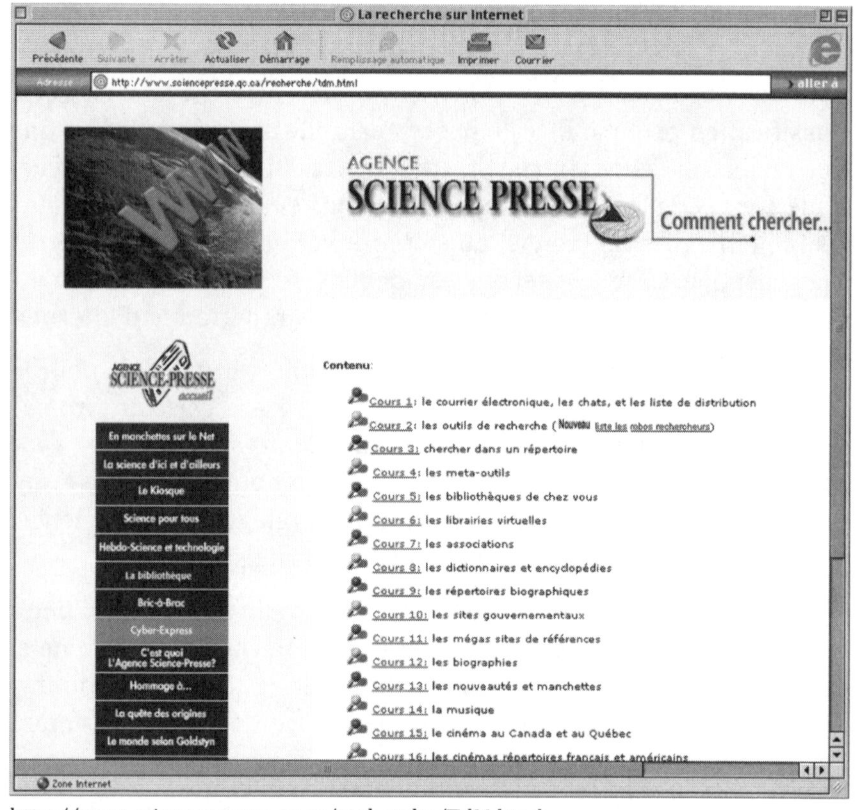


http://www.sciencepresse.qc.ca/recherche/TdM.html

qu'il doit être bien fait », ont rapidement conclu les internautes. Qui se sont dès lors mis à l'imiter ou à s'en inspirer. Les répertoires français comme Nomade ressemblent comme deux gouttes d'eau à Yahoo. Et ceux qui ont conçu le répertoire africain Wooya se sont inspirés des répertoires français. D'un modèle bancal à l'autre, la recherche sur Internet ne s'est guère améliorée...

Ce n'est pas tout. Les concepteurs de ces répertoires n'étaient pas seulement ignorants en matière de classification. Ils l'étaient aussi en matière de recherche.

Car, lorsque vous cherchez quelque chose, vous aimez qu'on vous mâche le travail. Ainsi, dans une bibliothèque, une fiche vous donnera le titre du volume, son auteur, son éditeur, l'année de publication... Tout ceci, mine de rien, vous fournit déjà des informations fort utiles pour effectuer un premier tri. Certaines fiches ajouteront à cela quelques mots clés, et parfois un résumé du livre.

Or, sur Yahoo, que trouve-t-on? Ni année de publication du site, ni auteur, ni éditeur, ni résumé. En fait, rien du tout, à part le titre du site – et, parfois, une ligne complaisante qu'a bien voulu fournir le site lui-même.

Reprenons le cas du cancer. De la catégorie Santé de Yahoo, nous descendons dans *Médecine*, puis *Oncologie*, puis *Maladies*, puis *Tumeurs au cerveau*. Et que trouve-t-on là-dedans? Que des titres de sites Web. Lesquels sont, de surcroît, fort ressemblants de l'un à l'autre («Le meilleur site sur les tumeurs», «Le site numéro un sur les tumeurs», «Tout savoir sur les tumeurs», etc.). Celui-ci est-il un site d'étudiant ou un méga-site d'information? En quelle année a-t-il été conçu? S'agit-il d'un éditeur *New Age* qui propose l'imposition des mains pour guérir une tumeur, ou d'une maison d'édition universitaire dont le jargon sera incompréhensible? Comment le savoir? Par lequel dois-je commencer?

Yahoo ne nous fournit aucune réponse à ces questions, parce qu'aucun humain n'est passé par là. Yahoo s'est contenté de recevoir une demande d'un webmestre lui demandant d'ajouter son site à la catégorie «tumeurs». Ce que Yahoo a fait, sans le visiter – et, bien sûr, sans se donner la peine d'en faire un compte rendu.

Conclusion? Elle apparaîtra hérétique, mais elle est bien simple: pour toute recherche digne de ce nom, chassez à tout jamais Yahoo de votre esprit. Oubliez-le. Effacez-le de vos signets. Si vous l'utilisez encore, rendez-vous compte qu'il n'y a qu'une seule raison: c'est parce que tout le monde le faisait.

Ce qui, on en conviendra, n'a jamais été une raison valable pour quoi que ce soit...

## Solution 3: utilisez votre jugeotte

Le moteur de recherche est-il préférable au répertoire? Oui et non. Il a d'indéniables qualités. Il ne va pas seulement se souvenir du titre du site, il va se souvenir de toutes les pages du site. Mieux encore, il va indexer dans sa mémoire toutes les pages de tous les sites auxquels il peut avoir accès. C'est un peu comme si, dans une bibliothèque, vous aviez à votre disposition un bibliothécaire qui, à votre demande, se mettait à relire toutes les pages de tous les livres et de toutes les revues qui sont sur les rayons. Quel service!

Mais le moteur de recherche a les défauts de ses qualités : trop, c'est comme pas assez. À ouvrir toutes ces pages, le bibliothécaire vous ramène inévitablement des choses qui n'ont absolument rien à voir avec ce que vous cherchez, juste parce que le mot clé que vous avez demandé se trouve quelque part en page 249.

D'où l'intérêt de ne pas partir à l'aveuglette.

Ou, exprimé autrement: *avant de chercher, essayez de savoir ce que vous cherchez.* Servez-vous de votre jugeotte[13].

C'est tellement facile d'aller sur un moteur, et de taper le premier mot qui nous passe par la tête. Et là, de parcourir la liste des sites qui nous est offerte, en se disant que, même si on n'a pas bien précisé notre recherche, ce qu'on veut trouver doit bien se trouver quelque part dans le lot... Ça, c'est la solution paresseuse.

Et dangereuse, parce que, oui, on va finir par trouver quelque chose. Fatalement. Mais on va tout aussi fatalement passer à côté de quelque chose de fondamental.

Réfléchir à ce qu'on veut chercher *avant de chercher*, ça veut dire *essayer de trouver le mot juste.* Ou l'expression précise. Se demander par exemple quelle est l'expression qu'utilisent les spécialistes du domaine qui nous intéresse. *Tumeur au cerveau* ou *tumeur du cerveau*? Vaut-il mieux écrire *astéroïdes*, auquel cas on ramassera au passage tous les sites sur le jeu électronique *Asteroids*, ou *planètes mineures*, qui est l'expression consacrée des astronomes?

---

13. «L'erreur la plus commune des nouveaux utilisateurs d'Internet est de négliger la réflexion préalable à la recherche et de poser directement une question à un moteur de recherche... Cette erreur initiale amène ensuite le néophyte à proposer un résultat de recherche, certes très riche, mais ne correspondant pas à la question posée initialement... Trouver l'information est un art, pas une science», résume le Français Jean-Pierre Lardy, sur son site *Recherche d'information sur l'Internet:* http://www.adbs.fr/adbs/sitespro/lardy/risi.htm

*Cet exercice préalable est bien plus important que la recherche elle-même.* La recherche devrait n'être que la dernière étape. Mais la plupart des gens passent directement à cette étape.

Sauter par-dessus l'utilisation de son bon sens, dans une bibliothèque, ce serait l'équivalent d'un individu qui, plutôt que de chercher dans le répertoire-sujets le mot «astéroïde», se rendrait tout de suite à l'étage où sont rangés les livres d'astronomie. Il va se retrouver devant une montagne de livres sur le système solaire et, obligé d'aller au plus pressé – ou découragé par l'ampleur du choix –, il ne ramassera que les plus châtoyants. Bien sûr, il y trouvera nécessairement des éléments d'information sur ce qu'il cherche. Mais, au passage, il n'aura même pas remarqué le discret livret de l'Union astronomique internationale contenant les références les plus complètes et les plus à jour sur les astéroïdes.

Mieux vous aurez défini ce que vous cherchez, et plus vos mots clés seront précis. Vous n'écrirez pas simplement «balancement des chakras» si vous recherchez des informations *critiques* sur cette pratique nouvel-âgeuse, mais «critique du balancement des chakras». Ou un mélange de ces mots et des mots *sceptique* ou *charlatanisme.* Vous apprendrez également à utiliser les guillemets: avec la plupart des moteurs de recherche, si vous mettez trois mots à la queue leu leu, vous obtiendrez la liste de tous les sites contenant l'un ou l'autre de ces mots. En revanche, si vous encadrez ces mots entre guillemets, *vous n'obtiendrez que les sites contenant l'expression que vous avez mise entre guillemets*[14].

Mais, guillemets ou pas, on n'y échappe pas: *il faut* que vos mots clés soient diablement précis. D'après une étude parue en mars 1998 dans la revue *Science,* le Web avait déjà atteint le total de 320 millions de pages. En janvier 1999, la même équipe de recherche évaluait, dans la revue *Nature,* qu'on avait à présent atteint 800 millions de pages. À l'été 2001, les estimations conservatrices risquaient trois milliards de pages Web! Dans un pareil contexte, aucun moteur

14. Pour une utilisation plus judicieuse des robots, avec les différents signes, voir Claude Marcil, *Comment chercher... sur Internet*, cours 2: http://www.sciencepresse.qc.ca/recherche/cours2.html

de recherche ne peut accomplir de miracle, si vous n'avez pas au préalable décidé de vous servir de votre gros bon sens.

## Faire l'effort : l'humain contre la machine

Et ce n'est pas encore tout. Même avec les meilleurs mots clés du monde, les moteurs de recherche ont de sérieuses lacunes. La principale étant... qu'ils ne cherchent pas partout ! En fait, ils passent à côté de pans entiers de la bibliothèque !

Le verdict implacable est tombé pour la première fois avec cette recherche scientifique de mars 1998, signée Steve Lawrence et C. Lee Giles, de l'Institut de recherche de la compagnie NEC. On y apprenait que ceux qui étaient à l'époque les champions des outils de recherche, Alta Vista et HotBot, ne couvraient respectivement que 29% et 34% des pages Web. Northern Light suivait avec une moyenne de 20%, Excite 14% et InfoSeek, 10%. Les deux chercheurs ont renchéri en janvier 1999 : si vous êtes persévérant, si vous utilisez plusieurs mots clés, ou plusieurs moteurs, vous arriverez, dans des circonstances idéales, à hausser votre résultat à 40%.

En d'autres termes : en 1998-1999, quelle que soit votre recherche, quelle que soit la qualité des mots clés utilisés, vous passiez à côté de plus de la moitié du Web.

C'est un peu comme si votre bibliothèque publique... n'avait pas recensé la moitié de ses livres !

Il y a plusieurs raisons à ces trous gargantuesques. Tout d'abord, les moteurs de recherche sont débordés. Il peut s'écouler des jours, des semaines, voire des mois, avant qu'une nouvelle page ne soit recensée, surtout si peu de gens font des liens vers elle. Il peut s'écouler autant de temps avant qu'une page qui a changé d'adresse ne soit « retrouvée ». Le résultat, ce sont ces innombrables « erreurs 404 » auxquelles se heurte tout internaute qui se respecte, chaque fois que l'adresse qu'il a demandée n'existe pas.

Mais il y a aussi des tas de pages qui ne peuvent carrément pas être retracées par les moteurs de recherche. Certaines pages, dites dynamiques, qui font partie d'une banque de données. Très agréables à l'œil, très faciles à mettre en page... mais introuvables par les moteurs.

Et il y a aussi, et surtout, toutes les pages qui ne sont accessibles que par mot de passe. Par exemple, l'ensemble des archives payantes d'un journal. Le moteur de recherche ne peut évidemment pas connaître le mot de passe (ou sortir sa carte de crédit!). Ce qui, semaine après semaine après semaine, fait de plus en plus de pages «cachées»...

Bref, le Net est non seulement un fouillis où les choses sont classées de façon aléatoire, mais, en plus, on ne peut en extraire qu'une petite partie... et on ne sait même pas si c'est la partie la plus importante!

Et ce n'est pas encore le pire.

Le pire, c'est que tout ce qui précède, vous ne vous en rendez pas compte. Parce que quiconque fait une recherche sur Internet finit immanquablement par trouver quelque chose. De sorte qu'il se dégage une illusion: l'illusion que, somme toute, c'est facile, de chercher. «Dès que j'inscris un mot clé, je trouve quelque chose. Donc, j'ai tout trouvé ce qu'il y avait à trouver!»

C'est une illusion. Vous pouvez avoir trouvé dix sites sur les astéroïdes mais, à moins d'être vous-même un spécialiste en astéroïdes, vous ne vous apercevrez jamais que vous êtes passé à côté d'informations fondamentales. Peut-être même à côté de sites créés par les experts mondiaux en la matière.

Ou encore: vous pouvez avoir trouvé 100 sites, parmi lesquels se trouvent effectivement ces sites les plus complets. Mais lesquels, parmi ces 100 sites? Comme vous n'avez pas le temps matériel de tous les visiter, vous cliquerez sur quelques-uns, au hasard. Vous finirez par glaner quelques informations, sans avoir la moindre indication sur leur réelle valeur. Rien ni personne, aucun bibliothécaire, aucune fiche explicative, ne vous aura pointé du doigt le site le plus fiable, ou le plus complet, ou le mieux vulgarisé.

## *About.com*

Ce genre d'effort commence pourtant à émerger. Ainsi, About.com (http://www.about.com) est un répertoire, comme Yahoo, mais de

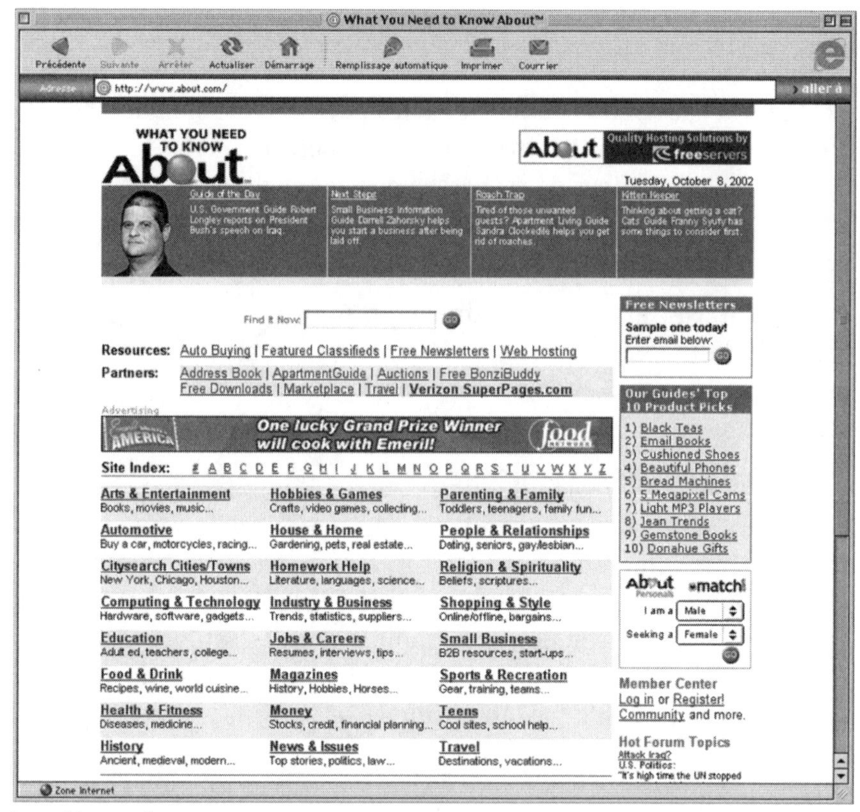


http://www.about.com

loin supérieur. Il contient autant de catégories et de sous-sous-sous-catégories que son illustre prédécesseur, mais possède l'immense avantage de vous offrir une sélection : chaque catégorie est dirigée par un humain, qui est payé par About.com. Sa mission : choisir les sites qui, à son avis, surpassent tous les autres. Et pas seulement les sites : tout ce qui lui paraît significatif.

Reprenons l'exemple des astéroïdes. De la grande catégorie *Science*, on se retrouve dans la sous-catégorie *Space* où un expert en la matière nous offre une vaste sélection d'hyperliens : certains conduisent vers d'autres catégories d'About.com, d'autres vers des sites Web extérieurs. Pour chacun d'eux, on trouve un mot d'explication de notre humain de service : voici pourquoi je pense que ce site est supérieur aux autres. S'ajoutent à cela des articles de journaux ou de magazines. Et même des articles inédits.

Ces « guides » d'About.com (c'est ainsi qu'on les appelle) peuvent venir de tous les champs d'activités. Bibliothécaires, mais aussi scientifiques, ou journalistes, qui naviguaient depuis longtemps sur Internet et qui ont trouvé ici une occasion d'être rémunérés. Du succès de leur section, donc de sa crédibilité, dépend leur paye, puisqu'ils recevront un supplément en fonction de l'achalandage de leur section. Ils ont tout intérêt à la maintenir à jour, et à la rendre la plus utile et la plus crédible possible.

### *La Bibliothèque de l'Agence Science-Presse*

Il est étonnant de constater qu'une demi-décennie après la naissance d'About.com (à l'origine, sous le nom de MiningCo) il n'existe toujours pas de semblable ressource en français. Ce qui s'en approche le plus est, bien humblement, la bibliothèque de l'Agence Science-Presse (http://www.sciencepresse.qc.ca/repertoires.html). Ici aussi, un répertoire de sites, avec catégories et sous-catégories, mais avec deux particularités.

La première, c'est que ces catégories respectent d'aussi près que possible les catégories utilisées pour le classement des livres dans les bibliothèques. Plus précisément, la classification Dewey, où tout livre coté 600 et quelque chose appartient à la catégorie *Sciences appliquées*, tout livre coté 610 appartient à la sous-catégorie *Médecine*, et ainsi de suite. Un mode de classification logique, éprouvé, où on est assuré que chaque catégorie soit mutuellement exclusive.

La deuxième particularité, ce sont les commentaires rattachés aux sites recensés. Ici, au contraire de Yahoo, pas question d'énumérer 10 sites dont les titres sont à peu près tous semblables : chacun a droit à une ligne, ou un paragraphe, permettant donc au visiteur de faire un premier tri, et lui évitant d'aller visiter une dizaine de sites en pure perte.

Avec aujourd'hui quelque 7000 sites dûment commentés, l'Agence Science-Presse se retrouve, et de loin, avec le plus gros répertoire de sites commentés de la francophonie.

Le tout, réalisé sans la moindre subvention, petit pas par petit pas, au fil des ans.

### *Les spécialisés*

About.com et la Bibliothèque sont des répertoires pour le grand public. Il en existe d'autres, présentés sous des formes moins conviviales, pensés davantage pour les étudiants-chercheurs ou les enseignants. Ce qui veut dire qu'on y trouvera moins de sites populaires, ou de vulgarisation, et davantage de bulletins spécialisés, de bases de données et de revues savantes.

Le meilleur s'appelle **Infomine** (http://infomine.ucr.edu/). Créé à l'Université de Californie en 1995, c'est définitivement le site à connaître si vous recherchez de l'information *très pointue* sur un sujet comme les tumeurs au cerveau ou les astéroïdes. Malgré les apparences, y sont également recensés des sites de vulgarisation; mais lorsque c'est le cas, parce qu'ils ont été longuement étudiés avant d'être approuvés.

**Argus Clearinghouse** (http://www.clearinghouse.net) mérite lui aussi d'être connu. Alors que la production d'Infomine est centralisée dans une université, Argus ressemble davantage à un travail coopératif: chaque section a son guide, comme About.com, quoique avec une particularité. Pour être guide ici, il faut avoir son diplôme en bibliothéconomie ou en sciences de la documentation.

**Librarian's Index to the Internet** enfin (http://www.lii.org/) a lui aussi été pensé par des bibliothécaires et s'adresse à un auditoire qui est prêt à faire l'effort de chercher – journalistes, avocats, médecins, communicateurs, et peut-être votre voisin, si le mot «effort» ne lui fait pas peur.

Dans tous les cas, LII, Argus et Infomine ne sont pas des moteurs: vous ne pouvez donc pas vous contenter d'inscrire un mot clé et espérer vous retrouver avec 100 000 choix. Il vous faudra fureter plus longtemps, mais, lorsque vous aurez trouvé quelque chose grâce à eux, vous aurez l'assurance que le site pointé sera impeccable. Dans certains cas, il s'agira d'un site lui-même gigantesque, un point de départ incontournable vers le sujet qui vous tient à cœur: le genre de site que vous pourrez sans hésiter inscrire dans vos signets.

Personnellement, je crois qu'un répertoire comme About.com, ou qu'un site comme Infomine, représente l'avenir du Net. Ou devrait représenter l'avenir du Net. Peu importe lequel vous adopterez: About.com, la Bibliothèque ou Infomine, l'important, pour éviter de vous laisser décourager par la surabondance d'information, c'est que vous en adoptiez un.

N'importe quel: ce sera toujours mieux que Yahoo.

# Conclusion

Faire un effort, cela demande... eh bien, un effort. On a beau ne pas aimer cela, vient un moment où c'est une nécessité. Peu de gens aiment faire le ménage ou laver la vaisselle, mais il faut bien le faire, sans quoi l'appartement devient invivable.

S'informer est tout aussi vital que manger ou dormir. Les biologistes ont depuis longtemps appris que, dans la nature, la bestiole la mieux «informée» – sur les habitudes du prédateur, par exemple – est celle qui va survivre.

Mais nous ne sommes plus exactement des animaux. Si on se contente de s'informer en laissant un flot ininterrompu de sons et d'images nous pénétrer le cerveau, on ne s'est pas vraiment informé. On n'a rendu service à personne: ni à soi-même ni à la société qui nous entoure: on n'est pas devenu, comme par magie, un citoyen plus avisé.

S'informer demande un effort, aussi minimal soit-il. Utiliser About.com plutôt que Yahoo. Utiliser son bon sens, plutôt que d'inscrire le premier mot clé qui nous passe par la tête. Être critique, aussi bien devant la dernière nouvelle d'Indymedia que de celle de CNN. Lutter contre les violations de la vie privée. Poser des questions lorsqu'un voisin, ou un journaliste, tient pour acquis la légitimité de mots à la mode tels que «convergence». Ne pas se contenter d'affirmations telles que «la publicité va faire vivre les sites Web», si on n'en a pas de preuves. Essayer de remonter à la source, quand quelqu'un nous affirme que le *push* ou la WebTV représentent l'avenir d'Internet. Essayer de remonter à la source des mythes, que ce soit le concept d'autoroute de l'information ou celui de communauté planétaire.

Ce n'est pas aussi compliqué que ça en a l'air: souvent, cette source est juste au détour du chemin. C'est l'auteur du *bestseller* du moment. C'est l'expert invité à la télévision la veille. Ou c'est celui qui s'est autoproclamé gourou d'Internet et dont plus personne n'ose remettre la parole en doute. Parce que nous avons la fâcheuse tendance à nous laisser intimider par ceux qui ont l'air de savoir de quoi ils parlent. Hier, c'était le latin, aujourd'hui, il suffit de maîtriser un peu de jargon techno-scientifique.

Cesser d'avaler des textes brefs, comme si notre vie en dépendait – ou juste pour le plaisir de zapper, pardon, surfer. Et lire en fonction de ce qui peut nous apprendre quelque chose. *L'information est une denrée précieuse, qui ne s'avale pas comme du pop-corn.*

Être sceptique. Douter. Utiliser son esprit critique.

On l'aura compris – j'espère – ces conseils ne sont pas valables que pour Internet. Lorsqu'en 1976 le chercheur américain Horace Newcomb publia son recueil *Television: The Critical View*, son intention était similaire: aller au-delà des analyses simplistes que consacraient journaux et magazines à la programmation télé; s'élever au-dessus des membres d'une certaine élite intellectuelle qui balayaient le tout du revers de la main, en se disant que la télé, après tout, est de peu d'importance[1]. Sa programmation, disait-il, est peut-être culturellement moins intéressante que la production littéraire, mais elle rejoint beaucoup, beaucoup plus de gens, et, ne serait-ce que pour cette raison, on n'a pas le droit de s'en désintéresser.

Internet rend ces efforts encore plus urgents. Internet se construit au moment même où vous lisez ces lignes: si vous ne faites pas l'effort d'y participer en changeant vous-même vos comportements, ou en contribuant à changer ceux des autres, vous ne pourrez vous en prendre qu'à vous-même si, dans 10 ans, vous baissez les bras.

Développer un esprit critique, cela veut dire être plus attentif à l'information qui nous bombarde et aux comportements qui sont les nôtres. Il est par exemple anormal que, jusqu'en 1997, des gourous d'Internet aient pu continuer de proclamer qu'Internet compterait en l'an 2000 un milliard d'utilisateurs, sans que quiconque ne les ait mis en face de l'absurdité de leur calcul: en 1993, lorsque cette estimation a commencé à circuler, le Net comptait tout au plus cinq millions

1. Horace Newcomb, dir., *Television: The Critical View*, 4e édition, New York, Oxford University Press, 1987, 647 p.

d'utilisateurs. En 1995, alors que l'Américain Michael Strangelove la véhiculait pour appâter les gens d'affaires vers le cyberespace, les estimations de la population d'internautes variaient entre 50 millions et... 5 millions! Nicholas Negroponte lui-même se mit à utiliser «un milliard d'internautes en l'an 2000» dans ses écrits, en 1995-1996, alors que cela devenait proprement risible: Internet comptait, en 1996, moins de 75 millions d'utilisateurs; et le quart de l'humanité, rappelait chaque année l'Union internationale des télécommunications, n'avait encore jamais utilisé un téléphone ! Un des disciples français de Negroponte, Christian Huitema, employait encore cette «prévision» dans une conférence donnée à Montréal en février 1997!

Nombre de journalistes ont jugé moins risqué – et, surtout, moins fatigant – de rapporter les propos de ces «experts» que d'aller voir ce qu'en disait l'Union internationale des télécommunications – pourtant bien plus experte, mais bien moins flamboyante.

Développer un esprit critique, cela veut donc dire, tout bêtement, utiliser son intelligence, douter, poser des questions, lorsqu'on cherche, lorsqu'on lit, lorsqu'on surfe. Et cela veut dire, lorsqu'on est insatisfait: protester.

Prenons pour modèle la télévision. Dans la grande majorité des cas, les seuls véritables efforts de changement ne sont pas venus de la soi-disant «élite» intellectuelle, et encore moins du milieu de la télévision ou des autres médias, mais du public. Dès les années 1960, des groupes d'enseignants ont milité pour davantage de télé éducative; des groupes de parents ont fait pression sur les responsables de la programmation des grands réseaux; des groupes féministes ont contribué à ce que l'image de la femme à la télé dépasse la caricature de la femme au foyer; le Québec a même eu, pendant un peu plus d'une décennie, son association nationale des téléspectateurs, dont le but n'était autre que le développement du sens critique chez le téléspectateur. Des expériences, en France notamment, pour rendre le jeune téléspectateur plus actif, ont germé dans les écoles, et de nombreux pays entretiennent depuis plus de 20 ans des programmes d'éducation aux médias, destinés aux enfants ou aux adultes. La nombreuse littérature publiée à ce sujet est riche d'expériences que les militants d'Internet auraient tout intérêt à connaître[2].

De multiples études ont fait état du mécontentement d'une partie imposante de la population face à la programmation télévisée qui lui était imposée. Quand ce mécontentement s'affichait de façon suffisamment lourde, les responsables de la programmation étaient bien forcés d'en tenir compte. À l'inverse, quand les téléspectateurs se tenaient tranquilles, personne ne jugeait nécessaire de se secouer les puces. Il n'y a aucune raison d'imaginer que le «processus» de changement sera différent sur Internet. Mais il faut pour cela, encore et encore, faire l'effort. Cela commence par remplacer Yahoo dans notre routine; partir à la découverte d'autres médias moins traditionnels ou surveiller les atteintes à notre vie privée.

Cela commence, tout simplement, par un réflexe: lire les dernières nouvelles sur la dernière invention à la mode ou sur les dernières fusions de compagnies, en se disant: « et s'il était en train d'essayer de m'en passer une rapide...? »

Les dix dernières années ont offert plus que leur lot normal d'exemples où ce genre de questionnement aurait été bénéfique pour tout le monde, et ce livre n'en a donné qu'un bref aperçu.

Le réseau Internet, et plus largement toute la micro-informatique, représente une innovation trop importante pour que nous n'y prenions pas part. Ce n'est pas la révolution annoncée par les utopistes –

2. Sur les efforts américains, lire Les Brown, *Keeping your Eye on Television*, New York, Pilgrim Press, 1979, en particulier le chapitre 7: The Real Critics of Television. Aussi: Kathryn C. Montgomery, *Target: Prime Time, Advocacy Groups and the Struggle Over Entertainment Television*, Oxford, Oxford University Press, 1989, 272 p. Au Québec, l'Association nationale des téléspectateurs (ANT) a publié un trimestriel, *Le Téléspectateur*, qui n'existe plus aujourd'hui, mais qu'on peut trouver dans la plupart des bibliothèques universitaires. L'ANT a notamment publié en 1988 un programme d'éducation critique à la télévision. Sur le programme français «Jeunes Téléspectateurs actifs», voir le numéro 36 de la revue française *Autrement* (janvier 1982), intitulé *La Télé: une affaire de famille*. Plus largement, sur les programmes d'éducation aux médias: Jacques Piette, *Une analyse des expériences et des programmes d'éducation aux médias à travers le monde*, Montréal, ANT, 1985, 193 p., et les actes d'un colloque québécois de 1986, *L'Éducation critique à la télévision. Forces et faiblesses de la télévision québécoise*, Montréal, ANT.

mais ça n'en est pas moins une évolution importante, un outil qui peut profiter à tous, et qui peut contribuer à forger un monde meilleur. Tout comme l'imprimerie y a contribué, parce que des gens de bonne volonté s'en sont préoccupés et l'ont utilisée pour promouvoir la connaissance, le savoir, l'intelligence.

On ne fait pas la révolution juste parce qu'on est «branché». Mais on ajoute, petit à petit, pas à pas, notre pierre à l'édifice. À condition de s'en donner la peine.

# Lectures en évolution

On trouvera ici une brève liste de sites Web ou de magazines qui valent le détour. Les ajouter à vos signets, ou les faire venir une fois par mois dans votre boîte aux lettres, constitue une excellente façon de suivre les derniers développements des thèmes traités dans ce livre, et ce, d'un œil critique plutôt que béat d'admiration.

## Internet (généralités)

*Chroniques de Cybérie*

http://www.cyberie.qc.ca

Le cyber-magazine créé en 1994 par le Québécois Jean-Pierre Cloutier, qui constitue, aujourd'hui encore, la meilleure référence pour quiconque veut se tenir à jour de ce qui se passe sur le réseau informatique.

*ZdNet (en anglais)*

http://zdnet.com

Plus informatif que critique, constitue néanmoins la plus complète des sources d'information du genre.

## Journalisme (généralités)

*Columbia Journalism Review*

http://www.cjr.org

Mensuel imprimé. Les meilleures et les mieux vulgarisées des études sur le journalisme et les médias.

*Contentious*

http://www.contentious.com

Cyber-magazine voué à la promotion d'une écriture de qualité sur le Web.

*Le Poynter Institute*

http://www.poynter.org/

Réputé pour ses réflexions d'avant-garde sur l'éthique. Abrite aussi l'excellente revue de presse quotidienne de Jim Romenesko.

*Le Pew Research Center*
http://www.pewinternet.org/
Nombreuses recherches sur les médias en général et, à l'occasion, les médias sur Internet.

## Journalisme et Internet

*Online Journalism Review*
http://www.ojr.org
Une ressource méconnue des écoles de journalisme, mais rapidement devenue indispensable. Enquêtes journalistiques, analyses, études, références.

*Droit d'auteur des journalistes (États-Unis)*
http://www.nwu.org/tvt/tvthome.htm
Tour d'horizon de la poursuite lancée par la National Writers Union, documents d'archives et dernières nouvelles. Sur ce sujet, voir aussi le site de l'Association des journalistes indépendants du Québec: http://www.ajiq.qc.ca

## Violations de la vie privée

*Privacy.org*
http://www.privacy.org
Pour suivre l'actualité.

*LSI Jolie (en français)*
http://www.lsijolie.net
Pour suivre l'actualité française.

## Autre

*World Telecommunication Development Report*
http://www.itu.int
Les rapports annuels de l'Union internationale des télécommunications: l'état réel de la situation dans le monde.

# Lectures tout court

## Médias et Internet

Dominic Gates, «The Future of News», *Online Journalism Review*, juillet 2002: http://www.ojr.org/ojr/future/

Excellent dossier de fond, complété récemment. Fait entre autres le tour des difficultés économiques vécues par les médias en ligne.

Jon Katz, «Online or Not, Newspapers Suck», *Wired*, septembre 1994, p. 50-58: http://www.wired.com/wired/archive/2.09/news.suck.html

Texte-fondateur des critiques des médias sur le Net.

Fred Mann, «Do Journalism Ethics and Values Apply to New Media?», conférence, 22 février 1997: http://www.poynter.org/dj/Projects/newmedethics/jvmann.htm

L'éthique journalistique s'applique-t-elle au cyberespace?

Katherine Fulton, «A Tour of our Uncertain Futur», *Columbia Journalism Review*, mars 1996: http://www.cjr.org/year/96/2/tour.asp

État de la situation et inquiétudes (1996).

J.D. Lasica, «NetGain. Journalism's Challenges in an Interactive Age», *American Journalism Review*, novembre 1996.

État de la situation et inquiétudes (1996).

John V. Pavlik *et al.*, «The Future of Online Journalism. Bonanza or Black Hole», *Columbia Journalism Review*, juillet 1997, p. 30-37.

État de la situation et inquiétudes (1997).

Jeffrey A. Perlman, «Online Newspapers as Cyber Cannibals?», *Online Journalism Review*, 30 novembre 1998, modifié le 4 avril 2002: http://www.ojr.org/ojr/business/1017967451.php

L'édition en ligne bouffera-t-elle l'édition imprimée?

Edward J. Valauskas, *First Monday and the Evolution of Electronic Journals*, octobre 1997 : http://www.press.umich.edu/jep/03-01/FirstMonday.html

Étude de fond sur la transition de l'imprimé à l'électronique pour des revues savantes.

## Économie et Internet : regards critiques

Arno, *Quelles solutions économiques pour les indépendants du Web?*, novembre 1997 : http://www.multimania.com/uzine/idxneuf. html

Jean-Pierre Cloutier, *Contenus québécois sur le Web : artisanat ou industrie?*, Montréal, avril 1998 : http://www.cyberie.qc.ca/etude

Peter Elstrom, « The Great Internet Money Game », *Business Week*, 16 avril 2001 : http://www.businessweek.com/magazine/ content/ 01_16/b3728602.htm

Jean-Sébastien Marsan, « Netgraphe : Vie et mort d'un coup de vent », Agence Science-Presse, 21 mai 2001 : http://www.sciencepresse. qc.ca/trucs/netgraphe.html

Robert J. Shiller, *Irrational Exuberance.* Princeton University Press, 2000, 296 p.

Michael Wolff, *Burn Rate. How I Survived the Gold Rush Years on the Internet.* New York, Simon & Schuster, 1998, 268 p.

## Internet et inforoutes : regards critiques

« Microsoft's Reach in Higher Education », *Chronicle of Higher Education*, 24 avril 1998 : http://chronicle.com/free/v44/i33/ microsoft.htm

Hervé Fischer, *Le Choc du numérique*, Montréal, VLB, 2001, 395 p.

David Shenk, *Data Smog : Surviving the Information Glut*, Harper Collins, 1997, 250 p.

Référence indispensable sur la surabondance d'information.

Clifford Stoll, *Silicon Snake Oil*, New York, Anchor Books, 1995, 249 p.

Michel Venne, *Ces fascinantes inforoutes*. Montréal, Institut québécois de recherche sur la culture, 1995, 141 p.

## Vie privée

Loi sur l'accès aux documents des organismes publics et sur la protection des renseignements personnels (Québec).

http://www.cai.gouv.qc.ca/fr/1_1.pdf

Loi sur la protection des renseignements personnels (Canada).

http://lois.justice.gc.ca/fr/P-21/

## Comment chercher?

CREPUQ, *Guide d'initiation à la recherche sur Internet*, Québec, 1996 : http://www.bibl.ulaval.ca/vitrine/giri/mod3/3ex1.htm

Claude Marcil, *Comment chercher*, Québec, MultiMondes, 2001, 240 p.

Claude Marcil, *Comment chercher... sur Internet*, Agence Science-Presse, 2001 : http://www.sciencepresse.qc.ca/recherche/TdM.html

## Internet et inforoutes : regards optimistes

*Manifeste du Web indépendant*, 2 février 1997.

http://www.uzine.net/article60.html

Katie Hafner, « The World's Most Influential Online Community », *Wired*, mai 1997, p. 98-142 : http://www.wired.com/wired/archive/5.05/ff_well.html

Nicholas Negroponte, *L'Homme numérique*, Paris, Robert Laffont, 1995, 290 p.

Howard Rheingold, *La Communauté virtuelle*, Boston, MIT Press, 1993. Extraits disponibles à : http://www.rheingold.com/vc/book/index.html

Et la collection complète de *Wired*...

# Chronologies

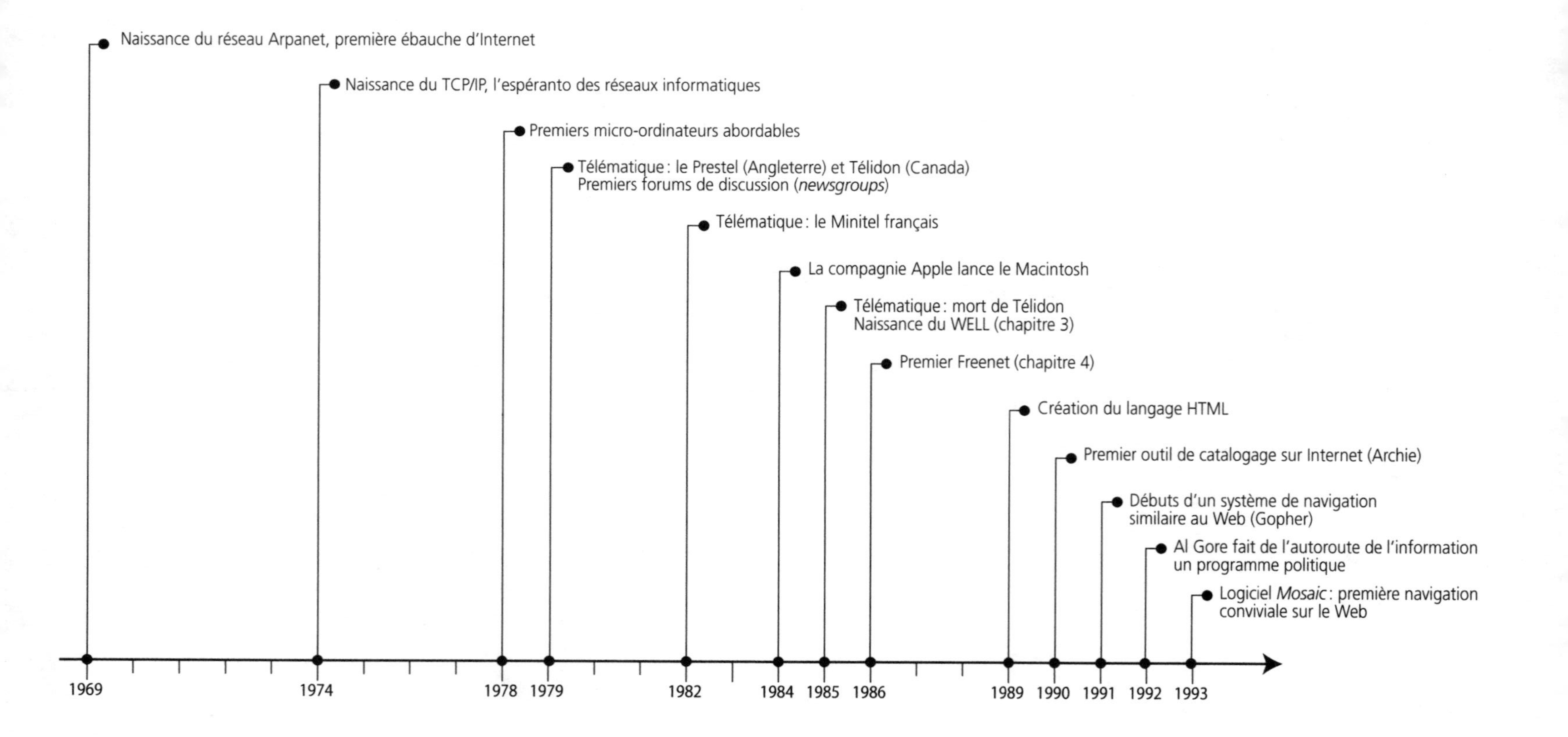
Naissance du réseau Arpanet, première ébauche d'Internet
Naissance du TCP/IP, l'espéranto des réseaux informatiques
Premiers micro-ordinateurs abordables
Télématique : le Prestel (Angleterre) et Télidon (Canada)
Premiers forums de discussion (*newsgroups*)
Télématique : le Minitel français
La compagnie Apple lance le Macintosh
Télématique : mort de Télidon
Naissance du WELL (chapitre 3)
Premier Freenet (chapitre 4)
Création du langage HTML
Premier outil de catalogage sur Internet (Archie)
Débuts d'un système de navigation
similaire au Web (Gopher)
Al Gore fait de l'autoroute de l'information
un programme politique
Logiciel *Mosaic* : première navigation
conviviale sur le Web
1969
1974
1978
1979
1982
1984
1985
1986
1989
1990
1991
1992
1993

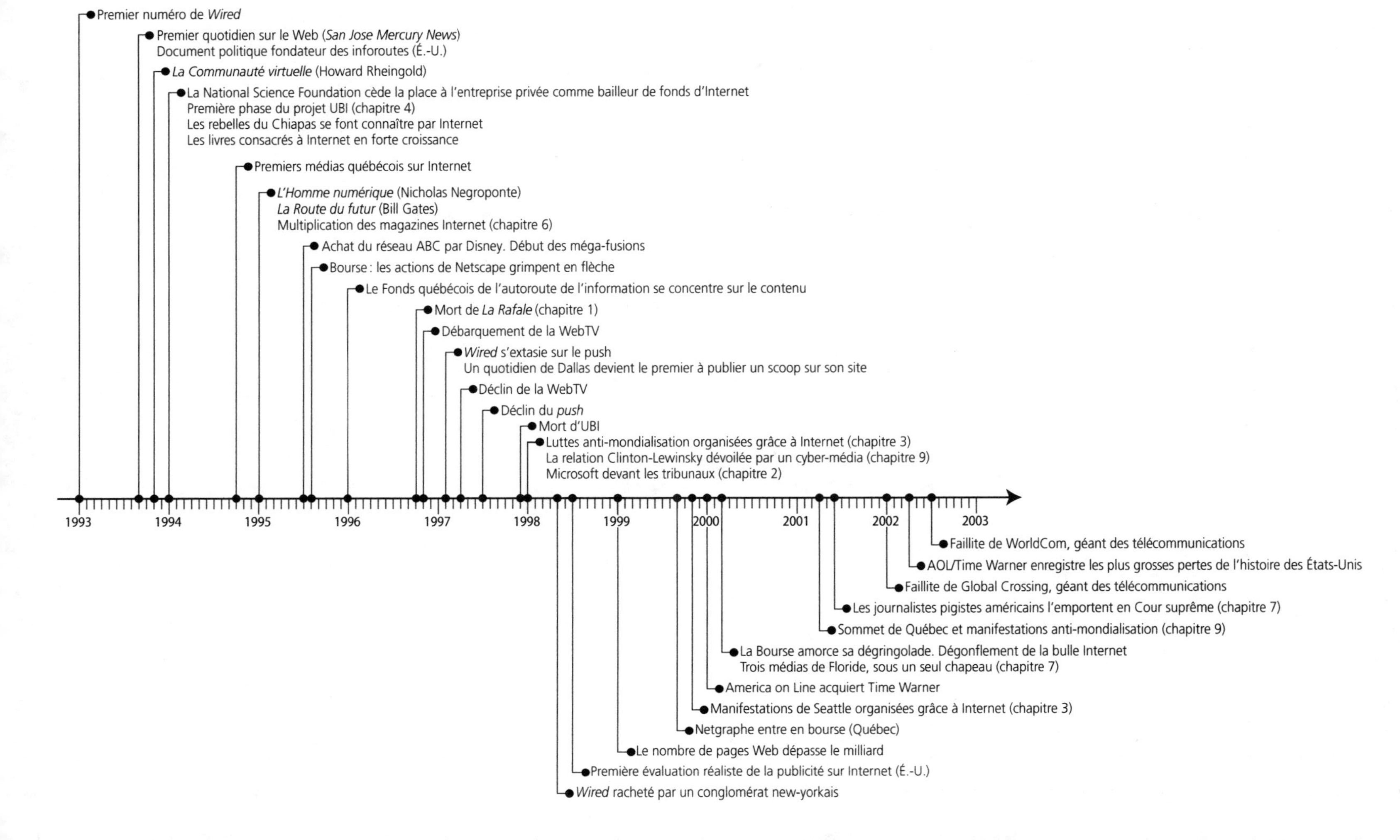
Premier numéro de Wired
Premier quotidien sur le Web (San Jose Mercury News)
Document politique fondateur des inforoutes (É.-U.)
La Communauté virtuelle (Howard Rheingold)
La National Science Foundation cède la place à l'entreprise privée comme bailleur de fonds d'Internet
Première phase du projet UBI (chapitre 4)
Les rebelles du Chiapas se font connaître par Internet
Les livres consacrés à Internet en forte croissance
Premiers médias québécois sur Internet
L'Homme numérique (Nicholas Negroponte)
La Route du futur (Bill Gates)
Multiplication des magazines Internet (chapitre 6)
Achat du réseau ABC par Disney. Début des méga-fusions
Bourse : les actions de Netscape grimpent en flèche
Le Fonds québécois de l'autoroute de l'information se concentre sur le contenu
Mort de La Rafale (chapitre 1)
Débarquement de la WebTV
Wired s'extasie sur le push
Un quotidien de Dallas devient le premier à publier un scoop sur son site
Déclin de la WebTV
Déclin du push
Mort d'UBI
Luttes anti-mondialisation organisées grâce à Internet (chapitre 3)
La relation Clinton-Lewinsky dévoilée par un cyber-média (chapitre 9)
Microsoft devant les tribunaux (chapitre 2)
1993
1994
1995
1996
1997
1998
1999
2000
2001
2002
2003
Faillite de WorldCom, géant des télécommunications
AOL/Time Warner enregistre les plus grosses pertes de l'histoire des États-Unis
Faillite de Global Crossing, géant des télécommunications
Les journalistes pigistes américains l'emportent en Cour suprême (chapitre 7)
Sommet de Québec et manifestations anti-mondialisation (chapitre 9)
La Bourse amorce sa dégringolade. Dégonflement de la bulle Internet
Trois médias de Floride, sous un seul chapeau (chapitre 7)
America on Line acquiert Time Warner
Manifestations de Seattle organisées grâce à Internet (chapitre 3)
Netgraphe entre en bourse (Québec)
Le nombre de pages Web dépasse le milliard
Première évaluation réaliste de la publicité sur Internet (É.-U.)
Wired racheté par un conglomérat new-yorkais

p-41

AGMV Marquis
MEMBRE DE SCABRINI MEDIA
Québec, Canada
2002